D1284568

La Treizième Heure

De la même autrice

Chez le même éditeur

Rai-de-cœur, 1996
Tout ce qui brille, 1997
Pauvres morts, 2000
Hymen, 2003
Le Triomphe, 2005
Une fille du feu, 2008
La Princesse de., 2010
Mon père m'a donné un mari, 2013
Si tout n'a pas péri avec mon innocence, 2013
Je viens, 2015
Arcadie, 2018
À l'abordage !, 2021

Sous le nom de Rebecca Lighieri

Husbands, 2013
Les Garçons de l'été, 2017
Il est des hommes qui se perdront toujours, 2020

Emmanuelle Bayamack-Tam

La Treizième Heure

Roman

P.O.L
33, rue Saint-André-des-Arts, Paris 6e

ISBN : 978-2-8180-5586-1
www.pol-editeur.com

Pour David Reigney

Farah

« … la philanthropie est agréable,
mais point trop n'en faut. »

Fiodor Dostoïevski, *L'Idiot*

La gloire de mon père

C'est mon père qui a créé l'Église de la Treizième Heure, et si elle compte moins d'adeptes que celle du Septième Jour, c'est une injustice que le temps se chargera de réparer – car je tiens à dire que notre religion est à la fois beaucoup plus libre, beaucoup plus inventive et surtout beaucoup plus poétique que celle des adventistes. Étant la fille du fondateur, je manque peut-être d'objectivité, mais il suffit d'assister à l'une de nos célébrations pour se convaincre que la beauté et la joie sont de notre côté. Seulement voilà, en dépit de notre prosélytisme acharné, nous peinons à recruter – comme si les gens ne voulaient surtout pas entendre parler de joie et encore moins de beauté. À croire qu'ils préfèrent vivre sous le joug de la Bête, parce que cette Bête est la leur, qu'ils l'ont domptée et domestiquée depuis si longtemps qu'ils la prennent pour une condition humaine largement acceptable. Ce n'est pourtant pas faute de s'être entendu dire qu'un autre monde était possible.

C'est le seul message que nous avons à transmettre, et il m'a toujours semblé que c'était une bonne nouvelle. Pourtant les portes nous claquent au nez – ou quand elles s'ouvrent, elles ne s'ouvrent sur rien, nous sommes bloqués comme par des forces invisibles, nous et nos perspectives de salut collectif : l'effraction n'a pas lieu, et après nous la vie reprend là où elle devrait brûler. Nous arrivons trop tard : il faudrait contacter les gens à un âge plus tendre, car dès quinze ans, c'est plié, les circuits mentaux sont en place et ils mènent tout droit à la mort cérébrale. Faute de l'admettre, mon père s'obstine. Si je n'étais pas là pour veiller au grain, il serait tout à fait capable de se ruiner la santé dans une campagne d'adhésion aussi interminable qu'infructueuse.

– On ne peut pas laisser les gens dans l'inconscience et l'ignorance !

Comme je fais du porte-à-porte avec lui depuis toujours, j'ai fini par admettre ce qu'il refuse de voir : les gens préfèrent l'ignorance à la connaissance, et le démarchage à domicile ne sert qu'à les conforter dans leur inanité. Vivant avec un saint, j'ai appris à ne pas contrer directement ses lubies, d'autant qu'il les considère comme des missions sacrées, mais j'ai mon avis sur la question : pour recruter des adeptes, mieux vaut se poster à proximité d'un marché avec un petit éventaire de brochures plastifiées et traduites en plusieurs langues. Bien sûr le risque est grand d'être confondu avec d'autres Églises, mais c'est le cas de toute façon, en dépit de nos dénégations véhémentes :

– Nous sommes l'Église de la Treizième Heure, Madame, pas les témoins de Jéhovah. Nous acceptons la transfusion sanguine, nous ! Nous donnons notre sang, même ! Non, nous ne sommes pas polygames : ce sont les mormons, qui sont polygames. Et nous ne sommes pas des scientologues non plus, rien à voir.

Dans la mesure où je me suis fixé de raconter notre histoire et de tenir nos annales, je vois bien qu'il faut que je remonte dans le temps, à une époque très antérieure à ma naissance, puisque mon père était encore au collège, loin de se figurer qu'il serait un jour le chef spirituel d'une congrégation que l'on peut dire religieuse, bien que Dieu y tienne une place négligeable.

Il a treize ou quatorze ans quand on lui donne à lire un poème du XVIe siècle. Comme il est consciencieux, il ouvre illico son manuel à la page indiquée, et se met à ânonner machinalement : Déjà la nuit en son parc amassait un grand troupeau d'étoiles vagabondes, et, pour entrer aux cavernes profondes, fuyant le jour, ses noirs chevaux chassait…

Bizarrement, ce jour-là, il n'ira pas plus loin que cette première strophe, laissant le prof dérouler son exégèse laborieuse des vers de du Bellay. Tout juste s'il ne se bouche pas les oreilles pour rester seul dans sa nuit étoilée, où tournoient chariots de feu et cavales cabrées. Il s'est passé quelque chose, mais quoi ?

Quelque temps plus tard, Rimbaud achève d'achever mon père, ou plutôt de le rallier au camp de la beauté convulsive – Glaciers, soleils d'argent, flots nacreux, cieux de braise… Là encore, il voudrait pouvoir s'isoler, emporter loin de la salle de classe l'énigme indéchiffrable de son émotion au lieu d'en subir la dissection formelle. Attention, mon père n'a rien contre le savoir scolaire, au contraire : simplement il sent bien que l'élucidation arrive trop tôt et qu'il lui faudrait un temps de recueillement avant de scander des alexandrins. Qu'importe, le miracle a eu lieu et il dure encore puisque mon père a fait de la poésie le feu central de notre théologie et de notre liturgie – ce qui ne nous empêche pas de divulguer peu ou prou le même message que Jésus, en plus écologiste, en plus féministe et en plus queer.

– Si le Christ vivait aujourd'hui, il serait catastrophé par l'état du monde et par celui des relations que les hommes entretiennent avec la Nature ! Sans parler des relations que les hommes entretiennent entre eux ! Vous croyez qu'il serait heureux de voir la façon dont nous traitons les étrangers, les femmes, ou les minorités sexuelles ? Vous croyez qu'il accepterait que nous restions sans rien faire ?

C'est généralement sur ce mode qu'il harangue le chaland sur les marchés, ou qu'il entame la discussion avec ceux qui veulent bien l'écouter – et c'est comme ça qu'il a convaincu Birke, Kinbote ou Marsiella de rejoindre l'Église de la Treizième Heure, cette treizième heure dont nous faisons tout pour hâter la venue parce qu'elle mettra fin au règne de l'Antéchrist. Finies les persécutions, les discriminations, les injustices, les violences, place à l'âge de l'Esprit, qui est aussi celui du bonheur terrestre de l'Humanité.

Comme toute Église qui se respecte, nous avons notre lieu de culte, et même s'il ne s'agit que d'un entresol bas de plafond, c'est aussi l'endroit que je préfère au monde, d'autant que je m'y suis aménagé un coin à moi, derrière un grand paravent à motifs floraux – avec amoncellement d'édredons et empilement de livres, essentiellement des contes et des romans, bien que mon père ait la fiction en horreur.

– Les romans, c'est bon pour les gens qui s'ennuient ! Je ne comprends pas que tu puisses aimer ça !

Suite à sa rencontre avec la poésie, il a pourtant essayé de se plonger dans des classiques réputés, escomptant le même choc esthétique. Peine perdue : au bout d'une dizaine de pages, il avait envie de hurler.

– C'est tellement faux, tout ça ! Ces personnages auxquels on te demande de croire comme s'ils existaient, ces situations invraisemblables, ces dialogues artificiels…

Je m'en fous complètement, moi, que ce soit faux. Au contraire, tant mieux si c'est inventé, peu plausible et extravagant. À moi les typhons, les naufrages, les îles au trésor, les jardins de minuit, les apprentis sorciers, les chapeliers fous, les hommes invisibles, les barons perchés, les royaumes du nord, les guerres du feu, les petits princes et les petites princesses – surtout si elles vivent dans une mansarde avec un rat nommé Melchisédech.

Pendant nos messes poétiques, il n'est pas rare que je décroche et vienne me lover dans ma tanière avec un exemplaire défraîchi du *Miroir d'Ambre.* À mon sens, tout se marie très bien, les prêches inspirés de mon père, le chant de mes coreligionnaires, et les aventures ébouriffantes de Will et Lyra – sans compter les bouffées balsamiques exhalées par nos cierges à trois mèches. Fabriqués par Marsiella, ils mettent exactement treize heures à se consumer, ce qui a le don de galvaniser nos ouailles et de les abîmer dans des oraisons de la même durée.

Marsiella s'est spécialisée dans le commerce de la bondieuserie, et qu'on me permette de dire qu'il s'agit d'une activité très lucrative : cierges, grenades votives, carillons cosmiques, nappes d'autel brodées, petits retables, le tout remporte un franc succès et assure à la communauté une partie non négligeable de ses revenus. Mon père est aussi indifférent aux objets qu'à l'argent, mais il tolère le merchandising de ses idéaux parce qu'il faut bien croître et se multiplier. Il faut bien vivre, aussi, et j'ai beau aimer les membres de ma famille élargie, je suis forcée d'admettre que la plupart sont incapables d'assurer leur existence matérielle. Pour une Marsiella, aussi industrieuse que pragmatique, nous avons un Kinbote, inapte à tout, ou une Jewel dont la spécialité est le vide abyssal, ce qui semble l'occuper à plein temps mais ne fait pas notre affaire. Et que dire de Birke, de Jaquette, de Marie-Ciboire ou de Gloria, qui ne sont bonnes qu'à réciter nos antiennes, avec une ferveur aussi admirable qu'inquiétante ?

La Treizième revient... C'est encor la première et c'est toujours la seule, ou c'est le seul moment ; car es-tu reine, ô toi la première ou dernière ? Es-tu roi, toi le seul ou le dernier amant ? Nos célébrations se terminent rituellement par ce sonnet de Nerval. J'ai beau l'avoir entendu et récité moi-même plus de mille fois, je l'entonne toujours avec le même allant et chaque mot me parle. Hop, je rejoins d'un bond la ronde des fidèles : bras crochetés les uns aux autres, sourire jusqu'aux oreilles, nous proclamons notre attente confiante de la Treizième Heure, mais aussi notre croyance en une royauté pauvre et humble – la royauté des oubliés, des petits, des *derniers*. Car en sonnant la fin d'un monde devenu géhenne invivable, la Treizième Heure subvertira du même coup un ordre social inique.

La récente pandémie a contribué à grossir nos rangs : reconnaître ce fait ne diminue en rien les mérites de mon père. Les contextes de désorientation massive ont toujours profité aux Églises, et la nôtre est particulièrement bien équipée pour répondre aux angoisses. En plus des déséquilibrés ordinaires, nous avons ainsi récupéré un certain nombre de patients objectivement tirés d'affaire, mais présentant un syndrome dépressif réactionnel. Il faut les comprendre : ils n'étaient préparés ni à la maladie ni à l'étrangeté de la leur – et encore moins à ce que la guérison n'en finisse pas. Des mois après avoir quitté l'hôpital, ils font encore des cauchemars, ont des douleurs fantômes, peinent à rassembler leurs idées comme à trouver leurs mots, et ne sortent de chez eux que pour venir réciter du Ronsard ou du Verlaine à l'Église de la Treizième Heure. La répétition et la scansion des vers les rassurent – à moins qu'elles ne contribuent à faire baisser leur tension artérielle. Spécialiste du solfège sacré, mon père maîtrise parfaitement les fréquences qui libèrent les émotions bloquées, celles qui pénètrent la structure biologique du corps, font vibrer les cellules, restaurent la confiance en soi, les organes lésés, et jusqu'à l'ADN. Comme par ailleurs les carillons cosmiques de Marsiella ont de puissants effets anxiolytiques, nos nouvelles recrues sortent de nos célébrations avec le sentiment que leurs symptômes s'atténuent et qu'une vie sociale est de nouveau possible. Rien que pour ça, on devrait nous reconnaître comme une association d'utilité publique au lieu de nous confondre avec les fous de Dieu.

J'invite tous ceux qui douteraient de cette utilité à venir passer un moment dans notre petite salle lambrissée. Il est impossible de ne pas être rasséréné par nos fenêtres en demi-lune et la lumière que tamisent doucement nos vitraux modernistes – sans compter nos piliers de stuc, peints de façon à imiter l'incarnat du marbre de Caunes, une idée de mon père, qui n'en manque pas quand il s'agit de donner du lustre à la réalité. Tapisseries murales aux couleurs douces, autel croulant sous les offrandes, tout est fait chez nous pour la joie du cœur – et si la décoration intérieure n'y suffit pas, le nouvel arrivant peut compter sur la chaleur humaine : il sera accueilli comme un ami de la famille.

Cette famille compte à ce jour une centaine de membres, essentiellement des femmes entre vingt et cent ans, pour qui mon père est Dieu, ou ce qui s'en approche le plus. Comme je suis sa fille, je profite des retombées de leur vénération et bénéficie d'une attention sans faille portée à mon développement et à mon bien-être. Je suis d'autant plus choyée que je suis la seule enfant de la congrégation. Je pourrais m'en affliger, mais je fréquente suffisamment d'enfants à l'extérieur pour apprécier le répit que m'offre la compagnie de tous ces adultes pacifiques.

Au risque de décevoir, je tiens à écarter d'emblée la suspicion que peut créer l'emploi du mot « famille » : mon père a beau plaire aux femmes, il n'est pas le nouveau Charles Manson. Nous n'avons rien à voir non plus avec l'étrange secte passive et consanguine qui prospère sous ce nom dans l'est parisien depuis le XVIIIe siècle. D'ailleurs, c'est bien simple, nous ne sommes pas plus une secte qu'une famille à proprement parler, juste une communauté qui croit que la souffrance et la mort n'auront pas le dernier mot.

Je me demande comment font les autres pour s'arranger dès l'enfance avec le désespoir. Moi, on m'a toujours parlé de l'immortalité de l'âme et de la nature miraculeuse de toute existence. Ça aide. Ça aide à vivre dans l'éblouissement, mais aussi à relativiser les contraintes, les frustrations et les humiliations, tout ce dont on s'accommode mal quand on n'a pas d'autre perspective que la vie matérielle.

Comme la célébration se termine, nous déclamons « Artémis » à l'unisson. Au dernier tercet, nous nous jetons avec enthousiasme des poignées de pétales au visage, conformément à l'injonction nervalienne : Roses blanches, tombez ! Nous avons nos usages, que mon père a piochés dans son anthologie personnelle. Ostensoirs baudelairiens, flagellations à l'avoine folle, couronnements virtuels inspirés par Roger Gilbert-Lecomte, sorts épistolaires empruntés à Artaud mais accommodés à notre sauce et donc dépourvus de la charge maléfique qu'il y mettait – simples feuillets griffonnés sous hypnose avant d'être jetés dans nos braseros de cuivre ajourés.

La célébration terminée, je retourne à mon édredon et à mes lectures honnies, enfin honnies par mon père mais autorisées quand même vu qu'il s'interdit d'interdire. Il se peut d'ailleurs que sa haine du roman lui vienne d'un prénom malencontreusement romanesque, Lenny, qu'il a porté sans état d'âme jusqu'à ce qu'on lui signale que c'était aussi celui de l'attardé mental le plus célèbre de la littérature mondiale. Sans l'avoir lu, il a développé toute une théorie sur *Des souris et des hommes* et n'en parle qu'avec des frissons de dégoût. Comme notre Église est strictement animaliste, je ne peux pas attribuer ce dégoût à l'amalgame opéré dès le titre entre humains et rongeurs, et je suis bien forcée de constater l'existence d'un grumeau irrationnel dans l'esprit d'un homme si raisonnable.

Ne voulant plus s'appeler Lenny, mon père a opté pour Léon, prénom qui présentait entre autres avantages celui de le démarquer de son frère aîné. Esprit de suite ou manque d'inspiration, mes grands-parents ont appelé Kenny leur premier-né et Lenny leur cadet. Leur sève s'est heureusement épuisée avant la naissance de Jenny, de sorte que Jenny n'existe que dans mes rêves, tante imaginaire ou mère de substitution puisque la mienne s'est inexplicablement évaporée.

Peine perdue pour Léon, cela dit. Mon père ne s'était pas plus tôt rebaptisé qu'une âme charitable l'a informé que c'était le prénom d'un autre idiot, un prince russe dont mon père ne lirait jamais la biographie édifiante mais dont il refusait farouchement l'homonymie. Tout cela s'est passé bien avant ma naissance, et je ne sais que ce que mon père en dit, à savoir qu'il s'est résigné à son prénom mais qu'il a pris l'avertissement très au sérieux : deux idiots coup sur coup, ça devait vouloir dire quelque chose. Il se voulait homme intégral, prédisait l'avènement du règne de l'Esprit, mais il n'était peut-être qu'un arriéré mental, comme le Lennie de Steinbeck, ou qu'un convulsionnaire hébété par ses crises, comme le Léon de Dostoïevski.

Moi qui bois ses paroles et obéis à toutes ses injonctions, je me suis pourtant promis de lire tous les romans, et tant pis si c'est mission impossible : je sens bien qu'il faut que je me gagne un espace de liberté – car l'inconvénient d'avoir un père extraordinaire, c'est qu'il est à la fois omniprésent, insurpassable, et tyrannique à son corps défendant.

Les romans me rendent extrêmement heureuse, d'un bonheur que j'ai du mal à définir et que mon père qualifierait sûrement d'égoïste. Car l'Humanité peut bien aller à sa perte, tant que j'aurai mes livres, je m'en soucierai somme toute assez peu. Cette vérité étant absolument inavouable au sein de ma grande famille altruiste, je la garde pour moi et j'avance dans mon projet de lecture de tous les romans du monde, sans méthode mais avec conviction. *Des souris et des hommes* et *L'Idiot* comptent évidemment parmi mes objectifs, mais si Steinbeck me semble accessible, un œil jeté à Dostoïevski m'a plongée dans la consternation, et je ne suis pas certaine d'être assez intelligente un jour pour pouvoir côtoyer les Épantchine avec profit. Sans parler des Rogojine et des Ivolguine.

En attendant ce jour improbable, je fréquente assidûment vampires adolescents, sorciers amoureux, pirates borgnes, naufragés plus ou moins volontaires, tueurs en série et détectives en herbe – m'attirant les commentaires perplexes de mon père :

– On dirait que la réalité ne te suffit pas...

C'est exactement ça, ou plutôt c'est l'inverse : la réalité est suffisamment terrifiante pour m'inspirer le désir fou de la quitter. Mon père et ses disciples ont beau avoir déclaré la guerre à la guerre, je vois bien qu'elle fait rage partout, à commencer par le cœur des hommes, et en attendant la nouvelle ère que nous appelons de nos vœux, j'aime autant qu'on me laisse m'immerger tranquillement dans la fiction : les forces du mal s'y déchaînent aussi, mais ce déchaînement n'a jamais tué personne.

L'autre vérité inavouable, c'est qu'un roman peut se lire comme un manuel d'instruction. Alors évidemment, tout dépend du domaine dans lequel vous voulez vous instruire, mais si c'est celui de l'enquête policière, vous n'aurez que l'embarras du choix, vu que la plupart des récits s'échafaudent comme des treillis en sucre filé au-dessus d'une disparition. Ma mère s'étant volatilisée une semaine après ma naissance, j'ai l'investigation chevillée au corps, et la lecture m'a confortée dans ma vocation de détective : je serai Joseph Rouletabille, Sam Spade, Miss Marple, Sherlock Holmes, Lisbeth Salander ou Philip Marlowe – et je retrouverai ma mère au bout d'un écheveau de déductions.

Tout sur ma mère

Je pourrais m'estimer à moitié orpheline, mais d'une ma mère est sans doute vivante, et de deux, je n'ai manqué de rien vu que mon père a été mieux qu'une mère – ou plutôt, mieux que toutes les mères que je connais, un échantillon sans doute trop faible pour être statistiquement significatif, mais je m'en moque : pour une mère acceptable, il y en a dix qui sont folles à lier, et qui transmettent cette folie *in utero*, sans parler des dégâts qu'elles opèrent par la suite. Et les pères ne sont pas mieux. Ils sont même généralement pires : je peux m'estimer heureuse que le mien soit patient, doux et tendre, sans compter que notre congrégation vaut bien toutes les familles.

Sans être une spécialiste du lien biologique, j'ai quand même un oncle et des grands-parents, ce qui me permet d'affirmer que le sang est certes plus épais que l'eau, mais que contrairement à elle, il n'a aucune propriété désaltérante, aucune vertu lustrale, bref aucun autre intérêt que de véhiculer les tares et de perpétuer les névroses. Si j'ai déjà parlé du manque d'imagination de mes grands-parents paternels, sachez qu'il s'agit du moindre de leurs défauts, défauts qu'ils se sont évertués à transmettre, rencontrant plus de succès avec Kenny qu'avec Lenny – mais ça, c'est une autre histoire.

Le sang a beau être un remarquable réservoir à troubles mentaux ainsi qu'un bouillon microbien notoire, c'est au nom du sang que se commettent toutes sortes de crimes, à commencer par les « crimes d'honneur », oxymore qui peine à en dissimuler la barbarie. Et il a beau être le plus petit dénominateur commun entre des individus qui gagneraient beaucoup à ne pas se fréquenter, il continue à être abusivement surestimé et à justifier des préférences et des comportements aberrants. Moi-même, sachant ce que je sais sur cette aberration, je n'ai jamais pu m'empêcher de questionner mon père au sujet de ma mère biologique :

– Elle était comment ?

– Ta mère ?

– Oui. Jolie ?

– Euh, je ne sais pas.

– Comment ça, tu sais pas ? Tu devais bien la trouver jolie, non ?

– Ça ne m'intéresse pas ces trucs, jolie, pas jolie… Ça ne veut rien dire.

– Pourquoi elle t'a plu si tu la trouvais pas jolie ?

– Je n'ai jamais dit qu'elle m'avait plu.

– Ben, pourquoi vous m'avez eue, alors ?

– On s'aimait.

– Mais qu'est-ce que tu aimais chez elle, exactement ?

Je ne lui demande pas ce qu'elle aimait chez lui, parce que sa modestie l'empêcherait de me donner la bonne réponse, qui ne tient pas à l'addition de ses multiples qualités, mais plutôt à une mystérieuse force de séduction : comme si quelque chose de sa générosité et de son courage exceptionnels venait transcender un physique agréable mais somme toute ordinaire.

– Elle était brune ? blonde ?

Il me regarde comme si de toutes les questions possibles, celle-ci était de loin la plus incongrue ou la plus difficile :

– Tu sais, on n'est restés qu'un an ensemble.

– Et alors ? Un an ça suffit pas pour savoir si les gens sont bruns ou blonds ?

– Je ne suis pas physionomiste.

Inutile de dire qu'il n'a pas plus de photos qu'il n'a de souvenirs, et ce n'est qu'en le harcelant sans relâche que j'ai fini par savoir que ma mère s'appelait ou se faisait appeler Hind, qu'elle était de taille moyenne, qu'elle avait les yeux marron, qu'elle se décolorait les cheveux, qu'elle aimait les animaux, et que sa couleur préférée était le rouge.

C'est aussi la mienne : je dois tenir ça d'elle, mais impossible de dresser le début d'un portrait-robot à partir d'informations aussi imprécises. J'en suis réduite aux conjectures sur cet amour dont je ne doute pas qu'il a dû être aussi romanesque que passionné : mon père a beau détester les romans, je le vois mal accepter d'avoir un enfant avec quelqu'un qu'il n'aimait pas au-delà du raisonnable. Précisons que l'Église de la Treizième Heure prône la restriction démographique, et que sans être favorable à l'avortement, elle le juge préférable aux naissances malvenues. Pour que je vienne au monde, il a donc fallu que mon père passe outre à son propre enseignement, ce qui fait de moi l'enfant de sa folie, ou plutôt, l'enfant de leur folie à tous les deux, ce tourbillon de désir irrépressible et d'oubli momentané de notre dixième commandement : tu ne procréeras point. Et si je suis personnellement décidée à observer cette prescription, je n'en suis pas moins heureuse qu'elle ait été bravée par mes jeunes parents inconséquents.

Lors de nos soirées karaoké, je demande souvent à ce que soit chanté « Le Tourbillon de la vie ». Tandis que les fidèles l'entonnent, je rêve aux « yeux d'opale » de ma mère, à ses « bagues », à ses « bracelets », et à son « curieux sourire », dont il me semble avoir hérité. Car faute de la connaître ou de disposer de données sûres, je me suis bricolé toute seule la moitié de mon patrimoine génétique.

J'ai commencé par entrer son prénom dans un moteur de recherche, une piste qui a tourné court car « Hind » signifie « groupe de chameaux » et je ne voulais pas de ces vilaines bêtes dans mon arbre généalogique. Je voulais bien être à moitié arabe, par contre, mais mon père a douché mes ardeurs :

– Elle était arabe, ma mère ?

– Pas que je sache.

– Hind, c'est arabe.

– Peut-être, mais pas ta mère.

– Elle était quoi ?

– Qu'est-ce que tu entends par là ?

– Elle était de quelle origine ?

Je n'ai pas plus tôt posé ma question que je la regrette : dans ma communauté, les origines, c'est comme l'apparence physique, ça n'existe pas. Je reste donc avec ce prénom qui ne veut rien dire – et ma mère ni blonde ni brune, ni grande ni petite, dans son caravansérail imaginaire.

Un autre jour, par désœuvrement ou acquit de conscience, je tape « un an d'amour » sur le clavier de notre ordi. Peine perdue, tout ce que j'obtiens, c'est une liste de SMS d'anniversaire, que je lis et relis, dans une sorte de vertige écœuré : « déjà 365 jours que je t'ai offert mon cœur, tu es mon oxygène, merci d'être dans ma vie, j'espère que ce n'est que le début de notre nous, je ferai tout pour que notre bonheur à deux soit sans fin, sans toi une part de moi n'existe pas » – on sent bien qu'au bout d'un an, le sentiment qui domine ce n'est plus l'amour mais la peur, celle de manquer d'air et de cesser d'exister.

Quelques recherches plus loin, je tombe sur une vidéo dont le titre en espagnol me paraît plus prometteur que la flopée de messages romantiques régurgités par Google : « Un Año de Amor ». Au bout de dix secondes, c'en est fini de moi : le frémissement d'un rideau de perles m'a ravie au monde et précipitée dans l'extase. Sans compter que j'ai retrouvé ma mère et qu'elle est sublime. Pour comprendre la confusion qui s'établit dans mon esprit, il faut se rappeler que j'ai neuf ans au moment de ces premières investigations. Mes idées s'éclairciront par la suite, mais pour l'heure, je me contente de fondre d'amour filial devant cette jupe en lamé rouge et ce chignon d'un blond aussi fou que mes espérances.

Pour moi aussi, le miracle a eu lieu, mais au lieu de m'en ouvrir à Lenny, je fais de ce miracle un secret entre ma mère et moi. Tous les jours, je m'accorde le plaisir coupable de la retrouver. J'attends d'être seule, je fais l'obscurité, j'allume une bougie, et la magie opère. Dès les premières notes, et surtout dès le premier frottement du balai sur la caisse claire, je suis subjuguée. Cette entrée en scène de ma mère, à la fois insinuante et fracassante, le jeu de ses mains gantées, celui de ses jambes gainées de noir sous le scintillement rubescent du lamé, l'ondulation musculeuse de ses épaules sous le satin de la chemise, tout me transporte. Et sans comprendre un mot d'espagnol, je sais ce qu'elle chante : cette année d'amour ne sera suivie d'aucune autre, le bonheur a pris fin, l'oxygène manque, la catastrophe a eu lieu.

Qu'on puisse quitter une créature aussi bouleversante de beauté et aussi triomphante dans sa féminité, je ne me l'explique pas mais j'en veux à mon père – et il ne m'échappe pas que ma mère lui en veut aussi. Je décrypte parfaitement l'arrogance de son regard et l'agressivité de ses coups de menton à l'intention du traître : il s'en repentira, telles sont la promesse et la menace voilées que délivre la chanson.

Mon rendez-vous quotidien avec ma mère dure trois minutes vingt et une. Dès que la vidéo est terminée, je referme l'ordinateur portable et je n'y reviens pas de la journée. Mais à chaque fois, j'engrange un nouveau détail qui confirme ma parenté avec cette créature magnifique : sa prédilection pour le rouge, bien sûr, mais aussi la ligne brutale des mâchoires, le nez busqué, la carrure impressionnante, la légère voussure. Tout ce qui fait de moi un objet de risée devient chez ma mère aussi inexplicablement harmonieux que merveilleusement désirable, et j'en viens à me regarder différemment dans le miroir. Ma silhouette massive, ma pilosité, mes lèvres sépia, mes paupières lourdes, tout ce que j'ai pris jusqu'ici pour des disgrâces rédhibitoires me semble aujourd'hui voué à la métamorphose et promis à la beauté. J'ai rencontré ma mère, mais j'ai aussi entrevu une façon de grandir.

Petit à petit, je mémorise chacun de ses regards et de ses gestes, sa progression nonchalante et déterminée au milieu des spectateurs conquis, la chorégraphie suave de ses doigts, la façon dont ils soulignent son déhanché ou papillonnent à hauteur du visage – jusqu'à ce moment qui me tue à chaque fois, l'index langoureusement porté à la bouche, puis brandi, furibond et sentencieux, histoire de graver définitivement le souvenir d'une année d'amour dans la cervelle de l'amant ingrat.

Je ne sais pas à quel moment j'ai compris que la chanson de Luz Casal ne parlait pas de mes parents. J'ai sans doute fini par voir le film d'Almodóvar et par admettre que Miguel Bosé ne pouvait en aucun cas être ma mère, mais je ne garde aucun souvenir de cette découverte. Elle a dû se faire au moment où j'étais suffisamment aguerrie pour l'encaisser. D'autant qu'à force de multiplier les œillades et les moues de défi face au miroir, j'avais incorporé un peu de la flamboyance maternelle, un peu de sa tranquille conviction d'être irrésistible : la vidéo ayant rempli son office talismanique, je pouvais désormais m'en passer.

Restait le mystère irrésolu de mon abandon, le départ précipité de ma mère quelques jours après ma naissance, sa fuite dans la nuit noire, le ventre encore ballottant, le périnée encore endolori, les seins encore distendus par la montée de lait. Sur le sujet, mon père reste désespérément factuel : ils sont rentrés de l'hôpital, elle m'a posée dans le lit de bébé qu'elle avait elle-même acheté et garni d'un baldaquin à cœurs blancs sur fond beige, et puis, hop, plus personne, volatilisation, plus de nouvelles, pas un mot, pas un appel téléphonique en seize ans, jamais de mère embusquée à la sortie de l'école, me guettant derrière ses lunettes noires, nada, rien de rien – et encore moins que rien depuis que j'ai renoncé à la consolante fiction d'« Un año de amor ».

S'ajoute au mystère le fait que mon lit de bébé était un lit évolutif, prévu pour accompagner ma croissance jusqu'à l'âge de six ans. Il y a donc eu un moment où ma mère se projetait dans un avenir familial, une vie dans laquelle son enfant grandirait auprès d'elle. Ce qu'elle n'avait pas prévu, c'est que cet enfant serait moi : d'une façon ou d'une autre ma réalité est venue contrecarrer ses plans anténataux.

Dans le cadre de mon enquête de voisinage, et bien qu'on ne puisse pas leur faire confiance, j'ai quand même fini par interroger mes grands-parents paternels. En matière de témoins oculaires, j'aurais aimé avoir l'embarras du choix, mais à part eux, je ne connais personne qui puisse me parler de la femme de leur fils.

– C'était pas sa femme !

L'interrogatoire commence mal, mais j'aurais dû m'en douter. Ils sont tous les deux du genre pinailleur, sans compter qu'ils adorent faire obstruction au plaisir. Ils ont dû flairer mon espoir, subodorer la joie que m'apporterait la moindre information, et décider *in petto* que la satisfaction ne passerait pas par eux.

– Ils étaient pas mariés.

– Je sais, mais ils sont quand même restés un an ensemble. Et ils m'ont eue.

– Un an ? Tant que ça ?

Oui, un an, je suis formelle : ils se sont rencontrés et quittés en avril, le mois de ma naissance. Pour lacunaire qu'elle soit, la déposition de mon père n'a jamais varié sur ce point.

– On l'a pas vraiment connue, tu sais.

C'est fou, ça, cette femme que personne ne connaît, qui traverse la vie des gens sans les marquer, ne leur laissant ni souvenirs ni photos, juste une enfant qui lui ressemble – sauf que là-dessus, c'est pareil, pas moyen d'obtenir un consensus :

– Je lui ressemble, non ?

– C'est pas frappant.

– Peut-être un peu les yeux ?

– Ah mais non : elle avait les yeux clairs. Bleus, ou gris...

– Papa m'a dit marron.

– Ah bon ? Peut-être...

– Il doit mieux savoir que nous.

– Parce que nous, si on l'a vue deux fois en tout et pour tout…

– Trois, grand maximum…

Que Lenny n'ait pas tenu à ce que sa bien-aimée fréquente ses parents, je peux tout à fait le comprendre. Il n'empêche que deux ou trois visites, normalement ça suffit pour qu'on mémorise les traits d'une personne, surtout si cette personne s'avère porter votre descendance, la chair de votre chair – et Dieu sait si contrairement à moi mes grands-parents fétichisent les liens du sang. En désespoir de cause, je tente une autre approche, espérant les prendre par surprise et obtenir un indice ou un autre :

– Et c'était quoi, déjà, son nom de famille ?

Ils soufflent de concert, émettant le même vilain bruit de bouche pour exprimer leur ignorance d'une information aussi capitale. Autant le dire tout de suite, le nom de ma mère c'est Leroy, mais allez donc faire des recherches généalogiques avec un patronyme qui occupe le treizième rang des noms les plus fréquents en France – certes, loin derrière Bernard ou Moreau, mais ça n'est pas une consolation. Son association avec Hind est certainement plus rare, mais j'ai fini par comprendre que Hind était sans doute une fausse piste.

L'horloge comtoise du salon sonne seize heures, suscitant comme un friselis d'impatience chez mes grands-parents. À croire que ma visite n'a déjà que trop duré. Ce qu'ils ne savent pas encore, c'est que j'ai décidé de tester sur eux les techniques de questionnement policier auxquelles mes lectures m'ont formée. Peu importe qu'ils soient entendus en tant que simples témoins dans cette affaire de disparition : il s'agit de les mettre en confiance et de les laisser parler, sur un sujet ou sur un autre, tout en les guidant subtilement jusqu'à l'aveu – la reine des preuves, comme chacun sait. Le problème, c'est que la confiance n'est pas le fort de mes grands-parents. Leur fort, c'est précisément l'inverse : la défiance, la suspicion, l'idée que tout le monde veut les duper ou les trahir – idée qui se double chez eux de la conviction qu'on pèche toujours par naïveté :

– Trop bon, trop con !

Je n'ai jamais pu passer plus d'une heure en leur compagnie sans que l'un ou l'autre ne profère cette formule sur un ton définitif et entendu. C'est d'autant plus étrange qu'en ce qui les concerne, le risque d'un excès de bonté avoisine zéro. Ils sont aussi mesquins que hargneux, aussi égoïstes qu'insensibles, et j'imagine mal quelle place la bonté pourrait trouver dans leur existence – je vois bien que je parle d'eux comme s'ils agissaient et pensaient toujours à l'unisson, mais le fait est que j'ai toujours peiné à distinguer Alain de Dominique. Même au physique, ils ont fini par se ressembler : même goût pour les vêtements de sport, même chevelure roussâtre et raréfiée, mêmes lèvres un peu violacées par l'âge...

Seize heures trente, je virevolte dans leur salon, tripotant leur collection d'assiettes murales et caressant leur gros matou tigré – dont vous n'aurez aucun mal à deviner le nom pour peu que vous vous rappeliez que mes grands-parents n'ont aucune imagination.

– Farah, tu veux bien rester tranquille cinq minutes ? Tu vas finir par casser un truc. Et arrête d'embêter Tigrou.

– T'as pas école, demain ?

– Ben si, pourquoi ?

– Tu rentres pas faire tes devoirs ?

D'une, je les ai finis depuis longtemps, et de deux, ma priorité c'est de retrouver ma mère :

– Et Hind, c'était son vrai prénom ?

Je sais parfaitement que non, mais cette histoire de faux prénom qui sent l'imposture et la forfaiture, ça devrait leur inspirer des commentaires acrimonieux. Bingo !

– Bah, tu parles ! Elle s'appelait pas plus Hind que mon cul !

Ce cul survient souvent dans leur conversation, sans qu'on sache vraiment pourquoi, comme une sorte de mètre étalon de tout – et j'aurai sûrement d'autres occasions de donner des exemples de cette fixette lexicale.

– Elle s'appelait Sophie, ta mère !

Sophie Leroy ça ne m'avance pas beaucoup, mais ça me fait un prénom sur lequel rêver, moins guttural que Hind et surtout beaucoup plus significatif, car tout le monde conviendra que la sagesse vaut mieux que n'importe quel troupeau de chameaux – n'en déplaise aux peuples du désert. En tout cas, je tiens quelque chose – comme quoi, ma méthode porte ses fruits, celle qui consiste à être passive, à peine présente mais réceptive, au cas où surviendrait une confidence précieuse ou une information capitale.

– Sophie ? Ah bon…

– Enfin, il me semble.

– On n'est pas sûrs, sûrs, hein. Ça fait longtemps…

Bon, ça c'est la phase de rétractation, une étape de l'interrogatoire à laquelle mes lectures m'ont préparée, ce qui fait que je ne relève pas et continue comme si de rien n'était, chantonnant et caressant le chat de plus belle :

– Vous êtes venus me voir à l'hôpital, quand je suis née ?

– Non. Ton père, il nous a pas prévenus tout de suite. On a su que t'étais née quand t'avais un mois ou deux.

– Ma mère était déjà partie ?

– Comment ça ?

– Quand vous m'avez vue, la première fois, elle était là ?

Ma question entraîne chez eux une réaction de détente, comme s'ils se sentaient soudain en terrain connu. Autant ils n'avaient rien à dire sur l'identité de ma mère ou sur son apparence physique autant sa défection les rend prolixes :

– Tu parles, elle avait déjà filé !

– Comme un lapin !

– Et encore, les lapines, elles s'occupent de leurs petits !

– Elle s'est pas occupée de moi ?

– Elle avait mieux à faire, faut croire !

– Qu'est-ce qu'elle avait de mieux à faire ?

– Ça se voyait comme le nez au milieu de la figure, que les enfants, c'était pas son truc.

Ce qu'était le truc de ma mère, ils sont bien en peine de me le dire, et d'ailleurs ils ont beau s'être décidés à parler, ils continuent à pratiquer la rétention d'information, multipliant les réponses évasives ou les jugements définitifs qui ne m'apprennent définitivement pas grand-chose :

– On devrait pas dire ça devant toi, mais c'était vraiment une bonne à rien.

– Une nulle en tout, tu veux dire !

La petite blague d'Alain fait rire Dominique aux larmes, et ils passent un moment à se renvoyer la balle, chacun renchérissant sur les insuffisances de cette pauvre Sophie, qui ne savait apparemment ni s'habiller, ni cuisiner, ni articuler une phrase intelligible. S'ils espèrent me blesser, ils se fourvoient complètement : une mère défaillante en tout, c'est quand même mieux qu'une mère parfaitement normale mais incapable de vous aimer.

– On s'est même demandé si elle était pas un peu arriérée.

– Il faut dire que ton père, on sait pas trop où il était allé la chercher.

– Chez les manouches, à mon avis !

Hop, je dresse l'oreille, histoire d'en apprendre un peu plus sur ma famille maternelle, mais il s'avère que cette dernière supposition n'a pas d'autre fondement que les préjugés ineptes de ma grand-mère. D'ailleurs, je vois bien qu'ils commencent tous les deux à s'échauffer et à dire n'importe quoi pour le simple plaisir de salir une bru aussi éphémère qu'insatisfaisante. J'aurais dû les auditionner séparément et je m'en veux de ne pas y avoir pensé car c'est l'une des règles de base de l'interrogatoire policier. Maintenant c'est trop tard, ils sont là à se monter le bourrichon entre eux, ni moi ni la vérité n'existons plus, et je me décide à rentrer chez moi avec ma maigre moisson : ma mère s'appelle Sophie, et elle n'a pas réussi à se faire aimer de mes grands-parents, ce qui ne signifie rien vu qu'ils n'aiment personne.

Non, j'exagère : ils m'aiment à leur façon et ils sont toujours contents de me voir arriver. S'ils le sont encore plus de me voir repartir c'est qu'ils ne sont habitués ni aux visites ni à la conversation : je les dérange, avec mon agitation, mes questions sur tout, ma façon de houspiller Tigrou ou de bousculer l'ordonnance de leurs bibelots. Retraités depuis peu, ils se sont glissés avec soulagement dans leurs pantoufles de vieux et ont adopté instantanément les habitudes séniles qu'ils garderont jusqu'à la fin. J'introduis trop de vie dans leur vie, sans parler des souvenirs inconvenants que je remue. Car étrangement, l'enfance de mon père n'est pas plus un sujet de conversation que le passage éclair de ma mère dans leur existence. Là où des parents normaux sont intarissables et s'attendrissent sur leurs albums photos, Alain et Dominique n'ont que peu d'anecdotes à me livrer, du moins en ce qui concerne Lenny : ils sont beaucoup plus diserts sur Kenny, mais évidemment, Kenny m'intéresse moins, en dépit de son charme ténébreux.

Au sujet de mon père, ils ne m'ont raconté qu'une chose qui vaille la peine de l'être de nouveau, un souvenir que j'affectionne particulièrement et que je me suis complètement approprié. Mon père a deux ou trois ans, Kenny cinq ou six. Toute la famille est en vacances à la montagne. Que mes grands-parents aient pu avoir assez d'esprit d'initiative et de dynamisme pour charger une voiture, louer un chalet et faire des randonnées, voilà qui me semble aujourd'hui hautement improbable, mais il faut croire qu'ils n'ont pas toujours été ces deux petits vieux qui détestent les voyages, les efforts et l'imprévu.

Ce jour-là il fait beau, les enfants jouent dehors et les parents admirent les lointains sommets, encore coiffés de neige en dépit de la chaleur estivale. Contrairement à Lenny, Kenny est un enfant impatient et turbulent, incapable de tenir en place deux minutes, toujours à inventer une bêtise ou une autre.

– Kenny, c'était du vif-argent !

– Tandis que ton père, on le posait à un endroit, on revenait une heure plus tard, il y était toujours.

Même à quarante ans de distance, on les sent secrètement fiers de cette vivacité de leur aîné, de cette énergie qu'il a pourtant si mal employée par la suite. La placidité de leur cadet, en revanche, ne leur inspire que des commentaires désobligeants :

– Pff, Lenny, c'était une jarre d'huile…

– Mollasson comme pas possible.

Je les laisse dire, mais je n'en pense pas moins : les mollassons ne créent pas de communautés, ne fondent pas d'Églises, ne prononcent pas de prêches inspirés, ne galvanisent pas les foules, n'ont pas de disciples, ne suscitent pas la ferveur et l'espoir comme mon père sait si bien le faire. Je les laisse dire parce que j'adore cette histoire, la seule qui me soit parvenue depuis le passé lointain et énigmatique de Lenny Maurier. Depuis le temps, je me suis fait mon idée : la vue panoramique sur les massifs montagneux, la stridulation des grillons dans les prés alentour, le café fumant dans les tasses, mon père jouant tranquillement avec deux bouts de bois, et Kenny courant dans tous les sens. Soudain un cri déchire l'azur, suivi de sanglots éperdus : au pied de l'escalier extérieur, Kenny braille, lèvre fendue et pissant le sang tandis que sur son front se forme déjà une énorme bosse bleue. S'ensuit un moment de confusion compréhensible, entre adjurations au calme et premiers secours désordonnés. Il s'avère qu'il y a plus de peur que de mal : la lèvre, ça saigne toujours beaucoup – quant à la bosse, elle dégonfle déjà sous la poche de glace que ma grand-mère y a diligemment appliquée. Rassurés sur le sort de leur aîné, mes grands-parents se rappellent soudain l'existence du plus jeune, qu'ils découvrent lui aussi en larmes et en sang.

– Il était à quatre pattes et il se cognait la tête contre le sol – tu le crois, ça?

– Et il pleurait, il pleurait! Il disait : « Kenny il a bobo, Kenny il a bobo! »

– On lui a passé un de ces savons!

– Comme si on n'avait pas assez à faire avec son frère!

Eh oui, si Alain et Dominique exhument régulièrement cette anecdote, c'est pour illustrer la bizarrerie, l'inconséquence, voire l'égoïsme de leur dernier-né. Qu'il ait eu trois ans au moment des faits ne le dédouane en rien, du moins à leurs yeux :

– C'était du Lenny pur jus, ça! Si quelqu'un se faisait mal, fallait qu'il ait encore plus mal!

– À croire qu'il aimait ça !

– Il a toujours été un peu maso.

Comment leur dire ce que m'inspire cette historiette ? Comment leur dire que ce jour-là, si j'avais été le père de mon père, je l'aurais serré très fort contre moi, murmurant à son oreille des mots d'amour, de réconfort et de fierté – au lieu de nettoyer son front tuméfié en maugréant. Quelle tristesse, qu'ils n'aient pas compris qu'ils assistaient là à la génération spontanée de l'empathie chez un petit garçon pourtant élevé comme si les autres n'existaient pas – et dans une indifférence totale à leurs besoins émotionnels, à commencer par les siens. Car j'en sais assez sur Alain et Dominique pour affirmer qu'ils n'ont jamais pensé qu'à leur gueule et que même leur fils préféré a dû pâtir d'une telle incompréhension affective.

Aujourd'hui, mon père a quarante-deux ans, et sa vie comme son œuvre offrent un démenti éclatant au diagnostic inepte de ses parents : non seulement il n'est pas masochiste, mais personne ne déteste la souffrance plus que lui, et personne ne s'active davantage à l'éradiquer. Je déplore qu'il n'ait pas eu les parents qu'il méritait, mais je suis fière d'être la fille d'un tel père, et jusqu'à mon dernier souffle je m'emploierai à chanter ses louanges et à servir ses vues éclairées.

Une photo a immortalisé ce moment, collée en bonne place dans un album rarement compulsé : si je n'étais pas là pour le feuilleter de temps en temps, il prendrait la poussière en haut d'une armoire. J'en chéris chaque cliché, y compris ceux où Lenny ne figure pas, parce que j'y trouve la preuve que mes grands-parents ont été jeunes et qu'ils ont été en vie. Et de toute façon, je n'ai pas tant de distractions dans leur deux-pièces : ils n'ont pas de jouets, lisent encore moins de romans que mon père, et m'interdisent de caresser le chat, sous prétexte que je le perturbe.

– Chaque fois que tu viens, on met deux jours à le récupérer : il pisse partout, il se cache sous les meubles...

À mon avis, ce qui perturbe Tigrou, c'est le contraste entre ma vitalité éclatante et son quotidien anxiogène entre ces deux sexagénaires dépressifs, mais dès que je tente une contre-argumentation, les yeux leur sortent de la tête :

– Il va très bien, ce chat, en temps normal !

– C'est toi, on te dit !

– Mais il aime ça, que je le caresse : il ronronne !

– Il ronronne, mon cul !

– Il grogne, en fait : tu l'embêtes !

Je sais faire la différence entre un grognement et un ronron, mais inutile de discuter avec eux, surtout s'il commence à être question de leur cul. Je préfère m'abîmer dans la contemplation de leurs photos de vacances, dont celle des deux frères

Maurier en cet été 1983. Mèches blondies par le soleil, joues tavelées de taches de rousseur, Kenny et Lenny sourient largement face à l'objectif. Trop largement peut-être. Car leurs sourires radieux rendent encore plus visibles et encore plus troublants leurs fronts contusionnés, leurs hématomes bleuissants, la lèvre enflée de l'un, le nez griffé de l'autre. Ils sont beaux, pourtant, et ils sont innocents. Même Kenny l'est encore, je peux le voir, et ça me serre le cœur – sachant ce qu'il a fait ensuite de cette beauté et de cette innocence.

Je repars de chez mes grands-parents, dépitée par la façon dont a tourné leur interrogatoire, et vaguement mortifiée par toutes leurs remarques désobligeantes, surtout celles qui ont visé ma mère – car en ce qui me concerne, j'ai l'habitude de leur goguenardise. J'ai l'habitude aussi qu'ils dénigrent mon père pour des raisons connues d'eux seuls. Mon idée sur la question c'est qu'ils ne se sont jamais remis d'avoir pour fils un héros. Sa grandeur les rend trop petits. Mon père fait cet effet-là à beaucoup, mais c'est une chose de le côtoyer et une autre de l'avoir enfanté. D'autant qu'ils ne sont pour rien dans cet héroïsme, pour rien dans son énergie, dans sa bonté et sa droiture morale.

Sur tout le chemin du retour, je pense à ma mère. Hind ou Sophie, arabe ou manouche, arriérée mentale ou mère indigne, peu m'importe : je suis comme mon père, j'aime mes semblables.

Même mes affreux grands-parents ont droit à mon amour, c'est dire. En attendant, mon enquête a très peu progressé et à moins d'éléments nouveaux, l'élucidation du mystère n'est pas près d'avoir lieu.

Millennium

59 % des gens s'attendent à des catastrophes imminentes. Nous comptons parmi ceux-là, mais contrairement aux autres, nous accueillons avec confiance tous les signes d'un déchaînement de Satan, vu que ce déchaînement est censé préluder à la rédemption collective que nous appelons de nos vœux. Si notre doctrine ressemble aux vaticinations des fous millénaristes, ce n'est pas un hasard : nous sommes millénaristes. La folie, en revanche, n'entre pas nos projets : nous laissons ça aux autres, avec l'angoisse et l'animosité.

Je n'ai pas l'intention de simplifier à outrance la doctrine établie par mon père, mais si je veux que nous soyons compris, je vois bien que je dois m'en tenir aux grandes lignes, quitte à détailler plus loin. Pour aller très vite, disons que nous considérons l'exceptionnelle série de cataclysmes que connaît la planète comme le signe avant-coureur du retour de Dieu parmi les hommes. On m'objectera que toutes les époques connaissent leurs catastrophes, et qu'il n'est pas dit que la nôtre soit particulièrement mal lotie, mais je renvoie les objecteurs au Registre des Calamités dans lequel nous recensons méticuleusement les fléaux qui ont grevé ce début de millénaire : conflits armés, attaques terroristes, pandémies, mégafeux, persécution des Ouïghours ou des Rohingyas, crues meurtrières, explosion dans le port de Beyrouth – rien n'échappe à notre vigilance. Notre congrégation compte autant de geeks ultra-connectés que de techno-réfractaires, et tandis que les uns traquent le malheur sur la Toile, d'autres prient sans relâche pour que nous en soyons libérés.

Pour autant, qu'on ne nous prenne pas pour de doux rêveurs passifs. Mon père est un saint, mais ça n'empêche pas la pugnacité. Je m'en voudrais beaucoup de le présenter comme un évangéliste béat alors que sa vie est un combat, et d'abord un combat contre le mensonge, dont il fait le père de tous les vices.

Mon enfance ayant été remarquablement épargnée par les punitions, je garde un souvenir très net de la seule fois où mon père m'a grondée, et c'était précisément suite à un mensonge, une histoire de gâteau que je niais catégoriquement avoir mangé, au mépris de toute vraisemblance.

– Qui l'a mangé, alors ?

– Je sais pas.

– Il n’y a que toi et moi à la maison, Farah.

– Mais c’est pas moi.

– Donc c’est moi ?

– Je sais pas.

– Tu vas aller dans ta chambre réfléchir un peu, d’accord. Et ensuite tu reviendras me dire qui a mangé ce gâteau.

En dépit de la bénignité du ton comme du châtiment, j’étais déjà en larmes et à genoux, horrifiée par son horreur, car c’est bel et bien ce que je lisais sur son visage soudain fermé, dans son regard qui peinait à se poser sur moi, comme si j’étais devenue une soudaine source de répulsion.

– C’est moi, c’est moi qui l’ai mangé ! Je le referai plus !

– Qu’est-ce que tu ne referas plus ?

– Manger le gâteau.

– Tu peux manger tous les gâteaux que tu veux, Farah.

J’étais perdue, mais il faut dire aussi que c’était mon premier mensonge et qu’il me semblait infiniment moins grave que la goinfrerie dont j’avais fait preuve en ne laissant pas une miette de ce fameux gâteau, dont j’ai encore le goût en bouche, goût désormais mêlé d’amertume, mais sur lequel je souhaite tout de même offrir quelques précisions. Il s’agissait d’une pâtisserie grecque à l’orange, lourde d’huile et de sirop, merveilleusement vanillée, et d’autant plus irrésistible que mon père m’élevait dans la plus grande frugalité, persuadé que je partageais son indifférence aux douceurs.

Sans être un ascète, il mange sans plaisir et va à l'essentiel. Un repas, pour lui, c'est une ration calorique, et tant mieux si ce repas ne nécessite ni grande préparation ni dépense excessive. Nourrie de pâtes au beurre, de poulet rôti, de pommes de terre bouillies et de sardines en boîte, j'étais toute prête à succomber au portokalopita – puisque tel est le nom du gâteau tentateur que Spiridon avait innocemment introduit chez nous. Ce Spiridon était alors notre dernière recrue en date, et ayant assisté à ce recrutement, je ne résiste pas plus à la tentation de le raconter qu'à celle, en d'autres temps, d'engloutir son portokalopita.

Je dois avoir sept ou huit ans et j'accompagne encore mon père dans ses tournées de porte-à-porte. Je le fais sans réticence ni ennui, persuadée qu'il s'agit d'une occupation normale, et pénétrée de la conviction d'agir utilement. Ce jour-là, Lenny a jeté son dévolu sur un immeuble du XIIIe arrondissement, un immeuble sans prétention ni caractéristiques notables. Nos brigades quadrillent la ville et ses banlieues de façon méthodique, mais je n'ai pas l'âge de m'en préoccuper et je me contente de suivre le mouvement.

Comme d'habitude, nous commençons par monter au dernier étage. Jetant son dévolu sur la première porte à gauche de l'ascenseur, mon père sonne un coup bref, accompagnant ce coup de sonnette d'un léger tambourinement de l'index et du majeur sur la porte close, une petite toccata guillerette et enjôleuse destinée à inspirer confiance. Souvent, l'obturateur de l'œilleton coulisse silencieusement, et je nous imagine, père et fille déformés par la rotondité de la lentille, capturés à 180° dans l'œil de poisson, pétrifiés mais impeccables dans nos tenues du dimanche – et avec mon père, c'est tous les jours dimanche, relâche interdite : il nous astreint tous les deux à une élégance douloureuse. Généralement, la porte demeure fermée, mais elle s'ouvre aujourd'hui sur la silhouette décharnée d'un homme aux longs cheveux jaunis, tandis que l'appartement exhale dans notre direction le souffle tiède, intime et vaguement nauséabond qui est celui de la plupart des intérieurs, même les mieux tenus.

À sept ans, j'ai déjà développé une telle habitude du porte-à-porte, que je sais immédiatement que cet homme va nous inviter à entrer, et c'est ce qu'il fait avec une phrase sibylline mais clairement engageante. Une fois introduits dans son salon, nous nous déplaçons avec une délicatesse feutrée, moi surtout, histoire de me fondre dans le décor et de me faire oublier tandis que mon père cherche la phrase adéquate pour attaquer son laïus inspiré :

– Vous n'êtes pas seul à être seul, vous savez.

Tiens, il a choisi de commencer par là plutôt que d'embrayer illico sur la fin des temps, thème que la pandémie a propulsé au premier rang de notre argumentaire. Mais je peux lui faire confiance pour évaluer très finement les attentes de son public et détecter son exact besoin de consolation – de fait, notre hôte attire mon père sur son torse musculeux et l'étreint aussi tendrement que silencieusement. Il nous installe ensuite autour d'une table basse, propose du café, apporte une assiette de petits sablés falciformes qui me font instantanément saliver, mais je sais me tenir, et j'attends qu'on m'en propose.

Notre hôte parle enfin, en écarquillant beaucoup les yeux et en retroussant férocement les lèvres sur des dents ivoirines, mais encore très bien pour son âge. Je m'autorise assez vite à décrocher de la conversation qui s'engage, pour mieux savourer mon sablé et siroter mon Coca, boisson que mon père réprouve, mais une fois n'est pas coutume, et lui-même se force à boire son café alors qu'il déteste ça. En dépit de mon attention flottante, je finis par glaner quelques informations : Spiridon est grec, et il est danseur. Ou plutôt il a dansé jusqu'à ce que l'âge le mette au rancart. Il aurait pu rentrer à Galaxidi, mais il n'y avait plus de famille et trop de souvenirs. À son petit village natal, il a préféré la trépidante solitude urbaine, mais aujourd'hui, il ouvre sa porte au premier venu et le serre dans ses bras, parce que la trépidation a cessé et qu'il ne reste que la solitude.

Huit ans plus tard, Spiridon est un pilier de notre communauté, un infatigable pourvoyeur en douceurs grecques, et un animateur hors pair pour nos ateliers de danse, qui n'ont de danse que le nom. Car les membres de ma congrégation sont incapables de danser. Ils croient le faire, et Spiridon les encourage dans cette croyance, mais plus j'observe leurs sarabandes désarticulées, moins je comprends qu'ils persévèrent dans une activité qui leur est aussi étrangère. Ils sortent rayonnants des cours de Spiridon, heureux d'être essoufflés, courbaturés, en nage, prenant le mal qu'ils se sont donné pour un gage de la qualité de leur pratique, comme si les miroirs ne leur renvoyaient jamais la laideur de leurs contorsions, l'arythmie de leurs mouvements, et surtout leur absence totale de grâce.

Il va sans dire que je me garde bien de participer à ces ateliers, en dépit des exhortations de Spiridon, qui s'est persuadé depuis le premier jour que j'étais une créature d'exception, vouée à un destin grandiose. Sur mon passage, il fond invariablement en exclamations de tendresse, aussitôt suivies de leur traduction roucoulante :

– Agapi mou – ma chérie ! Chrysoula mou – mon petit or ! Matia mou – mes yeux !

J'accepterais volontiers d'être son or s'il consentait à justifier l'adoration qu'il a pour moi, mais non, il se contente d'enserrer mon visage entre ses longues mains et de me susurrer ses inquiétantes formules d'amour hellénique :

– Matakia mou – mes petits yeux ! Tu es faite pour la danse, je le sais !

Faute de partager cette certitude, je me contente de regarder le cours entre deux portes, et de l'admirer, lui, tandis qu'il passe entre ses élèves, chantonnant, redressant une position, ou encore scandant le rythme qui leur échappe, comme leur échappe tout le reste, leur corps, leur santé, leur vie, et le sens de celle-ci. La danse pourrait être l'occasion d'un ressaisissement, mais elle est au contraire celle d'un abandon grotesque, d'un lamentable lâcher-prise, presque une transe.

– Mais c'est très bien, ça ! C'est exactement ce qu'ils ont besoin, chrysoula mou !

Spiridon a raison : ces séances de convulsion collective répondent à un besoin fondamental, un besoin de communion et de ferveur que je serais bien malvenue de condamner, et d'ailleurs ma réprobation est d'ordre purement esthétique. Si nos fidèles veulent absolument convulser, qu'ils le fassent pendant nos messes poétiques ou pendant nos ateliers de révision comportementale, mais pas pendant le cours dispensé par Spiridon, qui devrait être un moment de splendeur, et non ce désolant étalage d'infirmités diverses.

J'ai bien essayé d'en parler à mon père, mais il m'a tout de suite renvoyée à mon étroitesse d'esprit :

– Je ne comprends pas ce qui te gêne.

– Ce qui me gêne, c'est que Jewel, Kinbote, Gloria, ils font aucun effort pour progresser, ils n'écoutent même pas ce que Spiridon leur dit.

– Et alors ?

– Et alors Spiridon, il a été danseur étoile, quand même...

– La danse n'est pas réservée aux danseurs étoiles, Farah. Spiridon est très heureux de donner ce cours, et les gens sont très heureux d'y participer. Ça leur fait du bien.

Voilà, tout est dit, et c'est peut-être le problème de notre Église, cette volonté forcenée de faire le bien sans penser au beau. Mon père a beau être le fondateur de ladite Église, il est capable d'entendre les critiques et d'y réfléchir avec l'honnêteté scrupuleuse qui le caractérise. Je sens bien qu'il me trouve peu empathique, mais je peux compter sur son empathie à lui pour compenser ma froideur et mon absence de bienveillance.

– Tu devrais aller à l'atelier avec les autres. Peut-être que tu comprendrais mieux ce qui s'y passe.

Plutôt mourir que de rejoindre la bande des épileptiques : j'ai trop de respect pour l'art de Spiridon. Toutefois, désormais, au lieu de me cacher, je grimpe sur un empilement de tapis de sol, et j'assiste au cours, sans ciller aux ahans de Kinbote ni aux dandinements des uns et des autres.

Parfaitement conscient de ma présence, Spiridon m'adresse force clins d'œil. Il me semble même qu'il paye davantage de sa personne quand je suis là, qu'il est plus exalté et plus vibrionnant que jamais, comme s'il avait compris mon aspiration secrète à la beauté et à la légèreté.

Un jour où ses élèves ont été plus poussifs que jamais, chacun y allant de son couplet geignard pour justifier son incapacité à lever une jambe ou un bras, Spiridon s'immobilise, comme frappé d'une idée subite. La musique continue, pourtant, le quadrille endiablé sur lequel il a vainement essayé de nous initier au cancan français. Certains se figent, d'autres continuent sur leur lancée, et j'enfonce discrètement les dents dans un tapis de sol – plutôt un matelas de chute, d'ailleurs, si j'en juge par son épaisseur et son moelleux. Soudain, sans que rien ne l'ait laissé prévoir, il décolle légèrement les bras du corps et se propulse dans les airs, sans élan, en un saut vertical qui semble répondre à une aspiration venue des cintres plutôt qu'à une quelconque détente musculaire. C'est aussi merveilleux que bref, et Spiridon retombe déjà sur ses pieds, sourire ravi aux lèvres et regard lumineux dans ma direction. Je ne doute pas qu'il ait sauté pour moi, et j'emporte le souvenir de ce saut jusque dans le lugubre trois-pièces que je partage avec mon père. Car autant notre salle paroissiale et ses annexes sont des lieux chaleureux, autant mon père n'a rien fait pour remédier à l'austérité de notre logement, à charge pour moi de faire de ma chambre un endroit un peu personnalisé, avec mes livres, mes dessins au mur, ma modeste garde-robe pendue à des portants, et un boutis chamarré confectionné par l'inlassable Marsiella.

– Tu le veux de quelle couleur ?

– Couleur du temps, couleur de lune et couleur de soleil !

Contrairement à moi, Marsiella n'a pas lu *Peau d'âne*, mais la perplexité n'étant pas dans sa nature, elle s'est mise au travail sans tarder, pour revenir quelques semaines plus tard avec l'édredon de mes rêves, tout chamarré de feu, d'ocre et d'indigo – avec çà et là la surpiqûre d'un fil émeraude. Si je meurs, je veux qu'on m'enterre roulée dans ce linceul somptueux, et en attendant j'en prends le plus grand soin.

Mon père ne voit pas d'un œil très favorable mon attachement aux objets, mais il me pardonne ce travers comme il me pardonne ma gourmandise et mes jugements esthétiques féroces. Il doit se dire que ça me passera, et je prie pour qu'il ait raison, parce que je vise moi aussi la sainteté et qu'on n'a jamais vu un saint faire collection de boules à neige ou se goinfrer de portokalopita.

Le dieu caché

Mais où est-il ? C'est la question que nous nous posons tous à l'Église de la Treizième Heure. Et nous avons beau avoir un tas de réponses en stock, nous n'avons pas celle-là, pourtant cruciale.

Où est Dieu ? Par Dieu, nous entendons le Fils, évidemment – le missionnaire, le prédicateur itinérant, celui qui s'est tapé la sale besogne pendant que le Père siégeait dans l'empyrée, et que le Saint-Esprit voletait, radieux, étourdi, et finalement très peu utilisable.

Le Fils a solennellement promis de revenir – à charge pour nous de le reconnaître et de le débusquer quelque part sur la planète, entreprise d'autant plus difficile que nous n'avons pas la moindre idée de la façon dont il se présentera. Bien sûr, nous aimerions autant qu'il sorte du rang des dominés, mais mon père a le sentiment qu'il fera plutôt partie des heureux de ce monde, par une sorte de double imposture géniale qu'il peine un peu à expliquer :

– Il y a de fortes chances pour qu'il vive dans l'opulence, qu'il ait déjà des adorateurs et possède tous les attributs d'un souverain d'opérette. À nous d'être vigilants.

– Tu veux dire qu'il aura l'air d'un dieu vivant, mais n'en sera pas un tout en en étant un quand même ?

– Exactement. Pour trouver Dieu, il faut aller là où personne ne s'attend à trouver Dieu. Et comme il nous a déjà fait le coup de naître dans la paille d'une étable, je me demande si cette fois-ci il ne nous ferait pas exactement le coup inverse…

À la décharge de mon père, il ne prétend pas énoncer là autre chose qu'une intuition, mais une intuition, c'est déjà pas mal. À bien y regarder, la moitié des gens n'ont rien, ni commencement d'une idée ni début d'un projet, ni croyance personnelle. Quant à l'autre moitié, elle a précisément un avis sur tout et l'assène à tout bout de champ et avec la plus grande énergie. Il devrait y avoir une sorte de moyen terme de la pensée, une place pour les pressentiments, les fulgurances, les hypothèses hasardeuses, les doutes et les avis nuancés, mais non. Sauf dans notre congrégation, évidemment – et encore, mon père doit sans cesse lutter contre un furieux penchant au dogmatisme.

La lutte est d'autant plus rude que le dogmatisme ferait bien l'affaire de nos coreligionnaires, qui aspirent éperdument au grand remplacement de leur moi par le moi d'un autre. Il faut les comprendre, aussi : ils ont tout juste survécu à leur propre effondrement et ils ne se sentent pas de repartir de zéro. Mon père tombe à pic, avec ses thèses rassuristes, ses messes poétiques et ses attentes messianiques. La nature a horreur du vide, surtout quand il s'agit d'un trou béant : cruellement et brutalement privés de leur ancienne personnalité, les disciples de mon père accueillent avec joie tout ce qui peut leur en tenir lieu, à commencer par l'espoir.

Ils ont malheureusement d'autres façons de combler leur brèche centrale, et là aussi mon père doit lutter pied à pied, car s'il les laissait faire, ils boiraient l'eau de son bain et collecteraient ses rognures d'ongles. L'idolâtrie et le fétichisme étant dans leur tempérament, il faut sans cesse leur rappeler que Dieu est un autre – un autre que mon père, s'entend. D'une certaine façon, je crois qu'ils aimeraient bien que tout soit déjà fini, réglé, derrière eux ; qu'il n'y ait plus à s'agiter ni à se battre pour exister. J'en suis à me dire que leur vœu secret, c'est l'inexistence, et qu'ils la recherchent par tous les moyens possibles. Si la mort n'était pas un tel saut dans l'inconnu, nul doute qu'ils la préféreraient à des formes de vie douloureuses et éprouvantes.

Alors bien sûr, il y a dans ma congrégation des individus énergiques, comme Marsiella ou Spiridon, mais le gros du troupeau se verrait bien mener la vie d'un embryon dans sa confortable nuit utérine. Quelqu'un devrait leur dire qu'ils n'ont choisi ni la bonne Église ni le bon leader. Mais ce quelqu'un ne sera pas moi. J'aurais trop peur de compromettre l'œuvre de mon père avec mes doutes quant à la force morale de ses recrues. J'aime autant le regarder faire du bien aux gens, et taire mes élucubrations.

Il se peut qu'il doute lui aussi, mais comment savoir ? En dépit des avanies et des déceptions, il est d'une telle égalité d'humeur que j'aurais tendance à penser que sa foi est inébranlable – ou plutôt, j'aurais tendance à le penser s'il n'y avait pas ce souvenir nocturne…

J'ai une dizaine d'années. Un cauchemar m'ayant réveillée au cœur de la nuit, je suis allée la finir dans le lit de mon père. Je suis peut-être un peu grande pour ça, mais il a l'habitude, et m'offre invariablement le réconfort de sa voix dans l'obscurité, sans jamais s'enquérir de la nature des images qui m'ont terrifiée ni m'obliger à regagner ma chambre. Le simple fait de sentir sa présence m'aide généralement à me rendormir, et il en va de même cette nuit-là, jusqu'à ce que je me réveille de nouveau, non pas sous le coup d'une autre terreur nocturne, mais parce que j'ai perçu quelque chose, comme une baisse de température ou une variation d'atmosphère, un changement infime mais qui a mis tous mes sens en alerte. Avec d'infinies précautions, je me tourne vers mon père. Il est allongé sur le dos, et je pourrais le croire endormi s'il n'avait pas les poings serrés et les bras tremblants de la rigidité qu'il leur impose. Grands ouverts dans la pénombre, ses yeux flamboient littéralement, mais à peine ai-je encaissé cette vision terrifiante que mon père se tourne sur le côté avec un grand soupir, me dérobant le spectacle de ses mâchoires contractées et de son regard furieux. À charge pour moi de croire qu'il s'agissait d'un autre cauchemar et de l'oublier à mon réveil.

Mais voilà, au réveil, la vision persiste, signe que je n'ai pas rêvé et que mon père a ses propres démons de minuit, sauf que les siens n'ont pas l'air de l'effrayer mais plutôt de le plonger dans la folie furieuse. Que fait-il de cette folie, quand un nouveau jour arrive, et avec lui la nécessité de faire bonne figure devant tous les membres de la Treizième Heure ? Plus je l'observe, et plus le mystère s'épaissit. Que mon père puisse être un homme en colère, je n'y avais jamais pensé. Il faut croire que je me suis laissé duper par son sourire perpétuel, par sa bienveillance indéfectible, par son goût de la danse et de la chansonnette, par sa capacité à créer autour de lui un climat de légèreté et de gaieté.

On ne m'y prendra plus, et je fais mien le secret de mon père, cette colère qu'il a décidé de juguler comme le reste. Car je n'aurai rien dit de Lenny Maurier si je ne dis pas jusqu'à quel point de férocité il a poussé la maîtrise de soi. Et qu'on ne s'y trompe pas, je tiens cette maîtrise pour la plus grande des vertus après le courage, et je suis loin de la confondre avec l'hypocrisie, qui en est la variante mensongère. La plupart des gens s'acceptent trop bien et ont pour leurs défauts la faiblesse coupable qu'on a pour tout ce qui procède de soi – enfants et excréments compris. Et qu'on me pardonne de les mettre sur le même plan car telle n'est pas du tout mon intention : mon intention est d'inciter tout le monde à se reprendre en main.

Notre Église propose justement des ateliers de révision du comportement, et s'ils ont moins de succès que les cours de Spiridon, ils semblent toutefois produire leur petit effet, surtout quand c'est mon père qui les anime. Pour autant que je sache, il entame généralement son cycle par des conseils d'hygiène de vie, touchant aussi bien à l'alimentation qu'aux soins de beauté.

Mon père est un homme qui sent bon – l'ai-je déjà dit ? La plupart des gens sentent la soupe de légumes ou les pâtes froides – pour s'en tenir à des odeurs socialement acceptables. Lenny, lui, exhale un léger parfum de linge propre ou de savon à la lavande – et rien d'autre. Pas question pour lui de superposer des fragrances synthétiques à des senteurs corporelles douteuses. Formée à son école, je suis toujours scrupuleusement propre et à peu près inodore, même si je rêve de parfums triomphants. Les aspersions à l'iris noir ou au patchouli ardent attendront que je sois en âge de décider de ma vie : pour l'instant, je mène celle de mon père, comme tous les membres de ma congrégation, et comme eux je m'en trouve bien. Il nous évite la dispersion et le déchirement, car rien de tel qu'une routine pour retrouver un peu d'unité et de force d'âme.

De toute façon, pour mon père, les soins corporels ne sont qu'une base de lancement : ce qui compte, c'est de s'arracher ensuite à la gravitation. Contrairement aux autres religions, la nôtre est aussi permissive que peu prosaïque : il ne nous viendrait jamais à l'idée d'édicter des prescriptions alimentaires ou vestimentaires. C'est le Diable qui est dans les détails, pas Dieu. Dieu n'a que des vues d'ensemble – et il est suffisamment conscient de la tragique brièveté de notre existence pour ne pas nous la pourrir avec des lois absurdes et vétilleuses.

Dieu, justement : j'allais l'oublier, alors que notre grande affaire reste quand même de le dénicher et de le distinguer des charlatans, qui sont légion. À la Treizième Heure, nous pouvons compter sur un réseau de fidèles résolus et heureusement répartis dans le monde entier, mais le risque existe de voir passer Dieu entre les mailles du filet. Et que dire du risque inverse, à savoir prendre un simple mortel pour le Dieu vivant ?

C'est ce qui nous est arrivé, pas plus tard que l'an dernier, et pour mortifiante qu'elle soit, cette anecdote mérite d'être rapportée. Tout commence avec des bougies, dans l'atelier céromancie de Marsiella. Des bougies, Marsiella en fabrique, de toutes les couleurs et de toutes les formes. Sous sa houlette, j'ai moi-même créé toute une série de bougies-bijoux incrustées d'hématites ou de cornalines. Il paraît qu'elles se vendent très bien, mais loin de s'en tenir à la fabrication des bougies, Marsiella prétend aussi nous enseigner à lire dans la cire. Je suis passée maîtresse dans l'art d'interpréter les coulures et ça ne m'a jamais servi à grand-chose, mais je m'éloigne de mon sujet et de ce jour où Marsiella entend parler de Gwyneth Paltrow pour la première fois.

Faisant partie de la fraction technophile de la communauté, Marsiella passe sur les réseaux sociaux tout le temps libre qu'elle ne consacre pas à ses activités manuelles, et c'est ainsi qu'elle finit par tomber sur les bougies « This smells like my vagina » commercialisées par l'actrice et businesswoman américaine. Frappée d'admiration et surtout animée d'une saine émulation, Marsiella se lance sur-le-champ dans l'élaboration de sa propre formule, touillant dans son mortier jusqu'à obtenir un résultat satisfaisant, une bougie sphérique qui fond en se marbrant de rose. Quant au parfum, je le trouve extrêmement dérangeant, mais je suis seule de cet avis, et la bougie « Odor di Femina » se vend presque aussi bien que nos cierges à trois mèches.

L'histoire pourrait s'arrêter là, sur ce succès commercial modeste, mais quelques mois plus tard, arrive sur le marché « This smells like my orgasm ». Marsiella brûle de relever le défi, mais autant elle connaît son vagin, autant elle maîtrise mal l'orgasme, et plus elle essaie de se documenter sur le sujet, plus elle sent qu'il lui échappe. Dans une autre communauté, elle bénéficierait de stages pratiques et de conseils tantriques, mais ce n'est pas le genre de la maison : mon père a beau être dirigiste et interventionniste, il laisse chacun se débrouiller avec son énergie sexuelle. Marsiella a de l'énergie à revendre, mais elle n'a jamais su la commuer en plaisir érotique. Toutefois, à force de farfouiller dans la vie de Gwyneth Paltrow, il était inévitable qu'elle tombe sur Chris Martin, et que Chris Martin s'abatte à son tour sur l'Église de la Treizième Heure.

Rétrospectivement, il est facile de nous juger bêtes et crédules, mais je renvoie tous les ricaneurs à la notice Wikipédia de Chris Martin, ex-compagnon de Gwyneth et leader de Coldplay. Tous les signes convergeaient pour le désigner comme l'élu : la liste interminable de ses engagements caritatifs, ses prises de position sur l'urgence climatique, ses fougueuses professions de foi, mais aussi ses titres d'albums et de chansons, comme autant de messages cryptés à notre intention. Mis sur la piste par Marsiella, mon père s'est immergé des semaines durant dans l'écoute extasiée d'« Adventure of a Lifetime », « Paradise », « Don't Panic », « Every Teardrop Is a Waterfal », « Magic », « Viva la Vida », « Church », « True Love », « Miracles », « God Put a Smile on Your Face », « Everything's Not Lost », « A Message », « A Head Full of Dreams »... Lorsqu'il a refait surface, sa conviction était faite : Chris Martin était le dieu caché, et d'autant mieux caché qu'il jouissait d'une incroyable visibilité médiatique et comptait des millions de fans.

Ayant lu *La Lettre volée*, je me suis réjouie de voir les intuitions paternelles aussi magistralement corroborées, et comme tous les membres de la Treizième Heure, je me suis mise à éplucher les textes de Coldplay et à passer des heures sur YouTube. En moins de deux, « Army of One » est devenu notre hymne, concurrençant très sérieusement les sonnets de Nerval. Restait à contacter Chris et à l'éclairer sur sa véritable mission. Mon père a tout essayé, courriers classiques, courriers électroniques, interpellations sur les réseaux sociaux, allant même jusqu'à dépêcher l'un de nos zélotes californiens à Malibu. Peine perdue : Dieu ou pas, Chris Martin n'a jamais daigné s'apercevoir de notre existence, et notre Église a traversé sa première vraie crise, sur fond d'attente angoissée et de supputations spécieuses.

C'est le classement Forbes des célébrités les plus riches qui a mis fin à nos grandes espérances : Chris y figurait en trop bonne place pour que notre vénération subsiste. Coldplay aurait beau repousser sa tournée pour ne pas polluer la planète, son leader aurait beau reverser dix pour cent de ses gains à des associations, il était clair qu'à ce degré, la richesse ne pouvait servir de couverture dissimulant sa nature divine. Mon père en est convenu et nous n'avons plus jamais chanté « Army of One ». Tant mieux : autant j'aime les contes pour enfants, autant les comptines pour adultes m'ont toujours dérangée, comme m'a toujours dérangée la voix de Chris Martin, cette voix molle, qui aurait dû nous alerter sur son manque de substance et de profondeur. On ne nous y reprendra plus : sans en être sûrs, nous inclinons désormais à penser que le dieu qui vient sortira de nos rangs. Et si cette erreur d'authentification nous a collectivement attristés et déçus, j'en ai tiré un enseignement personnel plutôt joyeux : mon père est un homme comme les autres, capable de fourvoiements, d'égarements du cœur, et d'engouements de midinette.

Baal

Fille unique d'un père isolé, je n'ai jamais eu à partager son amour ni à répartir le mien entre mes deux parents. J'aurais bien aimé, mais on ne m'a pas demandé mon avis, et j'en suis réduite à fantasmer sur l'enfance de mon père :

– C'est bien d'avoir un frère ?

– On est tous frères, Farah.

– Je veux dire un vrai : comme toi et Kenny.

– Oui, c'est bien.

– Il était gentil avec toi ?

– Pas vraiment.

– Il était méchant, alors ?

Je ne peux pas m'attendre à ce que mon père réponde par l'affirmative, lui qui professe que les méchants sont l'exception qui confirme la règle de la bonté universelle.

– Il était un peu taquin.

En creusant un peu, j'ai fini par comprendre que les taquineries de Kenny prenaient la forme de brimades incessantes voire de sévices en bonne et due forme, Kenny étant maladivement jaloux de son petit frère.

– Mais pourquoi il était jaloux ? T'étais le chouchou de Papi et Mamie, c'est ça ?

– Non, c'était lui le chouchou.

Avec un sourire fataliste, mon père met fin à une conversation qui pourrait l'entraîner sur le terrain de l'intimité, et j'en sais finalement à peine plus sur mon oncle que sur ma mère, même si mes grands-parents font moins de rétention d'informations au sujet de l'un que de l'autre. À les entendre, Kenny n'a que des qualités :

– C'est le meilleur des fils !

Inutile que je tente une objection : ils me tomberaient dessus à bras raccourcis, au mépris de la réalité qui veut que Kenny ne vienne jamais les voir, alors que mon père passe régulièrement chez eux, fait leurs courses, répare leur lave-linge et remplit leurs papiers, bref, se met en quatre pour leur faciliter une vie déjà remarquablement facile – mais dont ils trouvent à se plaindre quand même. Autant les rares visites de Kenny sont célébrées dans la liesse et commentées ensuite avec des trémolos dans la voix, autant il va de soi que Lenny n'en fera jamais assez et que ce ne sera jamais assez bien.

Les deux frères se fréquentant peu, je n'ai rencontré mon oncle qu'à de rares occasions festives – des Noëls ou des anniversaires auxquels il arrivait avec des cadeaux aussi bien choisis que ceux de mes grands-parents l'étaient mal. C'est à Kenny que je dois mes premières boules à neige, mais aussi une minuscule famille de souris en peluche, un tampon ex-libris à mes initiales, ou un œil de sainte Lucie monté en pendentif. Pendant ce temps, mes grands-parents m'achetaient des tee-shirts Hello Kitty, des livres sans intérêt, ou des DVD que je ne pouvais regarder nulle part.

Nos repas de fête voyaient se succéder sur la table des plats d'un autre siècle, et ayant généralement abusé du Sprite et des Doritos, j'étais accablée dès l'arrivée des vol-au-vent. En face de moi, mon père détachait mélancoliquement les arêtes de son saumon à l'oseille, mais il fallait tenir jusqu'au clafoutis et endurer ses bulles de beurre entre le bleu violacé des cerises. Kenny me jaugeait d'un œil goguenard, mais ne disait pas grand-chose, et je dois dire que jusque très récemment, je n'avais pas d'opinion sur lui, juste le vague sentiment que je ne devais pas me fier à sa gentillesse mielleuse.

Ce n'est que cette année, finalement, que j'ai commencé à bien le connaître. Quelque chose a dû se produire dans sa vie, quoi, on ne sait pas, mais soudain il est parmi nous, participe à nos célébrations, danse avec Spiridon, fabrique des bougies avec Marsiella, se tient très au courant de nos activités, et propose même de nous aider à lever des fonds. Je constate toutefois qu'il se garde bien d'assister à nos ateliers de révision comportementale – or, il est indispensable de se déparasiter complètement avant d'adhérer à notre confrérie, et a fortiori pour entrer dans la nouvelle ère.

Mine de rien, j'observe Kenny, tâchant de sonder ses intentions. Mes lectures ne m'ont pas seulement enseigné à mener un interrogatoire : j'y ai aussi puisé des méthodes de filature que je brûle de mettre en pratique. Marcher sur le trottoir opposé, m'engouffrer sous un porche, avoir toujours sur moi mon passe Navigo et des accessoires permettant le désilhouettage : casquette, lunettes, écharpe de couleur vive... Malheureusement, Kenny se déplace essentiellement dans son Audi, et je reste avec mes doutes sur la pureté de ses intentions, doutes dont je finis quand même par m'ouvrir à mon père :

– Tu crois qu'il est comme nous, Kenny ?

– « Comme nous » ?

– Tu crois qu'il est bon ?

– Tu es sûre que nous le sommes ?

Oui, j'en suis sûre. C'est même l'un des piliers de mon credo : nous sommes bons, et si tout le monde avait notre bonté, c'en serait fini depuis longtemps de la souffrance morale – resterait l'épineux problème de la souffrance physique, mais sur ce sujet, je suis moins compétente. Mon père soupire :

– Ton oncle ne s'est pas toujours bien comporté par le passé, mais il a l'air d'avoir changé. Pour le reste, fie-toi à ce que tu ressens, essaie de te faire ta propre idée sur lui.

– D'accord.

Ma propre idée attendra un peu pour éclore. Là aussi, mes lectures m'ont appris qu'il ne fallait pas sauter trop vite aux conclusions. Oncle Kenny a l'air inoffensif, mais on a vu d'autres loups montrer patte blanche pour entrer dans les bergeries. Ce qui est sûr, c'est que sa séduction opère à fond sur nos brebis, séduction servie par sa beauté brutale, ses paupières lourdes, son nez cassé, le modelé polynésien de son visage... Là où mon père est châtain clair, Kenny tire sur le brun, avec d'inquiétants reflets fauves. Il est légèrement plus grand et surtout beaucoup plus massif que mon père, mais d'une massivité qui m'inspire la même défiance que sa chevelure acajou, comme si ses muscles étaient posés sur une ossature fragile, ou comme s'ils étaient sur le point de se fondre en chair flasque.

Je l'observe. Où qu'il aille, il me trouve dans son sillage, et il s'est persuadé que je partageais les émois de Jaquette ou de Marie-Ciboire :

– Salut, Farah : tu me suis, ou quoi ?

– Non.

– Tu l'aimes, ton oncle Kenny, hein ?

– Non.

Il hausse un sourcil facétieux, comme si cette absence d'amour était hautement improbable. C'est ce qu'il y a de bien avec les gens comme lui : vous pouvez leur sortir les pires horreurs, ils croiront toujours que vous plaisantez.

– Avoue que tu me trouves beaucoup plus sympa que ton père !

– Non.

– Tu sais dire que ça ? Non ?

– Non.

En fait, je pourrais lui dire beaucoup de choses, à commencer par le résultat de ma petite enquête préliminaire, que j'ai préféré mener en ligne, sachant d'avance ce qu'aurait donné l'interrogatoire de mes grands-parents. De toute façon, il est suffisamment actif sur Twitter pour que j'aie collecté de précieuses données : gérant du *Cthulhu*, une discothèque du Val-de-Marne, Kenny Maurier a dû fermer son établissement pour d'évidentes raisons sanitaires. Depuis, il multiplie les tweets tragiques sur le sort qui est fait au monde de la nuit. Est-ce le seul désœuvrement qui explique son retour dans ma vie et sa présence à la Treizième Heure ? J'aimerais le croire, mais j'ai échafaudé d'autres hypothèses, aussi ténébreuses que les affaires élucidées par mes héros détectives.

J'ai seize ans, et très envie que mon existence prenne un tour plus aventureux, alors je traîne sur les talons d'oncle Kenny en rêvant à la réouverture du

Cthulhu et en fantasmant sur les soirées « Wendigo » qui semblent avoir été la spécialité du lieu. Je peux dire sans me vanter que je suis très forte pour dissimuler mes centres d'intérêt, mais il faut croire que Kenny partage mon goût de l'investigation, car il se pointe un jour en brandissant mon exemplaire de *L'Abomination de Dunwich*, choisi pour sa couverture pandémoniaque entre dix autres titres de Lovecraft, tout aussi alléchants : *Les Montagnes hallucinées*, *Je suis d'ailleurs*, et bien sûr *L'Appel de Cthulhu*.

– C'est à moi !

– Je sais : je l'ai trouvé dans ton coin, là où tu mets tous tes bouquins.

– Rends-le-moi !

– Depuis quand tu t'intéresses à Lovecraft ?

À son air, je vois bien qu'il a déjà son idée, mais pas question de lui donner le plaisir de rentrer dans mon cerveau :

– Je lis tout, figure-toi. Tous les romans.

– *L'Abomination de Dunwich*, c'est plutôt une nouvelle.

– Je lis les nouvelles, aussi. Et les contes.

– Oui, mais pourquoi Lovecraft ?

– T'as pas compris : je vais *tout* lire. Pas que Lovecraft.

– Ça veut rien dire, *tout* lire. Tu as une idée du nombre de livres qui se sont écrits et qui s'écrivent encore ? Il en paraît des milliers tous les jours ! Personne ne peut *tout* lire.

À chaque fois que je m'ouvre de mes ambitions, je m'attire les mêmes regards sceptiques et le même argumentaire inepte – et d'autant plus inepte qu'il émane de gens qui ne lisent jamais mais trouvent quand même qu'il y a trop de livres. Or mon projet s'est progressivement affiné : je n'en suis plus à croire qu'une vie suffit à faire le tour de la littérature mondiale, mais je ne vais pas perdre mon temps à l'expliquer à cet oncle qui ne me veut pas que du bien. Ce qu'il me veut finira sûrement par s'éclairer, mais en attendant, un peu de circonspection ne peut pas nuire.

– Je crois surtout que personne n'a jamais essayé.

– Tu ne serais pas un peu folle, comme ton père ?

– Mon père est la personne la plus sensée que je connaisse.

– Comme ta mère, alors…

– Tu connais ma mère ?

– Je l'ai bien connue, oui.

Il me dévisage d'un air narquois, un vague sourire sur ses lèvres trop pleines. On devrait toujours se fier aux bouches : la sienne est tantôt d'un rouge enflammé tantôt d'un mauve cireux, mais elle m'inspire toujours le même dégoût fasciné.

La vie est mal faite : alors qu'il y a peu j'aurais donné un bras pour avoir des renseignements sur ma mère, j'en suis à espérer que Kenny ne me fasse pas ses petites révélations scabreuses. Les minutes passent, et il est toujours là, à ricaner et à se dandiner d'un pied sur l'autre tout en brandissant *L'Abomination de Dunwich* au-dessus de ma tête.

– Rends-moi mon livre.

– Tu ne veux pas que je te parle de Hind ?

– D'une je ne veux rien, et de deux ma mère s'appelle Sophie. C'est tes parents qui me l'ont dit.

– Et mon frère, il t'a dit quoi ?

– Il ne parle jamais d'elle.

– Tu m'étonnes !

Le dandinement s'accentue et le ricanement se précise. Dans moins d'une minute, il va me balancer qu'il a couché avec ma mère et que si ça se trouve, je suis sa fille. Il ne sait pas que mon père est beaucoup plus mon père que n'importe quel donneur de sperme, et que je me fous complètement des héritages génétiques. Comme je persiste à me taire, Kenny répète de plus en plus platement ses « Tu m'étonnes ». Il a beau brûler de me faire ses confidences, mon flegme le déconcerte, et quand il finit par parler, c'est à la façon d'un ballon qui se dégonfle :

– Ta mère était une sacrée garce et ton père en a bavé. Mais bon, je te rassure, y'a jamais rien eu entre nous.

– Je n'étais pas inquiète.

– Tu lui ressembles, en fait. À Hind.

Mon cœur loupe un battement, mais pas question qu'oncle Kenny sache que je mords à son hameçon : hop, je récupère mon Lovecraft et je m'apprête à tourner les talons.

– Elle aussi, elle jouait les princesses. Sauf que ça se voyait que c'était une crevarde. J'ai jamais su où Lenny était allée la chercher, mais si tu veux mon avis...

– Je te l'ai pas demandé, ton avis. Je sais tout ce que j'ai à savoir sur ma mère, merci.

– Ah ouais ? Tu sais pourquoi elle s'est barrée à ta naissance, alors ?

Le désarroi doit se lire sur mon visage, car il enfonce cruellement le clou :

– Un indice ? Regarde-toi dans la glace.

Mon père se trompe : les gens sont plus souvent méchants que bons. S'il veut faire des statistiques, il n'a qu'à prendre sa propre famille biologique et extrapoler. Trois méchants sur cinq. Au moins. Rien n'est sûr en ce qui me concerne, ou plutôt ce qui l'est, c'est que la cruauté de mon oncle a fait naître la mienne : après des années de bonté, je risque de basculer d'un camp à l'autre.

Une fois rentrée chez nous, je me regarde dans la glace, comme Kenny a sûrement escompté que je le fasse, mais je n'y vois rien qui ait pu justifier mon abandon : des yeux un peu tombants mais d'un brun chaud, un nez plat mais passable, un menton trop proéminent, mais ça m'est venu avec l'âge – et si j'en crois les photos, j'ai été un nourrisson plutôt attendrissant, avec son toupet de cheveux noirs et ses bonnes joues roses. Je laisse mon regard descendre et inspecter mes épaules carrées, ma poitrine modeste, mes abdos bien dessinés. Jusqu'au nombril, tout me semble normal à défaut d'être attrayant, mais si je veux en voir plus, il faut que j'aille dans la chambre de mon père, seule à disposer d'une glace en pied.

La chambre de mon père est à son image, impeccablement tenue et décorée a minima : un lit en chêne massif, une armoire lingère, une natte de sisal, un ficus, et c'est tout. Il n'aime pas que j'y entre en son absence, mais si je ne vérifie pas sur-le-champ ma conformité anatomique, je sens bien que les doutes instillés par Kenny vont me ronger.

Nue devant le grand miroir piqué, je soumets la partie inférieure de mon corps à un examen méthodique. Depuis deux ou trois ans, une toison d'un noir d'encre s'est mise à moutonner sur mon bas-ventre. Ourlant d'abord discrètement ma vulve, elle l'a depuis longtemps débordée pour envahir mes cuisses de son bouclage dense. À la réflexion, je ne suis pas certaine d'avoir déjà aperçu qui que ce soit avec une pilosité aussi exubérante, mais ça ne veut rien dire vu que la plupart des filles s'épilent à mort.

Poursuivant mon inspection, je m'efforce de dégager grandes lèvres et clitoris de leur gangue de poils crépitants. Entendons-nous bien, j'ai déjà commencé à me tripoter le soir, dans mon lit, sans trop savoir qu'attendre, mais guidée par le désir impérieux de faire advenir quelque chose. En vain. Le tripotage a toujours été un fiasco. Mon clitoris se met en tension, mes grandes lèvres me donnent la sensation pénible de vouloir migrer dans mon abdomen par des canaux insoupçonnés, le sang siffle à mes oreilles, mes jambes ruent d'impatience et de colère – et l'excitation finit par refluer, me laissant triste et perplexe.

Il y a sûrement des tutoriels de masturbation féminine, mais j'ai toujours pensé qu'il s'agissait d'un domaine dans lequel on devait se débrouiller seule. J'aurais volontiers sollicité les femmes de ma communauté, mais quelque chose me dit qu'on n'arrive pas à l'Église de la Treizième Heure quand on dispose du pouvoir magique de se donner du plaisir – à moins que je ne surestime les vertus de l'orgasme.

Mais aujourd'hui je ne cherche pas à me donner du plaisir, juste à avoir un aperçu de mes organes génitaux externes. Or maintenant que je le regarde de près, je dois admettre que mon clitoris ne ressemble pas du tout au minuscule bouton rose qui semble de mise chez les autres – comme s'il avait poussé sous la mousse à mon insu pour prendre les proportions d'une petite trompe. L'illumination se fait au moment même où je me formule ces analogies, et sur ma lancée j'entreprends la palpation de mes grandes lèvres, pour constater qu'elles ballottent sous mes doigts en une masse souple, assez semblable à celle d'une figue. En revanche, pas trace de petites lèvres à proprement parler. Pour compléter cette exploration, j'envoie un doigt prudent dans mon vagin, rencontrant très vite une sorte de cul-de-sac décourageant.

Que dire ? J'ai toujours su que mon clitoris était hypertrophié et que mon vagin risquait de faire obstacle à la pénétration, mais je ne m'y suis jamais arrêtée. Je n'y ai même jamais vraiment pensé. Ou plutôt, à chaque fois que j'y ai pensé, je me suis dit que la puberté viendrait mettre de l'ordre dans tout ça : que la poussée de mes seins compenserait la taille anormale de mon clitoris ; que le sang de mes premières règles m'ouvrirait le vagin et le lubrifierait. Sauf que j'ai seize ans, une poitrine à peine bourgeonnante et toujours pas de règles. Au lycée, les filles s'échangent des serviettes hygiéniques avec des mines entendues, et j'ai pris le pli d'en avoir toujours sur moi, au cas où l'on m'en demanderait, mais ça n'est jamais arrivé. Il faut croire qu'en dépit de leur format réduit, mon micropénis et mes testicules émettent des signaux propres à décourager la complicité féminine.

La nuit tombe. Blottie sous le boutis de Marsiella, je me livre à quelques recherches sur l'intersexuation, rencontrant très vite une telle armada d'acronymes, que je referme mon ordi. Il se peut que ma vérité soit enfouie quelque part entre les TDS, l'IPA, le MRKH ou la HCS, mais rien n'est moins sûr – et vu ce que sont mes OGE, on me pardonnera de remettre au lendemain toute investigation sur mes OGI.

Shub-Niggurath

La nuit se passe en rêves décousus, mais clairement orientés vers ce désordre organique dont je commence seulement à découvrir l'ampleur. À mon réveil, j'ai tout oublié, mais l'effroi subsiste – et le sentiment d'avoir été mâchurée, tétée, recrachée, sentiment que je relie confusément à la bouche de Kenny et à *L'Abomination de Dunwich*.

À l'Église de la Treizième Heure, nous avons évidemment toutes sortes de rituels de désenvoûtement, et une fois dans la salle de bains, je mets machinalement en route celui que je connais le mieux, à base d'aspersions rythmées et de respiration ventrale. Peine perdue : je ne me débarrasse pas de l'impression d'être suivie par une bouche haletante et avide de succion. L'espace ne demande qu'à m'avaler, mais je n'ai pas l'intention de me laisser faire.

– Papa, Kenny m'a dit que c'était à cause de moi que maman était partie. Et il m'a dit aussi qu'elle s'appelait vraiment Hind, pas Sophie.

– Je ne t'ai jamais dit qu'elle s'appelait Sophie.

– C'est tes parents qui me l'ont dit. Et ils m'ont dit aussi qu'elle avait les yeux bleus. Ils ont menti ? Ou bien c'est toi ?

D'habitude, je respecte sa répugnance à parler et je me contente de ses murmures évasifs, mais s'il ne passe pas aux aveux aujourd'hui, je risque d'être ingurgitée par Shub-Niggurath.

– Personne n'a menti. C'est juste que tu as deux mères.

Jugez de ma surprise. Jusqu'à présent, ma mère était une entité spectrale et douteuse, tout juste si je pouvais considérer en avoir une, et là, bingo, je m'en découvre deux. Je me garde bien de bouger d'un cil, de peur de décourager Lenny dans sa confession pénible – car je vois bien qu'il peine à trouver ses mots comme à me regarder en face. D'habitude aucun sujet ne le rebute et aucun interlocuteur ne l'impressionne, mais ce matin rien n'est comme d'habitude puisque mon père est comme tout le monde.

– Ta mère, la vraie, celle qui t'a voulue, c'est Hind. Mais tes grands-parents, ils n'ont connu que Sophie. Ils l'ont vue quand elle était enceinte.

– Elle m'attendait ?

– Oui.

– Donc c'est Sophie ma mère biologique.

– Non. Sophie, c'est ta mère, comment dire, j'aime pas trop ce mot, mais c'est ta mère porteuse.

– Hind pouvait pas avoir d'enfants ? Elle était stérile ?

– Oui. En quelque sorte… Enfin, non, oui, elle était stérile, mais ce sont ses ovaires, enfin ses ovocytes…

– Quoi, ses ovocytes ?

– Sophie a été inséminée avec les ovocytes de Hind.

– Mais pourquoi ?

– Pourquoi quoi ?

– Pourquoi vous avez eu besoin d'une mère porteuse ?

– Hind ne pouvait pas mener de grossesse à terme. Son utérus… il était trop abîmé. Elle avait eu… une infection très grave. Mais ses ovaires étaient parfaitement fonctionnels.

– Mais alors vous avez fait une GPA ?

– Voilà.

– Mais c'est interdit, non ? Et ça devait être encore plus interdit y'a seize ans. Vous avez fait comment ?

– Tu n'as pas besoin des détails, Farah. Il y a des gens qui ont pris des risques, dans cette histoire…

– Bien sûr que j'ai besoin des détails !

– On en parlera plus tard, si tu veux bien. Là je dois aller à la chapelle.

– Mais tu n'es resté qu'un an avec ma mère ! En un an vous avez eu le temps de tomber amoureux, de décider que vous vouliez un enfant, de trouver une mère porteuse, de l'inséminer, elle est tombée enceinte, tout de suite, et bim, vous m'avez eue ?

– Qui t'a dit qu'on n'était restés qu'un an ensemble ?

– Toi.

– Je ne t'ai jamais dit ça. Tu étais petite quand on en a parlé : tu as mal compris.

Il ment mal, mais il ment quand même. Il ment et on a toujours tort de mentir, c'est lui-même qui me l'a appris, exigeant de moi l'honnêteté la plus scrupuleuse et la sincérité la plus totale.

– Shub-Niggurath.

– Quoi ?

Je le laisse à sa perplexité. À quoi bon parler la même langue si cette langue ne sert qu'à mener les gens en bateau et à les berner sur leurs origines ? Shub-Niggurath, c'est le nom que j'avais en tête en me réveillant, et mon père n'a qu'à faire avec ça – avec ces quatre syllabes aussi révoltantes que ses mensonges.

Shub-Niggurath, c'est du Lovecraft pur jus, et je compte bien mener quelques recherches à ce sujet. Enfin si mes autres recherches m'en laissent le temps. Car les aveux très incomplets de mon père et surtout ses mensonges probables ont réveillé mes appétits documentaires : je vais me lancer dans une grande enquête sur les variations du développement sexuel, et tant pis si je suis éclaboussée par ses conclusions. Autant j'étais découragée hier, autant je suis galvanisée par les obstacles interposés entre moi et le vrai. Je me demande même dans quelle mesure ma vocation de détective ne s'enracine pas dans tous les pieux mensonges qui entourent ma généalogie comme ma naissance. Car tout le monde me ment depuis toujours, et peu importe que ce soit par omission, peu importe que ce soit pour m'épargner.

– Shub-Niggurath.

– Farah…

Sur le visage de mon père, ce visage que j'aime plus que tout, je lis de l'inquiétude et du désarroi. Il n'a pas souhaité avoir cette conversation, mais il est désemparé que j'y mette fin de cette façon saugrenue et avec ce qu'il prend pour une langue étrangère. Il ferait mieux de lire des romans, et ceux de Lovecraft en particulier – mais il n'y a pas que Lovecraft, et je tiens à sa disposition toute une liste de récits en prose bien plus satisfaisants que tous les poèmes du monde. Il ferait mieux de lire des romans, ça lui permettrait de mieux comprendre sa fille ou son fils adolescent – car je n'exclus plus rien me concernant, ni pseudo-hermaphrodisme, ni vraie masculinité. Il ferait mieux de lire des romans, la seule fiction qui ne ment pas : ça lui éviterait de vivre dans une fabulation perpétuelle et de tous nous y entraîner. Plus j'y pense, plus je sens la rage monter en moi, et puisque mon père se tient devant moi, presque implorant, je décide de reprendre mon petit interrogatoire :

– Vous avez vu dès la naissance que j'étais anormale ?

– Tu n'es pas anormale !

– Papa, j'ai à la fois des couilles et un vagin ! Et un truc qui pend, trop petit pour être un pénis et trop gros pour être un clito ! Ils vous ont dit quoi, les médecins ?

– Ils ont dit que tu étais de sexe indéterminé et qu'ils avaient ouvert une enquête.

– Une enquête ?

Je ne dis rien, mais je suis secrètement ravie. Finalement, ma passion de l'investigation tient aussi au fait que je suis moi-même une énigme à résoudre.

– Oui, une enquête médico-chirurgicale.

– Et alors ?

– Les médecins nous ont parlé d'hyperplasie congénitale des surrénales.

– HCS !

Mon père semble prendre mon interjection pour un nouvel accès de glossolalie, et l'inquiétude revient dans son regard. Il ne peut pas savoir que cet acronyme fait partie de ceux que j'ai rencontrés au cours de ma formation express en intersexuation.

– Ils pensaient aussi que ça pouvait être une insensibilité aux androgènes.

– IPA ! Ou ICA…

– Ils t'ont fait toute une batterie d'examens, mais ça n'a pas permis d'en savoir beaucoup plus.

– Tu sais pas grand-chose, en fait. Tu m'as pas montrée à d'autres médecins, plus tard, quand j'ai grandi ?

– Tu as vu des médecins pour tes vaccinations, et les rares fois où tu as été malade. J'ai eu quelques remarques sur tes… tes organes génitaux, mais pas tant que ça. Je crois que c'est assez courant, en fait.

– On t'a dit si je pourrai avoir des enfants ?

– Personne n'a jamais abordé le sujet…

– Et les règles ?

– Quoi, les règles ?

– Je devrais les avoir, non ?

– Je ne connais rien aux règles.

– Si t'y connais rien, pourquoi t'as lancé un atelier d'alignement des cycles menstruels ?

– J'ai fait ça ?

– Oui, enfin, c'est Marsiella, mais ça se passe dans ton Église !

– Marsiella prend beaucoup d'initiatives sans m'en parler.

– Bon, d'accord, tu connais rien aux règles, mais tu aurais quand même pu t'inquiéter des miennes.

– Tu ne m'as jamais donné de sujet d'inquiétude.

Comme sujet d'inquiétude, le monde lui a suffi : il n'allait pas en plus se préoccuper du développement pubertaire de sa fille unique.

– Mais j'aurais dû avoir un traitement, non ? Des hormones, ou je sais pas quoi…

– Tout ce que les médecins avaient à nous proposer, c'est de te mutiler, puis de te bourrer de cortisone à vie.

– Me mutiler ?

– Ils voulaient raccourcir ton clitoris et agrandir ton vagin.

– Elle en pensait quoi, ma mère ?

– Hind ou Sophie ?

– Ben je sais pas. Les deux…

– Hind était sous le choc, et Sophie… on n'a jamais trop su ce que pensait Sophie.

– Ma mère, enfin, Hind, c'est parce que j'avais une insensibilité aux androgènes qu'elle est partie ? Le fait que je sois une fille avec des couilles et un pénis, ça lui a fait peur ? Ça l'a dégoûtée ? Elle s'est dit qu'elle voulait pas rester pour élever un monstre ?

Il a un rire sans joie.

– Hind est bien la dernière personne à avoir peur des monstres.

– Mais alors, pourquoi elle est partie ?

– Je n'en sais rien, Farah.

– Elle ne t'a rien dit ?

– Absolument rien.

– Tu me le jures ?

– Oui.

– Mais même si elle ne t'a rien dit, tu as eu le temps d'y repenser : depuis quinze ans, tu ne t'es pas fait ta petite idée ?

– Si, bien sûr. Je pense qu'elle s'est sentie très coupable. Vu la façon dont nous t'avons eue, tu vois… Te faire porter par Sophie…

– Mais, ça arrive, ça ? Que les GPA entraînent ce genre de problème ? C'est les médecins qui vous l'ont dit ?

– Non, on ne nous a rien dit. J'essaie juste de comprendre ce qui a pu se passer dans sa tête à elle… Pour qu'elle parte, comme ça, pour qu'elle t'abandonne…

– Tu n'as eu aucune nouvelle depuis ?

– Non, aucune.

– Tu me le jures ?

– Arrête de me faire jurer comme ça, à tout bout de champ.

– Papa, tu m'as menti.

– Mais non… C'est juste que je ne t'ai pas tout dit.

– C'est pareil. Tu m'as toujours menti – tout en me disant qu'il ne fallait jamais mentir, que mentir, c'était la méthode de Satan !

– Farah…

Quinze minutes de vérité ne rachèteront pas quinze ans de mensonge, mais autant profiter de ce qu'il est momentanément défait pour lui arracher encore quelques bribes généalogiques :

– Et Sophie ? Après tout, elle m'avait portée dans son ventre : elle aurait pu rester, après le départ de Hind, pour compenser.

– Elle l'a fait. Elle s'est occupée de toi quelques mois. Jusqu'à ton sevrage, en fait.

– C'est gentil.

– Sophie est quelqu'un de gentil.

– Elle a quand même fini par se barrer, elle aussi.

– Pas vraiment.

– Comment ça ?

– Elle serait restée, elle ne demandait pas mieux. C'est moi qui l'ai... éloignée.

Ah, bravo ! Il ne parvient pas à en retenir une et il chasse l'autre : c'est à croire qu'il ne voulait pas que j'aie de mère. Et qui sait, c'est peut-être la raison d'être de tout ce micmac autour de mon berceau : son désir inconscient de m'élever seul, histoire de tester sur moi ses idées pédagogiques new age.

– Mais pourquoi ?

– Sophie est quelqu'un de très envahissant. Elle voulait être ta mère, mais elle voulait surtout être ma femme. J'ai essayé, tu peux me croire, de lui donner une place tout en lui refusant... ce qu'elle voulait. Mais... impossible.

– Tu l'as chassée ?

– Pas vraiment.

C'est la deuxième fois en trente secondes qu'il emploie cette locution horripilante. Bon, Sophie n'est pas vraiment partie de son propre chef, mais il ne l'a pas vraiment chassée non plus, et je n'y vois pas vraiment plus clair. Il mériterait que je déverse sur lui un tombereau de mots sans queue ni tête, des shub-niggurath, des tekeli-li et des lumbabalok. Ça lui apprendrait ce que parler veut dire. Sans compter que n'importe quel charabia vaut mieux que sa fausse version du vrai. Sentant mon exaspération, il reprend laborieusement :

– Je lui ai demandé de ne plus habiter avec nous, mais je ne l'ai pas chassée.

– Tu la vois encore ?

– Oui, je la vois même tous les jours, et toi aussi : Sophie, c'est Jewel.

– Oh non !

Ma déconvenue n'est pas très charitable, mais il faut savoir que de tous nos paroissiens, Jewel est celle qui m'inspire le plus d'aversion. J'endure vaillamment l'hypocondrie des uns, la bigoterie des autres et l'étroitesse d'esprit de la plupart, mais Jewel rendrait méchant n'importe qui.

Conformément à nos usages, elle a abandonné son *deadname* en devenant une sœur de la Treizième Heure, troquant un prénom qui lui allait très mal, Sophie, contre un prénom encore moins adapté – car personne n'est plus dépourvu d'éclat que cette pauvre Jewel. La simple idée d'avoir voisiné neuf mois avec ses viscères visqueux me rend malade, mais imaginer ce qui se passe à l'intérieur des corps est précisément le type d'activité mentale que je vais désormais proscrire. Sonder les reins et les cœurs, c'est bon pour Dieu : moi, je vais m'en tenir au visible. Si on s'intéresse aux corps, il me semble qu'il y a déjà suffisamment à faire avec tout ce qui affleure, tout ce qui vit et bouge à la surface : l'épiderme, les poils, les cheveux, l'émail des yeux et celui des dents. Sauf que dans le cas de Jewel, rien ne vit ni ne bouge : sa peau est terne, ses cheveux sont morts, son regard est opaque et son sourire ressemble à un tic facial. Que mes parents l'aient choisie pour porter leur enfant est un mystère aussi intrigant que la sélection de Marie par l'Esprit-Saint – entre mille autres vierges juives tout aussi qualifiées et probablement tout aussi demandeuses de la grande aventure.

Il est regrettable que je n'aie pas eu mon mot à dire dans une affaire me touchant d'aussi près, car j'aurais bien évidemment opté pour Marsiella, dont les talents et les mérites sont innombrables. Mais ce qui est fait est fait, et je dois accepter l'idée que ma mère d'intention m'a abandonnée tandis que ma mère porteuse n'avait rien d'autre à offrir que son utérus avarié. Et s'il faut chercher des responsables à mon pseudo-hermaphrodisme, pas besoin d'aller très loin : je crois que neuf mois de macération dans un milieu aussi inhospitalier suffiraient à contrarier n'importe quelle embryogénèse.

Proof of Heaven (I)

Toutes sortes de gens arrivent chez nous – et pour toutes sortes de raisons. J'ai déjà raconté comment les rescapés du Covid sont venus grossir nos troupes, mais je n'ai pas encore parlé des expérienceurs, pourtant très actifs et très influents au sein de notre Église. Ils pourraient m'agacer, ne serait-ce que par leur façon de se dénommer, mais comme Marsiella est à leur tête, j'ai tendance à les considérer avec bienveillance. Il faut dire aussi qu'ils exercent une action extrêmement apaisante sur la communauté. Sans doute parce qu'ils sont calmes eux-mêmes, à l'exception notable de Ragnar, dont le *deadname* était Bomboly, mais qui a voulu se débarrasser de ses origines en entrant chez nous – précaution superflue vu que nous sommes complètement *colorblind*.

Les expérienceurs tirent leur nom comme leur calme surnaturel d'avoir connu une expérience de mort imminente. Ils en sont revenus avec la certitude que la mort n'était qu'un passage et qu'il n'y avait pas lieu de la redouter. Dûment compilés dans l'un de nos nombreux registres, leurs récits font également l'objet de lectures publiques et ferventes – même si à titre personnel je déplore leur monotonie. Décorporation, vision autoscopique, tunnel lumineux, acuité des sensations et impression d'amour infini, c'est bien joli mais ça ne prouve pas grand-chose si ce n'est que le cerveau est capable de déconner jusqu'à la fin – la fin qui n'est pas la fin, et c'est bien là le problème. Ce qui serait vraiment probant, on le sait tous, c'est le retour d'expérience d'un cadavre avéré. Mais bon, j'imagine qu'aucune âme n'a envie de réintégrer un corps trop avancé dans sa putréfaction.

Sur ce sujet comme sur bien d'autres mon point de vue est clairement minoritaire : pour la plupart de mes frères et sœurs, le témoignage des expérienceurs est une source de réconfort, alors que je persiste à ne pas en voir la portée métaphysique. Avant de cesser toute communication avec mon père pour cause de mensonge, je lui avais confié mon incompréhension, suscitant la sienne, comme tant de fois :

– On n'a pas besoin d'entendre des gens nous dire qu'ils ont vu une lumière au bout d'un tunnel blanc pour savoir qu'il y a une vie après la mort ! Regarde, t'as pas fait d'EMI et pourtant tu m'as toujours dit qu'on se retrouverait dans l'au-delà…

– Il n'y a pas que le tunnel : beaucoup racontent qu'ils ont été accueillis par des proches décédés et par des êtres entièrement spirituels…

Ces êtres spirituels ne me disent rien qui vaille, mais mon père a choisi de les prendre pour des émissaires de Dieu et pour la manifestation indubitable de son amour. À sa demande, Marsiella et ses sbires ont essayé d'en dresser le portrait-robot. J'attendais beaucoup de cette entreprise, qui s'est malheureusement soldée par des zébrures claires sur fond gris, ou par une succession de formes oblongues difficilement exploitables. Le seul dessin qui aurait pu présenter un intérêt était aussi le plus dénué de crédibilité, Ragnar ayant de toute évidence confondu les êtres spirituels avec des démons guinéens cornus. Mais il faut dire aussi que Ragnar est le seul à avoir fait une EMI négative et à en être durablement traumatisé, à moins qu'il ne fabule sur ce point-là comme sur bien d'autres. Car c'est l'une des découvertes les plus cruelles de mon adolescence : tout le monde ment. Il y a de vrais mythomanes, comme Ragnar, et des menteurs plus parcimonieux, comme mon père, mais finalement, je préfère avoir affaire à la pathologie qu'à des formes d'insincérité moins détectables.

Tout le monde ment, et si je l'avais su avant, je me serais évité bien des déceptions et bien des remords. Tout le monde ment, mais ce n'est pas une raison pour que je fasse comme tout le monde. Au contraire, je vais garder le cap irréaliste fixé par mon père. Et tant pis si lui-même en a dévié. Tant pis s'il a escamoté la vérité, tant pis s'il a semé la confusion dans mon esprit, avec sa chronologie incertaine et ses nombreuses approximations. Je peine à comprendre ce qui lui a paru inavouable dans cette histoire, qui est d'abord la mienne, mais je veux bien admettre qu'il avait ses raisons de la travestir. Je n'irai pas plus loin dans la voie du pardon, cela dit. Et je suis résolue à ce que le mensonge ne passe plus par moi : non seulement je ne ferai plus la moindre entorse à la vérité, mais je détruirai toute personne qui m'aura prise pour une imbécile en me balançant ses salades. Car il y aurait beaucoup moins de menteurs si les gens étaient moins faciles à berner. C'est cette facilité qui fait le lit de la fourberie.

Forte de ces résolutions, j'aborde désormais nos activités collectives avec un scepticisme ricaneur. Passe encore pour nos messes poétiques ou nos ateliers créatifs, mais on ne m'y reprendra plus à gober naïvement les confessions publiques ou les séminaires de déparasitage psychique. Même les conférences des expérienceurs me semblent hautement suspectes – en plus d'être horriblement ennuyeuses. D'habitude, j'y assiste en bâillant beaucoup, voire en me réfugiant dans mon coin lecture quand la « revue de vie » dure un peu trop longtemps – et c'est malheureusement un point sur lequel les expérienceurs adorent s'attarder :

– J'ai eu une sorte de vision panoramique et instantanée de tout ce que j'avais vécu avant. J'ai revu la maison où j'habitais enfant, ma grand-mère paternelle, mon oncle Jacinto, mon école primaire, la fête pour mes quinze ans, la fois où mon chien a failli se faire écraser, quand j'ai appris à faire du ski, ma rencontre avec mon premier mari, et puis la naissance de mes fils, mes voyages, le Sénégal, la Tunisie... Tout ça en une minute ou deux...

À en croire mes recherches sur le sujet, 13 % seulement des expérienceurs voient défiler leur existence, mais ils semblent s'être tous donné rendez-vous chez nous, histoire de nous en infliger le bilan fastidieux. Ragnar prétend même que son EMI lui a permis de se remémorer sa propre naissance. Le jour où il monte en chaire pour nous en faire le récit cauchemardesque, Kenny est le premier à l'applaudir chaleureusement – tandis que je me tords de dégoût derrière mon paravent, à l'abri du regard des imbéciles professionnels.

Oui, j'ai changé, et il se peut que ça s'appelle l'adolescence, mais je crois plutôt que j'ai enfin compris le sens de la vie, et le moins que l'on puisse dire c'est qu'il y a eu tromperie sur la marchandise. Dès l'enfance, on m'a engagée sur une voie joyeuse et stimulante, on m'a exhortée à me jeter corps et âme dans la bataille – mais sans me prévenir à aucun moment du déséquilibre des forces en présence. J'ai grandi en sachant que les ennemis seraient nombreux, mais je n'imaginais pas qu'ils s'infiltreraient jusque dans nos rangs, comme une pourriture lovecraftienne. On peut à la rigueur se débarrasser de six mille démons, mais pas d'une gangrène insidieuse et multiforme ; on peut à la rigueur lutter contre l'empire du mal, mais que faire si le mal s'est introduit chez vous avec la voix bêlante du bien ?

La conférence se poursuivant, je me plonge dans *Contes de Noël*, un Dickens pas du tout d'actualité vu qu'on est en septembre – mais qui fera l'affaire s'il s'agit de mettre un écran entre Satan et moi. J'entends quand même l'assemblée bruisser d'approbation à chaque nouvelle intervention d'expérienceur. *Proof of Heaven*, tu parles, preuve de rien du tout. Si le Paradis ressemble à une publicité pour le Paradis, c'est que quelque chose cloche quelque part. Cette herbe verte, ces musiques tournoyantes et ces séraphins radieux me paraissent aussi peu crédibles que les esprits de Noël qui visitent le vieux Scrooge. Heureusement, c'est à Marsiella qu'il revient de clore la séance, et on peut compter sur elle pour ramener tout le monde à la raison. Car Marsiella a beau être une expérienceuse, son expérience à elle est beaucoup moins éthérée que celle des autres. D'ailleurs, il ne s'agit pas d'une EMI mais d'une EMP, c'est-à-dire une expérience de mort partagée. Marsiella n'a pas frôlé la mort, mais elle a assisté à l'agonie d'une amie très chère, dont elle a accompagné les premiers pas dans l'au-delà. Cela dit, elle aussi a senti sa conscience quitter son corps et emprunter un tunnel lumineux ; elle aussi s'est sentie heureuse et apaisée, jusqu'à ce que son amie lui dise de rebrousser chemin et de faire quelque chose de sa vie terrestre, ce que Marsiella raconte sans se payer de mots – sans les inflexions dramatiques de Kinbote ni la solennité d'Aymon, sans parler des affabulations grotesques de Ragnar.

L'expérience de Marsiella est à son image : empathique, authentique et généreuse. Mais autant Kenny a paru transporté par l'intervention de Ragnar, autant celle de Marsiella le laisse froid. Pas assez de vortex tourbillonnants ni de goules affamées, je suppose. Sans même attendre la fin des applaudissements saluant la fin du colloque, il se rue sur Ragnar et le congratule ostensiblement avant de l'entraîner derrière un pilier, pour un entretien secret et probablement malveillant.

Oui, je vois le mal partout et il se peut que ça s'appelle la paranoïa, mais je crois plutôt que j'ai enfin admis que le nom de Satan était Légion. Certes, mon père me l'avait dit et répété, mais le savoir théorique est une chose et l'expérience clinique en est une autre. Ça n'empêche pas les gens bien d'exister, et Marsiella en est la démonstration éclatante.

Je m'aperçois que tout en ayant déjà beaucoup parlé d'elle, je n'ai pas encore rendu complètement justice à ses mérites, mais c'est un tort que je peux réparer en un tournemain. Qu'on me permette de dire en préambule que Marsiella est une très bonne pierre de touche : tout le monde l'aime, sauf les gens foncièrement incapables de reconnaître l'intelligence, la gentillesse et la rectitude morale.

Évidemment, Kenny la déteste. Il la déteste d'autant plus qu'elle heurte l'idée qu'il se fait de la beauté. Notre Église a beau prôner le body positivisme, Kenny a du mal avec les vieux et les gros. Au mieux, il ne les voit pas, au pire il grimace à leur passage – c'est presque un réflexe, comme un sursaut de son être offusqué. Or, non seulement Marsiella est grosse, mais elle doit avoir pas loin de cinquante ans, âge que mon oncle juge canonique :

– Bah, elle a quarante-neuf ans, cinq de plus que toi : vous êtes du même âge, en fait !

– Farah, c'est pas pareil pour les femmes que pour les hommes. Vous, enfin les femmes, vous vieillissez plus mal, c'est comme ça, c'est la nature des choses, on n'y peut rien.

Mon oncle a beaucoup d'idées reçues sur la nature des choses, idées qu'il met invariablement au service de ses intérêts phallocentrés – moyennant quoi, il est très heureux et se pose très peu de questions. Si je n'étais pas là, il ne s'en poserait même pas du tout.

– Mais c'est bien les hommes qui deviennent, chauves, non ? Et c'est les hommes qui prennent du bide, tu sais, comme une sorte de barrique autour de la taille... Nous, on n'a jamais ça.

Je dis « nous », en dépit de mon pseudo-hermaphrodisme, mais il faut bien comprendre que c'est pour l'emmerder et le faire sortir de ses gonds. Ça marche d'ailleurs très bien : il est tout de suite fulminant et écumant.

– Mais chauve c'est pas grave ! Regarde Sean Connery !

– Il est mort !

– Regarde Yul Brynner !

– Je ne connais pas cette personne.

Lui-même commence à se dégarnir discrètement – sans compter que son ventre distend ses chemises hors de prix :

– C'est fou, on dirait pas que vous êtes frères, papa et toi. Niveau corps, je veux dire.

– Quoi, niveau corps ?

– Ben, papa, il est plutôt mince.

– Pas moi ?

– Ben non. Et côté cheveux, aussi...

– Quoi, côté cheveux ?

– Non, rien. Enfin c'est juste que papa, il a pas encore commencé à les perdre.

– Parce que moi si ?

– Un peu. Au-dessus. Ça se voit pas beaucoup, hein, c'est juste le début. Ça te fait comme une petite tonsure.

Je ne mentirai plus, mais je me réserve le droit d'exagérer, surtout s'il s'agit de rendre fou un oncle infatué de sa personne. Kenny a beau protester et m'inviter à juger sur pièce, je sens que j'ai semé le doute et qu'il va guetter avec inquiétude sa calvitie naissante et son début de bedaine. Je serais beaucoup moins fielleuse si Kenny était lui-même plus tolérant avec le physique des autres, mais il n'a pas de mots assez durs pour conspuer celui de Marsiella, et rien que pour ça, il mérite d'être puni.

– Non mais, elle pourrait faire un effort, quand même !

– Un effort pour quoi ?

– Je sais pas moi, pour s'arranger un peu.

J'ai fini par comprendre que le plus impardonnable à ses yeux, c'est que Marsiella n'ait recours à aucun artifice.

– Qu'est-ce que tu appelles « s'arranger un peu » ?

– Bon, écoute, elle est grosse, elle est grosse, hein, je veux bien croire qu'elle y est pour rien, mais avec ses trucs moulants, c'est pire, non ?

– T'aimes bien les fringues moulantes, d'habitude.

– Oui, mais pas sur les grosses.

Si je le suis bien, les grosses n'ont qu'à enfouir leurs volumes disgracieux dans des sacs, ou les flouter dans du tulle vaporeux. Marsiella a donc le tort d'aimer les cache-cœurs, les jupes ajustées et les robes près du corps, comme elle a celui de laisser grisonner ses cheveux blonds et de les porter extrêmement courts.

– C'est moche, sur une femme, cette coupe. On dirait un mec.

– Moi, je trouve que ça lui va bien. Elle a une jolie forme de crâne : elle peut se permettre le très court.

– Si encore elle avait vingt ans…

Finalement, Marsiella est coincée de tous les côtés : elle est trop vieille pour les cheveux courts, mais trop jeune pour ne pas se les teindre; trop grosse pour les vêtements sexy, mais il ne s'agirait pas non plus de renoncer à toute féminité. Heureusement qu'elle se soucie très peu du jugement de Kenny et de sa prétention à arbitrer les élégances. Elle se contente d'être merveilleusement elle-même, merveilleusement disponible pour tous les membres de la confrérie, merveilleusement efficace pour collecter des fonds ou trouver des mécènes, et merveilleusement sereine sous la brosse de cheveux gris qui suscite tant d'animosité chez mon oncle.

Et comme Marsiella a tous les dons et toutes les compétences, œuvrer chez nous ne l'a jamais empêchée d'assumer des fonctions importantes dans une banque d'affaires – et d'en tirer un salaire conséquent dont elle nous reverse une bonne part. Ça nous change des parasites que sont Jewel, Ragnar, ou encore mon oncle Kenny, qui vit à nos crochets depuis des mois sans jamais avoir vendu la moindre bougie – sans parler de la fabriquer.

À l'issue du colloque « Proof of Heaven », mon père monte en chaire, visiblement ému par des témoignages qu'il a pourtant entendus cent fois.

– Aymon, Kinbote, Jaquette, Ragnar et Marsiella sont encore portés par la grâce de l'EMI et je voudrais les remercier d'avoir partagé cette grâce avec nous. À les voir aujourd'hui si apaisés, mais aussi et surtout si désireux de donner du sens à leur vie, je me dis que nous ferions bien de nous inspirer de ce qu'ils ont vécu, et de passer nous aussi par une expérience de mort imminente.

Mes frères et sœurs de la Treizième Heure hochent docilement la tête à ce préambule pourtant inquiétant. Mon père va-t-il nous demander de frôler la mort, histoire de tous nous bonifier ? Va-t-il nous expédier dans l'au-delà, hop, un tour dans le tunnel, la bise aux êtres de lumière, et retour dare-dare dans nos enveloppes corporelles ? Il en est tout à fait capable – le pire étant qu'il trouverait sûrement des volontaires parmi nous pour ce voyage aux portes du Paradis. Il suffit de jeter un coup d'œil à ma mère gestationnelle, cette crétine, qui joint déjà les mains d'extase anticipée. Même Kenny a l'air d'accord avec l'idée de généraliser à la population mondiale cette expérience de mort imminente. Car mon père ne voit aucune raison de réserver les bénéfices de l'EMI à nos quelques adeptes :

– Vous imaginez, si tout le monde en passait par là une fois dans sa vie ?

– Tu veux dire, si tout le monde mourait une fois dans sa vie ?

La reformulation est de mon cru, et elle vise évidemment à pointer l'absurdité de son propos. Comme il commence à avoir l'habitude de mon mauvais esprit, il ne relève pas et poursuit l'exposé de son étrange projet :

– Figurez-vous que des scientifiques ont établi qu'il y avait une drogue qui produisait le même effet qu'une expérience de mort imminente : ça s'appelle la DMT !

Kenny siffle doucement entre ses dents et envoie son coude dans les côtes de Ragnar. Soit il connaît déjà la DMT, soit il se voit déjà à la tête d'un juteux narcotrafic. Mon père continue, avec une exaltation croissante qui m'inquiéterait un peu si je n'étais pas très fâchée contre lui. Peut-être vient-il de consommer la substance dont il est en train de nous faire l'article – et qui à l'entendre n'a que des bons côtés : dissolution de l'ego, cet ennemi ; éveil à la sensualité de l'existence, nébulisation de l'angoisse, paix intérieure, développement de l'empathie, amen. Oui, « amen » est le mot juste puisque la prise de DMT viendra désormais clôturer nos messes, comme une sorte d'eucharistie psychoactive.

– À charge pour vous, mes sœurs et mes frères, de transmettre ensuite votre sérénité de proche en proche, de la répandre comme un virus à travers le monde.

L'allusion au virus me paraît malvenue en ces temps de pandémie, mais elle ne fait broncher personne, et mon père continue à prêcher sans soulever d'objection. À croire que tout le monde est prêt à fumer sa pipe de DMT, puis à en disséminer les effets lénifiants *urbi et orbi*. Je tente quand même d'opposer un peu de bon sens à ce torrent d'inepties :

– Mais répandre la sérénité, c'est ce qu'on a toujours fait, non ? Pourquoi on aurait besoin de prendre de la DMT ?

– Quand on a fait une EMI, on ne craint plus la mort, on sait que ce qui nous attend dans l'au-delà, c'est l'amour infini : ça donne une force de conviction incroyable.

– Mais papa, la DMT, c'est pas l'EMI : c'est juste les mêmes hallucinations.

– Qu'est-ce que tu veux dire ?

– Tu frôles pas la mort quand tu fumes de la DMT. Donc ça prouve rien du tout. Ça prouverait même plutôt que les expériences de mort imminente, c'est de la biochimie du cerveau. Point barre.

Autour de moi, les regards se font torves et je ferais bien de m'éclipser. J'ai beau être la fille du chef, je viens de leur escamoter la preuve du Paradis.

Je ne sais pas si c'est le fait d'avoir grandi chez les illuminés, mais je voue désormais une passion aux sciences exactes – comme une sorte de syndrome réactionnel aux discours mystiques et aux songeries idéalistes. À moi les outils de mesure, les grilles d'évaluation, les niveaux de cotation, les tables normatives : qu'on me laisse seule une heure avec Ragnar et je me fais fort de déterminer s'il a réellement vécu une expérience de mort imminente. Idem pour Aymon ou Jaquette. Ce serait quand même dommage de fonder toute notre catéchèse sur des divagations. D'autant que nous disposons d'un questionnaire d'évaluation en seize questions et trente-deux items, appelé le *Greyson-Near-Death-Experience-Scale*, très utile pour démasquer les imposteurs et dissiper les illusions collectives.

Et on aurait tort de croire que les organes génitaux externes échappent à la manie du score et de la classification : dès le processus pubertaire achevé, j'évaluerai les miens sur l'échelle de Quigley ou sur celle de Prader – et j'en tirerai les conclusions ad hoc. Si je veux un jour être une scientifique de renom, je ne dois pas avoir peur de la vérité.

La tête couronnée

À la Treizième Heure, le baptême est aussi un couronnement. Nous l'administrons en grande pompe et selon nos propres rituels. Au jour dit, le catéchumène se présente à jeun, pour passer une ou deux heures dans une tente de sudation. Il est ensuite minutieusement lavé par son parrain et sa marraine, puis revêtu d'un yukata en lin bleu. Mes frères et sœurs ont choisi cette couleur à l'unanimité, à une époque où j'étais trop jeune pour que mon avis soit de quelque poids – et c'est dommage, car j'aurais évidemment voté pour une couleur flamboyante.

Sur les cent dix-sept personnes que j'ai sondées à ce jour, soixante-dix-huit ont désigné le bleu comme leur couleur préférée, et il faut savoir que cette prédilection se retrouve à travers tout le monde occidental. Le bleu, c'est le consensus mou : on s'entend pour promouvoir une couleur pas dérangeante. Sauf que précisément ça me dérange, comme me dérangent toutes les acceptations faibles et pas réfléchies. Faites le test avec les fleurs, les fruits ou les animaux, et si vous ne le faites pas, sachez que moi je l'ai fait, dans ma rage de mettre mes semblables en fiches et en diagrammes – avec des résultats si prévisibles et si décourageants que j'ai bien failli renoncer pour toujours aux sondages d'opinion. Sans doute faut-il choisir entre aimer les hommes ou les connaître.

Je dois préciser que mes grands-parents se sont distingués en ne se distinguant pas. Je veux dire par là qu'ils m'ont invariablement donné les réponses majoritaires. Ah non, pardon, ils préfèrent le chat au chien, mais ça ne compte pas vu que chiens et chats sont quasi ex æquo sur le podium. Quant à la troisième place, je vous le donne en mille – et c'est le cas de le dire car il existe 7,7 millions d'espèces animales –, c'est le cheval. Je veux bien qu'on se restreigne aux vertébrés voire aux mammifères, mais ça laisse quand même le choix entre 5 400 espèces. Alors pourquoi élire cette bête écumante de préférence aux tigres, aux biches, ou aux baleines ? J'ai mon idée sur la question et ne suis pas sûre de vouloir vivre dans un monde qui plébiscite les fleurs de serre et les animaux domestiques – sans parler des fruits farineux.

Nos aspirants au baptême revêtent donc un yukata bleu. Ils pourraient parfaitement opter pour une autre tenue, puisqu'ils sont censés élaborer leur propre projet de baptême, sur le modèle des projets de naissance que rédigent les futures mamans dans les cliniques progressistes. Malheureusement, il en va du projet de baptême comme il en va du reste : au diable la fantaisie, zéro touche personnelle. Pour peu qu'ils aient déjà assisté à nos cérémonies, ils se cramponnent mordicus à tous nos us, depuis le yukata jusqu'à la sudation, en passant par la récitation d'un poème de Gilbert-Lecomte dont ils ignoraient jusqu'ici l'existence, mais qu'ils n'imaginent pas troquer contre un autre texte plus conforme à leurs goûts – goûts qu'ils ont abdiqués en entrant chez nous, au profit de ceux de mon père, cet influenceur de génie.

L'idée qui préside à ce choix poétique, c'est que le baptême est à la fois une élection, un sacre, un mariage, une mort et une résurrection. C'est du moins la conception que mon père s'en fait, et j'ai beau lui en vouloir, je continue à lui faire confiance sur le plan de l'intellect, et à trouver très beau ce moment où parrain et marraine couronnent de concert leur filleule ou filleul agenouillé, moment où notre déclamation se fait murmure, bourdonnement, lèvres presque closes pour saluer l'entrée d'un nouveau fidèle dans notre communauté – avant de reprendre crescendo dès qu'il s'est relevé : Cercle ardent sacerdoce infamant du malheur !

Eh oui, il suffit de lire in extenso le poème du pauvre Coco de Colchide pour comprendre que la couronne nous désigne à la vindicte en même temps qu'elle nous consacre. Qu'importe, le néo-baptisé rayonne sous sa tiare – tout en dégoulinant de sueur vu que nous maintenons la température de la salle à 40 degrés tout le temps de la cérémonie. À la fin, nous la faisons brutalement descendre à 10 au moyen d'une soufflerie d'air glacé, l'idée étant de provoquer un mini-choc thermique propice aux illuminations et aux révélations soudaines. Depuis qu'il a lu les résultats d'une étude sur les souris, mon père est intarissable sur les bienfaits du froid. Je vous fais grâce des détails, mais sachez qu'abaisser de 0,5 % la température corporelle d'une souris lui permet de gagner 15 % d'espérance de vie. Idem pour la restriction calorique, mais l'alimentation fait l'objet d'un tel investissement passionnel parmi nos adeptes que mon père rencontre de grandes difficultés à imposer quelque rationnement que ce soit.

Au moment d'entrer définitivement dans la communauté, le fidèle a la possibilité d'abandonner son prénom d'état civil pour s'en choisir un autre, plus conforme à ses nouvelles aspirations et à son nouveau chemin de vie. Solennellement brûlé dans nos braseros, le *deadname* se volatilise en flocons de bristol calcinés tandis que l'assemblée crie le nouveau prénom à l'unisson. Le roi est mort, vive le roi, ou plutôt la reine, puisque 70 %

de mes coreligionnaires sont de sexe féminin ou le prétendent.

Si j'en crois mes fiches, seuls quatre d'entre eux ont tenu à conserver leur prénom d'origine. D'autres encore n'y ont apporté qu'une variante : ainsi Marie-Alice est-elle devenue Marie-Ciboire, pour des raisons que nous n'avons pas cherché à approfondir. Enfin, je dis « nous », mais j'étais trop jeune quand elle est devenue une sœur de la Treizième Heure, et je l'ai toujours connue sous ce sobriquet qui ressemble à une mauvaise blague catho. À ces rares exceptions près, tous sont ravis de se débarrasser de ce qu'ils considèrent comme un legs parental encombrant. Car il faut bien comprendre que la motivation première de nos nouvelles recrues, c'est la gêne et la haine que leur inspire leur histoire familiale. C'est même étrange, cette unanimité à blâmer père et mère pour le fiasco qu'est leur vie d'adulte. Ils arrivent chez nous à un âge avancé, authentiquement malheureux, mais avec une explication de leur malheur qui ne résiste pas à l'examen. Je veux bien croire qu'ils aient subi une kyrielle de violences éducatives, je suis même toute prête à penser que leurs parents étaient particulièrement affreux, mais il me semble aussi que la vie leur a laissé le temps de métaboliser la maltraitance, et qu'il est grand temps de passer à autre chose.

Ma désinvolture en matière de souffrance infantile est loin de faire l'unanimité, et aucun adulte ne m'a jamais reconnu le droit de dédramatiser le scénario bien ficelé de sa névrose. Il va sans doute falloir que j'atteigne moi-même l'âge adulte pour être prise au sérieux sur ces sujets. Mon raisonnement est pourtant facile à suivre : dans une communauté qui fétichise l'acceptation de soi, pourquoi ne pas mettre au programme l'acceptation de son enfance atroce et de ses parents indignes ?

J'ai lancé l'idée lors d'un séminaire de cohésion – une initiative managériale de Kenny à laquelle mon père n'a pas osé dire non. S'il s'agit de renforcer notre esprit de groupe, nous avons déjà toutes sortes d'ateliers extrêmement efficaces, mais Kenny a besoin d'inspirer, de façonner, de mettre sa patte – faute de quoi, les choses ne l'intéressent pas. Notre séminaire de cohésion, modestement organisé sur vingt-quatre heures, s'est terminé par une séance de *Team Building Vin*, autrement dit une animation œnologique.

Qu'est-ce qu'une animation œnologique ? Aujourd'hui encore, je n'en sais rien, ou plutôt, j'entrevois ce que pourrait être une animation œnologique bien conduite et savamment menée par un sommelier raisonnable, mais malheureusement, la nôtre a sombré dès la première dégustation. Intitulée « Accords Vin & Chocolat », elle avait pourtant de quoi séduire jusqu'aux antialcooliques de la confrérie, un sous-groupe faiblement représenté mais toujours prêt à morigéner. Plus on prêche la continence, plus on aime le chocolat – je l'ai constaté maintes fois et je ne demande qu'à valider mes données empiriques par une véritable enquête de terrain.

Pour cette première dégustation d'une longue série, Kenny a passé un tablier de bistrotier et nous attend derrière une rangée de verres à demi servis, chacun flanqué de sa coupelle de chocolats dont une étiquette indique la nature et la provenance : ganaches à la cannelle de Ceylan, truffes au calvados du Perche, pralinés à la noisette du Piémont ou à la pistache de Sicile. Cet agencement chichiteux ne survivra que cinq secondes à la goinfrerie de mes frères et sœurs : en moins de temps qu'il n'en faut pour le dire, les verres sont lampés et les chocolats engloutis. Bon prince, Kenny ressert tout le monde, et réapprovisionne notre petite ligue de tempérance en orangettes et palets d'or. Une première, puis une deuxième fois. Très vite, il n'est plus question de dégustation ni de *team building*, ni même de *team* à proprement parler, tout esprit d'équipe ayant disparu. Ne restent que les dents aiguisées, les langues avides, la faim et la soif inextinguibles et les appétits crus.

En dépit de l'ivresse manifeste des uns et de l'hébétude postprandiale des autres, Kenny se lance dans un discours assez confus, mais d'où il ressort que nous devons révéler nos profils créatifs et nos compétences cachées. Il me semble y voir un signe du destin ou un appel du pied, bref, j'en profite pour faire taire tout le monde :

– S'il vous plaît, s'il vous plaît, chut, écoutez-moi ! Kenny a raison : nous devons nous faire bénéficier mutuellement de nos idées. Si ça se trouve, un trésor caché sommeille en nous, et par timidité, par peur de choquer ou de déranger, nous n'osons pas le dévoiler aux autres !

Je joue sur du velours, et je le sais. Le trésor qui sommeille a beau être une métaphore bancale, elle marche à tous les coups. Les gens veulent y croire. Ils veulent croire qu'ils n'utilisent que 10 % de leur cerveau ; ils veulent croire qu'un mauvais sort a été jeté sur leur berceau, les empêchant de révéler leurs merveilleuses potentialités ; ils veulent croire qu'ils ne sont qu'une version falsifiée d'eux-mêmes et que leur vrai moi attend encore l'heure de son auto-déploiement. En réalité, ce petit préambule ne vise qu'à capter leur attention pour mieux leur assener ma grande idée :

– Moi, par exemple, il y a quelque chose dont je voulais vous parler depuis longtemps, quelque chose qui vous aiderait tous à être beaucoup plus heureux.

Par-dessus le verre qu'il s'est bien gardé de boire, mon père rayonne de fierté et sans doute aussi du soulagement de me voir rentrer dans le rang après ma brève ruade. Il s'attend sans doute à ce que je leur fasse part d'une trouvaille adolescente, et il se tient prêt à la reformuler en termes assimilables par la communauté.

– Voilà, je sais que pour beaucoup, vous en voulez à vos parents pour ce qu'ils vous ont infligé dans votre enfance.

Je laisse passer un silence que mes coreligionnaires se chargent d'assombrir. Il me semble presque voir leurs ruminations se matérialiser au-dessus de leurs têtes – à moins que je n'entende leurs geignements intérieurs, mais c'est tout comme, vu que je connais leur cœur par cœur : à cause de leurs parents, ils ont vécu dans l'insécurité, le mensonge, l'humiliation, la violence, l'alcool, la dope, la pauvreté, la maladie, la folie, la mort. Les moins chanceux ont eu droit à tout ça à la fois, mais de toute façon, les plus chanceux s'estiment aussi mal lotis que les autres, en vertu du principe qui veut qu'on s'exagère toujours son propre malheur tandis que celui des autres nous semble aisément supportable, voire préférable au nôtre. Sans compter que le seuil de tolérance au malheur est au plus bas chez les heureux du monde. Si vous m'avez bien suivie, vous aurez compris que seule une infime fraction de la population mondiale s'estime heureuse, et ce que je vais proposer aujourd'hui à mes frères et sœurs, c'est de basculer dans ce bonheur. Ma recette est très simple :

– Vous avez été injustement traités. Pour certains, les violences ont commencé avant même la naissance.

Je ne vise personne, mais j'en connais beaucoup dans l'assemblée qui estiment avoir subi des maltraitances verbales *in utero* : les propos avinés de leur père, les commentaires perfides de leur grand-mère au-dessus d'une échographie, ou encore l'exclamation de dépit de leur mère en apprenant leur sexe. Sans compter ceux qui, comme Ragnar, prétendent se rappeler leur arrivée au monde dans le sang d'un ventre ouvert.

– Votre enfance n'a pas été jolie jolie, mais je vous propose d'en être désormais aussi fiers que de vos kilos en trop ou de votre nez bossu.

Car le body positivisme, c'est ça : revendiquer fièrement ses vergetures, son acné, sa cellulite, ses oreilles décollées, son prognathisme, sa calvitie, sa dentition irrégulière, au lieu d'en faire une source de complexes et de marasme émotionnel. Je continue sur ma lancée :

– Vous avez été des enfants malheureux, il ne s'agit ni de l'oublier complètement ni d'en parler à tout bout de champ. Faites avec votre passé comme vous faites avec votre corps : il est là, acceptez-le, considérez-le comme tout aussi estimable qu'un autre, tirez-en du plaisir, même !

Les nez se froncent, les sourcils se lèvent. Je les ai perdus, mais c'est exprès. Pour avoir étudié scientifiquement le cheminement spirituel de quarante-six membres de ma confrérie, je suis en mesure de formuler le principe suivant : les gens jugent leur corps beaucoup plus sévèrement que leur âme. Je suis même à deux doigts de penser que l'intolérance avec laquelle ils traquent leurs défauts physiques est inversement proportionnelle à leur laxisme moral. Autant ils ne supportent pas de se voir dans le miroir, autant ils se pardonnent leurs manquements et leurs faiblesses ; autant ils se sont torturés toute leur vie avec des critères de beauté impossibles à satisfaire, autant ils ont toujours trouvé qu'ils étaient largement assez honnêtes, largement assez généreux, largement assez courageux. C'est d'autant plus absurde qu'il est beaucoup plus facile de se bonifier sur le plan moral que d'améliorer une apparence ingrate. Enfin, c'est mon avis, mais je n'empêche personne de faire du sport ou de se blanchir les dents.

De toute façon, notre programme d'acceptation du corps fonctionne parfaitement : dûment coachés par mon père ou par Marsiella, les adeptes de la Treizième Heure ne tardent pas à envoyer valdinguer leurs complexes et à s'aimer au physique comme ils s'aimaient déjà au moral. À ce stade, ils vont déjà beaucoup mieux, mais il leur reste encore pas mal de problèmes à résoudre, ou plutôt, il ne leur en reste qu'un, mais il est de taille, et c'est là que j'interviens, ou du moins que je pourrais intervenir si on m'en laissait l'occasion. Car j'ai prononcé les mots qui fâchent, ou plutôt les mots qui les rendent inaccessibles au raisonnement : le mot « enfance », le mot « passé », et surtout le mot « parent ». J'aurais beau dépenser des trésors de rouerie rhétorique, ils cessent de m'écouter – ou s'ils m'écoutent, c'est encore pire et je lis dans leurs yeux ce qui ressemble fort à de la haine. Je continue, pourtant, parce que j'ai hérité de la ténacité de mon père et de son goût des causes perdues d'avance :

– Pourquoi accorder autant d'importance à nos quinze premières années ? Après tout, l'âge adulte dure beaucoup plus longtemps que l'enfance – enfin, si tout se passe bien.

Mon idée, ou plutôt mon espoir, c'est que l'âge adulte nous donne beaucoup plus d'occasions d'être heureux que l'enfance, et qu'un individu sain d'esprit devrait se servir de ce bonheur pour écrabouiller tous ses souvenirs de pratiques parentales négatives.

– Qu'est-ce que tu sais de l'âge adulte, Farah ?

Je m'attendais à cette objection, mais pas à ce qu'elle vienne de ma mère gestationnelle, qui prend rarement la parole et encore plus rarement en public. J'ai lu quelque part que le chocolat pouvait provoquer une sorte de bourdonnement cérébral, et j'imagine que c'est ce qui donne à Jewel le courage de m'interpeller, à moins qu'elle n'ait fait exception à sa règle de sobriété, mais ça m'étonnerait fort. Comme si elle avait donné le signal de la curée, les autres en profitent pour régler son compte à ma grande idée : je dis vraiment n'importe quoi, on voit bien que j'ai été une enfant choyée, je ne sais pas de quoi je parle, une enfance malheureuse, on ne s'en remet pas, point final.

Point final peut-être, mais ça n'en finit pas, et je suis bientôt noyée sous un flot de doléances. Dans ma naïveté, je pensais que les plus véhéments seraient les enfants battus, sexuellement abusés ou abandonnés, mais pas du tout. Tous trouvent à se plaindre, même ceux qui n'ont subi aucune maltraitance. Pour ceux-là, le traumatisme se situe ailleurs, parfois deux ou trois générations en amont : leur arrière-grand-mère était pupille de la nation, leur grand-père a collaboré avec l'occupant, à moins que leur mère n'ait perdu un enfant avant leur naissance – autant de secrets de famille dont ils s'estiment douloureusement et durablement impactés.

Je les laisse dire. De toute façon, ils tiennent mordicus à leur histoire et je leur ferais peut-être plus de mal que de bien en les forçant à y renoncer. Et pourtant, je sais de source sûre que les excès de jérémiades abîment une partie du cerveau – qui se met à produire du cortisol, ou je ne sais quelle hormone archi-négative. L'heure n'étant pas à la communication scientifique, je vais laisser les membres de ma confrérie s'écharper pour savoir qui a eu la pire enfance et la pire famille. Je pourrais tout à fait m'aligner, avec une mère abandonnante et un père qui me ment depuis toujours, mais ce genre de concours ne m'intéresse pas.

Je note du coin de l'œil que Kenny s'est résigné à voir son animation œnologique tourner au cercle de parole, et qu'il est une fois de plus en grande conversation avec Ragnar. Pour avoir déjà beaucoup médit de ce dernier, je crois fair-play de préciser que son baptême à lui a été l'un des grands moments de notre histoire. Je n'en attendais rien à part des hâbleries fatigantes, eh bien j'avais tort. Drapé dans un tartan écossais en dépit de la chaleur mourante, Ragnar a choisi de réciter un poème intitulé « Le Samouraï » :

– ... C'est lui. Sabres au flanc, l'éventail haut, il va.

La cordelière rouge et le gland écarlate
Coupent l'armure sombre, et sur l'épaule éclate
Le blason de Hizen ou de Tokungawa.

Ce gland écarlate a plongé l'assemblée dans la consternation, mais, inconscient de ses effets, Ragnar a continué à déclamer, sourire aux lèvres, faisant coïncider le vers final avec son auto-couronnement :

– ... Les deux antennes d'or qui tremblent à son casque.

Au lieu d'un casque, il s'est coiffé d'une sorte de masque en néoprène à oreilles de chien, prenant de court ses parrain et marraine, qui tenaient prête notre traditionnelle tiare en métal doré. La messe étant dite, ou presque, il ne lui restait qu'à brûler son vieux prénom avant de proclamer solennellement le nouveau : Ragnar ! Il me semblait que l'ancien,

Bomboly, sonnait mieux, mais les membres de la Treizième Heure ayant interdiction de prononcer les *deadnames* les uns des autres, je me suis contentée d'y penser très fort.

Après la cérémonie, Ragnar s'est offert un bain de foule, donnant l'accolade, serrant des mains, et revenant complaisamment sur le pot-pourri culturel dont il nous avait gratifiés :

– Je suis un samouraï et un berserker ! Oui, les deux à la fois !

J'aurais pu être agacée. Je l'étais, en fait, jusqu'à ce que je m'approche de lui et remarque pour la première fois les minuscules cicatrices dont son visage était criblé, d'innombrables petits croissants de peau plus claire. Je m'y connais en cicatrices. Je m'y connais aussi en cours de récréation, et en jeux qui tournent mal pour les petits garçons faibles et terrifiés. Ragnar aura beau jouer les guerriers, je sais que ces marques correspondent à tous les coups d'ongle qu'il a reçus enfant, quand il s'appelait Bomboly et était le souffre-douleur de ses camarades.

Instant crush (I)

À la Treizième Heure, nous commençons rituellement la nouvelle année par une scène ouverte. D'habitude, en pareil cas, je laisse les plus extraverties de nos ouailles faire la preuve de leur incroyable talent tandis que je me terre derrière mon paravent, mais là, je me suis inscrite pour une performance poétique. Le moment venu, je me hisse sur notre petite estrade, une antiquité dénichée et retapée par Marsiella. Dérogeant au code vestimentaire institué par mon père, je suis en survêt et baskets. Le code est tacite, bien entendu. Personne n'entendra jamais Lenny Maurier proscrire ou prescrire quelque tenue que ce soit. Simplement, comme il est toujours tiré à quatre épingles, les autres finissent par se conformer insensiblement à son élégance et par s'interdire tout relâchement. Moyennant quoi, mes frères et sœurs manquant cruellement de goût comme de fantaisie, tout le monde est en pantalon sombre et en chemise claire, avec, de-ci, de-là, une cravate ou une broche, histoire de se genrer discrètement – bien que nous soyons officiellement aussi aveugles au genre qu'à la couleur.

J'ai beau traverser une crise de foi et ne pas en faire mystère, mes frères et sœurs se tiennent prêts à applaudir ma performance. Après tout je reste la fille du chef, et un peu leur mascotte – mais s'ils s'attendent à une longue déclamation, ils vont en être pour leurs frais vu que j'en ai pour vingt secondes, grand maximum :

– elles viennent, autres et pareilles,
avec chacune c'est autre et c'est pareil
avec chacune l'absence d'amour est autre
avec chacune l'absence d'amour est pareille

Voilà, c'est fini. Promenant sur l'assemblée un regard de défi, je laisse planer un silence lourd de condamnations personnelles et cryptées, avant de lâcher le nom de l'auteur, comme une accusation supplémentaire :

– Samuel Beckett.

J'espère simplement que les pronoms n'induiront personne en erreur. J'avais prévu une réécriture inclusive du texte, avec « iels » et « chacun·e·s », et j'y ai renoncé au dernier moment par respect pour Beckett, mais il va sans dire que tout le monde est visé par cette absence d'amour. Même mon père, ce champion du monde de la philanthropie. C'est ma nouvelle grande idée : personne n'aime personne – et je défie quiconque de me prouver le contraire.

Face à moi, les membres de ma confrérie sourient vaguement. La seule à m'applaudir est Marsiella, qui est aussi la seule exception à mon théorème. Bon, je vois bien que je ne provoquerai rien avec mon poème : ni éclair de lucidité ni mea culpa en cascades. Autant laisser la place à Spiridon qui récite toujours le début de l'*Iliade*, en grec d'abord, puis dans trois traductions françaises différentes.

Je n'attendrais rien de cette soirée de nouvel an si Kenny n'avait pas prévu de nous emmener tous au *Cthulhu*. La réouverture de la discothèque est imminente, sinon officielle, et je crois que Kenny veut tester sur nous l'effet produit par ses récents travaux de rénovation. Le bas de survêt, c'est aussi pour ça, pour que mon oncle n'aille pas s'imaginer que je me fais une fête de découvrir son lieu de travail – alors que bien sûr, je m'en fais une fête, vu que c'est ma première sortie en boîte.

Dans le RER qui nous emmène jusqu'à Ivry-sur-Seine, j'ai tout le temps de regretter mon choix vestimentaire, car à part nous, tout le monde est sublime. La rame ne charrie que des garçons stylés et des filles en robes de soirée. À côté, les membres de la Treizième Heure ont l'air de quakers en bordée. Seule Marsiella nous sauve un peu la mise, avec sa robe patineuse fuchsia. Je pourrais m'affliger et ronger mon frein d'être aussi peu séduisante, mais il flotte dans l'air comme un parfum d'ivresse et de relâchement, comme un parfum de bonheur après tous ces mois de claustration, de couvre-feu et de mesures sanitaires qui ne visaient qu'à mortifier nos pulsions de vie. J'ai beau avoir seize ans et ne ressembler à rien, je n'en frissonne pas moins de plaisir anticipé. Les boîtes, les bars, les théâtres, les musées ont rouvert : le désir finira bien par me trouver quelque part. En attendant, je vais aller danser au *Cthulhu*, et cette perspective suffit à m'enchanter.

Kenny nous attend tout sourire devant l'entrée de son établissement, matérialisée par deux colonnes de néon clignotant. Soulevant pour nous une magnifique portière rebrodée d'or, il nous introduit dans un couloir tendu du même brocart, chichement éclairé par des têtes de cerf en résine lumineuse. Nous débouchons sur une première salle, une sorte de boudoir intime, puis sur une deuxième, beaucoup plus spacieuse, et que des leds courant au sol infusent de rose et de bleu.

Mes frères et sœurs se plantent gauchement sur la piste, non qu'ils aient l'intention de danser, simplement ils n'ont pas l'habitude du monde de la nuit et ne savent pas que faire d'eux-mêmes. J'ai toujours pensé que Kenny les méprisait, ne serait-ce que pour leur absence de chic, mais je dois reconnaître qu'il se met en quatre pour les accueillir, à coups de cocktails champagnisés et de mini-bagels au fromage frais. Il improvise aussi une visite guidée des lieux, depuis les toilettes capitonnées jusqu'au carré VIP, où il ne tarde pas à s'installer avec mon père et Ragnar.

Ce soir je suis heureuse et j'aime tout le monde. Au diable ma conviction qu'il n'y a pas d'amour. Même Jewel et Marie-Ciboire me paraissent soudain dignes d'intérêt, dans la lumière flatteuse dispensée par les leds. Il se peut que les margaritas au gingembre aient contribué à dissiper mon aigreur, mais je crois surtout que c'est d'avoir enfin mis un pied hors de mon triangle d'or : la maison, le lycée et notre salle paroissiale. Sans compter que la musique s'est faite plus forte, et que Spiridon me tend galamment sa main décharnée pour que nous allions tourbillonner sur le dance floor, ce que j'accepte volontiers parce que c'est lui et qu'il est capable de faire danser les cavalières les moins expérimentées. Très vite nous sommes rejoints par Ragnar, Aneko, Cameron, Kimberly, Ovidio, Marie-Ciboire, et bien sûr Marsiella, qui danse aussi divinement bien qu'elle fait tout le reste.

L'heure avance, et sans que je m'en sois aperçu, la boîte s'est remplie d'inconnus, sensiblement plus jeunes, plus sexy et plus bruyants que nous. Il va bientôt être minuit, et l'excitation monte d'un cran, y compris dans les rangs placides de mes coreligionnaires. Depuis longtemps, j'ai abandonné les bras secourables de Spiridon pour danser seule, et quand je capte mon reflet dans le miroir mural, j'ai presque peur de ce que j'y vois : ma crête de cheveux sombres, mes épaules luisantes de sueur – et cette expression de joie animale, déchaînée, brutale, qui n'échappe ni à mon oncle ni à mon père. Mais autant le premier me couve d'un œil satisfait, comme si ma joie était une reddition à ses lois mystérieuses, autant le second affiche un air préoccupé qui tranche avec la liesse ambiante.

À minuit, après un décompte braillé en chœur, je me retrouve à embrasser n'importe qui, mes frères et sœurs de la Treizième Heure, mais aussi les amis de mon oncle, des fêtards qui braquent sur moi leurs pupilles dilatées et me cornent leurs vœux aux oreilles : bonne année, jeune homme ! Eh oui, les gens ont vite fait d'additionner mes deltoïdes hypertrophiés, ma quasi-absence de poitrine et mon léger duvet labial – pour en arriver à la conclusion que je suis un garçon. Je les laisse dire : le doute est permis et le doute est mon royaume.

J'en suis encore à multiplier les embrassades et les effusions, quand je perçois un grand remue-ménage vers l'entrée, comme si on faisait place à un nouvel arrivant. Alors que je cherche des yeux quelqu'un d'autre à serrer sur mon cœur, Kenny me crie je ne sais quoi, poussant dans ma direction une fille en stilettos. Titubant un peu, elle enjambe les poufs de velours pour venir vers moi, esquisse une révérence moqueuse, puis m'embarque dans un simulacre de slow. Nous dansons, et tandis qu'elle me plaque contre le tissu lamé de sa robe, j'ai tout le temps de regretter le peu de soin que j'ai pris à me parer – mais aussi je n'imaginais pas que je danserais ce soir avec une créature aussi sensationnelle. Je n'ose pas lever les yeux du décolleté de ma partenaire, mais il me semble entendre comme un murmure de louanges autour de nous tandis que nous évoluons sur la piste, louanges qui ne peuvent s'adresser qu'à elle vu que je suis décoiffée et en nage dans mon survêt immonde. À la fin du morceau, je n'ai qu'une envie, fuir, mais Kenny nous entraîne vers le carré VIP sans nous donner le temps d'échanger un seul mot. Je ne suis pas plus tôt assise sur mon pouf, qu'il attaque :

– Alors ? Vous n'avez pas envie de savoir avec qui vous avez dansé ?

Sur le siège en face du mien, la fille semble se désintéresser complètement de la conversation. Ce n'est pas une fille, d'ailleurs, plutôt une femme. Maintenant que j'ose la regarder, je lui donne facilement trente-cinq ans, mais ça ne l'empêche pas d'être d'une surprenante beauté. Kenny ricane, fait durer le plaisir, enfin son plaisir à lui, comme d'habitude. En ce qui me concerne, je suis mortellement gênée, mais la meuf a l'air ailleurs, tantôt absorbée par ses ongles, tantôt le regard perdu au-dessus de son cocktail. Quand enfin elle se décide à parler, c'est d'une voix étrange, comme un chuchotis éraillé :

– Te fatigue pas, Kenny.

– Me fatigue pas à quoi ?

– Y'a pas de raisons qu'elle me reconnaisse.

– Et toi, tu l'as reconnue ?

Elle hausse une épaule osseuse, largement dévoilée par les lanières de sa robe en lamé :

– J'ai pas trop de doutes, mais elle a l'air dans le flou. Il est où Lenny ?

Il est là, Lenny. Il vient de surgir, et il semble tellement bouleversé que j'en oublierais mes griefs s'ils étaient de nature à être oubliés.

– Hind ?

– Eh ouais, c'est moi.

C'est le moment que j'attends depuis seize ans ou presque, le retour de ma mère dans ma vie, notre première rencontre – si je compte pour rien la vraie première rencontre, celle qui s'est soldée par mon abandon aux bons soins de Lenny Maurier et de Sophie Leroy.

C'est le moment que j'attends depuis seize ans mais il me trouve tétanisée, engourdie, stupide, et surtout tellement consciente de ma laideur que les larmes me montent aux yeux. Ô beauté ! J'ai beau ne pas aimer la poésie, j'ai suffisamment baigné dedans pour que les mots de Baudelaire me viennent irrépressiblement aux lèvres. Abîme, ciel profond, soir d'orage, tout est là, et je n'ai pas besoin de regarder mon père ou mon oncle pour savoir qu'ils partagent mon admiration et sont comme des chiens face à tant de grâce ingouvernable. *Elle nous tient.* C'est la première pensée à peu près sensée qui parvient jusqu'à mon cortex fronto-pariétal. Elle nous tient, sans rien faire pour ça – tout juste si elle parle. Et quand elle le fait, c'est avec une douceur et une lenteur surnaturelles, comme si elle avait peur que sa voix lui échappe en inflexions rocailleuses ou en éclats intempestifs. Lovée dans la peluche cramoisie de son fauteuil, elle laisse Kenny conduire la conversation et lui répond presque rêveusement.

– C'est sympa d'être venue, Hind, merci.

– Bah, c'est normal. Tu rouvres le *Cthulhu* : j'allais pas manquer ça.

– Tu veux boire autre chose ? Manger un truc ? On a des tapas de folie. Et si tu attends un peu, je vais envoyer le sucré. Y'a du tiramisu à la mangue, du carpaccio d'ananas mariné au rhum, du paris-brest au chocolat…

– Je suis pas très « sucré ».

En écho à cette affirmation dont il perçoit mieux que personne la justesse involontaire, mon père lâche un ricanement sarcastique. De toute façon, je n'ai pas besoin de lui pour deviner la dureté et l'amertume sous le glacis suave dont Hind les enrobe. Je m'y connais en faux-semblants : elle aura beau chuchoter et minauder, boire à petites gorgées, et prendre des airs vaporeux dans son fauteuil, je ne suis pas dupe.

Je ne suis pas dupe, mais je suis sous le charme. Elle me tient, et je sens cette emprise s'exercer sur tout mon être, depuis le sommet de mon crâne jusqu'à mes pieds déplorablement chaussés d'Air Max avachies. J'en profite pour enregistrer autant d'informations que possible et remplir mentalement mon carnet d'enquête : Hind est mince, presque trop, avec des hanches étroites, des clavicules saillantes, des tempes creuses, et tout un air de fragilité qui me chavire. Plaqués et lissés sur le crâne, ses cheveux se rebellent discrètement sur sa nuque, en une sombre torsade laineuse. Loin d'être de taille moyenne, elle est plutôt grande, même sans les stilettos de douze qu'elle a abandonnés au pied du fauteuil. Et n'en déplaise à mon père, elle est arabe, ou si elle ne l'est pas, c'est qu'elle a des origines. On m'objectera que tout le monde en a, mais je me comprends, et je ne doute pas que Hind me comprendrait aussi, vu qu'on doit constamment la renvoyer à l'exotisme de sa peau, de ses cheveux ou de sa bouche.

Toutes les bouches sont dans la nature. C'est clairement l'orifice dans lequel Dieu a décidé de laisser libre cours à sa fantaisie créative. Rien qu'à la Treizième Heure, nous avons les lèvres rose et noir de Ragnar, la fronce incolore de Jewel, les limaces cireuses de mon oncle, le camélia pulpeux d'Ariel, l'accolade pensive de Marsiella, la tulipe purpurine de Kinbote, le bec argileux de Marie-Ciboire, les babines sépia de Victorine ou la lippe mouillée de Théodora – sans compter ces bouches qui n'en sont pas et qui ressemblent plutôt à de vilaines balafres sur un sol craquelé. Je n'ai encore jamais calculé notre moyenne d'âge, mais elle explique probablement la disparition de toutes ces chairs et toutes ces muqueuses, avalées par la cavité buccale et n'en resurgissant que par un tour de prestidigitation chirurgical.

Je fais sans doute une fixation sur les bouches, mais je dois dire que celle de Hind suffirait à justifier n'importe quel investissement fétichiste, depuis la ligne orgueilleuse de sa mâchoire, en passant par la légère avancée de ses dents sous l'arc somptueux des lèvres, et jusqu'à la façon dont celles-ci se retroussent sur un demi-centimètre de gencive écarlate avant d'éclater en un sourire éblouissant.

En dépit des efforts mondains de Kenny, la conversation se fait poussive, mon père gardant un silence glacial qui contraste cruellement avec la jovialité de son frère. Quant à moi, j'attends une ouverture, l'opportunité qui me permettra de témoigner ma piété filiale à cette créature de rêve. J'ai prévu de réciter « Hymne à la beauté », ce qui aura peut-être comme bénéfice collatéral de décoincer mon père. Après tout, c'est lui qui m'a lu *Les Fleurs du mal* dès l'enfance, en lieu et place des contes de Grimm ou d'Andersen que j'étais en droit d'espérer. Mais voilà, le temps passe, la conversation se tarit, et Hind finit par envoyer ses pieds nus à la recherche des stilettos sous le fauteuil.

– Je vais y aller. J'ai une autre soirée.

Il faut croire que je ne tiens pas d'elle pour ce qui est des pieds : elle fait au moins du quarante-deux, alors que je stagne à trente-neuf depuis plus d'un an. Une fois chaussée, elle dépasse tout le monde d'une tête, mais ça lui va bien, ça va avec le reste, l'ascendant qu'elle a tout de suite repris sur mon père, le dédain de ses belles lèvres, la ligne altière de ses sourcils épilés, et son indifférence à nous tous. Dommage que je sois englobée dans cette indifférence, moi qui suis sans doute sa seule enfant. Enfin, si j'en crois mon père, ses histoires d'utérus en lambeaux et de gestation pour autrui.

Tandis qu'elle enfile une sorte de pelisse satinée, je me lève aussi, et je lui parle, vite, en phrases entrecoupées, vite avant qu'elle s'en aille et que je la perde de nouveau :

– Hind, tu peux me laisser ton numéro de téléphone ?

J'ai trop peur de l'effrayer pour l'appeler « maman », mais le mot me brûle les lèvres. Patience. Si seulement j'arrive à la revoir dans des circonstances plus intimes et plus propices aux épanchements, je laisserai tomber tous mes réflexes de prudence, je tomberai à ses genoux, j'enlacerai ses jambes magnifiques, et je lui raconterai comment entre neuf et dix ans j'ai eu rendez-vous avec elle tous les jours. Finalement, elle ressemble un peu à Miguel Bosé, en plus belle et en plus typée. Elle ressemble au rêve que j'ai fait de ma mère, pendant toutes ces années. Elle ressemble à un ange noir, à une sirène, à une fée baudelairienne, avec ses yeux de velours sous la frange exubérante de ses faux cils.

– Demande à Kenny : il l'a.

Le moins qu'on puisse dire, c'est qu'elle n'est pas pressée de renouer avec moi. Resserrant boudeusement les pans de sa pelisse autour de sa maigreur fragile, elle paraît plutôt se demander ce que je lui veux, impatiente, presque agacée. Visiblement, elle est venue au *Cthulhu* par politesse, et le nouvel an ne commencera pour elle qu'une fois rendue à son autre soirée. C'est même à se demander si elle n'est pas un autre des mensonges de mon père, une élucubration dictée par son désir éperdu et inassouvi : il l'aurait inventée comme mère de sa fille, histoire de la posséder et de se créer sa petite famille imaginaire. Si ça se trouve, sa haine du roman lui vient de ce qu'il me fait vivre depuis seize ans dans son feuilleton insane. Oui, je sais, ça a l'air aberrant, mais il n'en est pas à un illogisme près, ce grand pourfendeur du mensonge qui ment sur des choses aussi essentielles que ma filiation. Comme j'ai décidé d'en finir avec les incertitudes et les approximations, je donne un grand coup d'Air Max dans la fourmilière :

– Lenny dit que ma mère c'est toi : c'est vrai?

Elle en oublie son agacement, son impatience, et son autre soirée. Laissant la pelisse se rouvrir largement sur son buste osseux, elle me dévisage avec stupéfaction avant d'éclater d'un rire rauque, sauvage, et presque insultant. Derrière elle, mon père est l'image vivante de la désolation. Eh oui, ça fait toujours cet effet-là d'être démasqué, de voir ses mensonges étalés au grand jour. Mais bon, au moins, j'ai ma réponse : Hind n'est pas ma mère. J'aurais dû m'en douter. Elle est trop belle pour que nous ayons le moindre gène en commun.

Je remarque à l'instant que Jewel s'est approchée, comme pour assister à ce dernier échange. C'est bien elle, ce côté fouineur et insinuant, toujours à s'immiscer dans la conversation des autres, toujours à laisser traîner un œil ou une oreille. Le contraste entre les deux femmes est suffisamment flagrant pour que je n'en rajoute pas, mais j'ai bonne envie de crier à ma mère n° 2 qu'elle ferait mieux de prendre des leçons d'élégance auprès de ma mère n° 1. Là où Hind répand ses parfums comme un soir orageux, Jewel exhale son odeur de grenouille fadasse; là où Hind resplendit sous des superpositions de blush fauve et d'enlumineur bronze, Jewel n'est enluminée que par la couperose pourpre de son menton. Quant à leurs tenues, je suis évidemment très mal placée pour en parler ce soir, mais il n'y a pas photo. Hind porte une pelisse de fourrure rase sur une robe en lamé vieil or, et une barre en titane traverse de part en part le cartilage de ses oreilles délicates. Des tatouages polychromes gainent ses avant-bras de façon symétrique, et il m'a semblé en apercevoir un autre sur sa nuque, une rose ou un crabe… Jewel n'arbore évidemment ni tatouages ni piercings industriels – ni rien qui puisse pimenter un peu son insignifiance. Tout juste si elle a glissé sa médaille de baptême entre peau et chemise. Plus je la regarde, plus je la trouve horripilante, mais qui sait si je ne vais pas devoir me contenter de Jewel à l'avenir ? Qui sait si dans l'océan des mensonges de mon père, ne surnage pas la vérité cruelle qui ferait d'elle ma véritable génitrice ?

Cessant de rire, Hind se reprend, tamponne prudemment ses yeux tout aussi savamment maquillés que son teint, et m'accorde enfin toute son attention :

– Farah…

– Oui ?

– Je crois qu'on peut dire que je suis ta mère.

Sur cette réplique aussi inattendue que mémorable, elle tourne théâtralement les talons et s'éloigne sur ses stilettos sans plus un regard vers nous, menu fretin, pauvre clique. Tu marches sur des morts, Beauté, dont tu te moques… Dans ma tête, c'est le grand chambardement, et les alexandrins me reviennent en désordre – hasard, joie, désastres, rythme, parfum, lueur, jupons que je suivrais comme un chien si seulement je pouvais en être un.

Je me laisse choir sur un pouf de velours, juste à côté de mon père, notant au passage qu'il a l'air d'un moribond caressant son tombeau. Même mon flamboyant oncle Kenny a perdu de sa flamboyance après ce passage cyclonique. Je serais tout à fait disposée à avoir de la peine pour lui, pour ses velours, ses brocarts, ses appliques en résine, ses colonnes en néon, ses tapas dédaignées et son champ' à moitié bu, si seulement il avait pensé à me prévenir de cette visite, histoire que je me fasse une beauté. Je plaisante, évidemment : la beauté n'est pas dans mes moyens. J'aurais simplement voulu me préparer à l'idée de ces retrouvailles. Mais maintenant qu'elles ont eu lieu, la question se pose de savoir ce que je vais faire de cette reconnaissance obtenue in extremis et du bout des lèvres : « Je crois qu'on peut dire que je suis ta mère. » Qu'importent les précautions oratoires, les « je crois », les « on peut », j'ai entendu l'essentiel : « je suis ta mère » !

Après le départ de Hind, la soirée peine à retrouver son allant, mais nous la faisons tirer jusqu'au matin, laissant le tiramisu fondre dans sa coupelle, et l'électro s'exténuer sans plus faire danser personne. Nous rentrons à l'aube, cargaison blême et pensive dans les rames cahotantes du RER puis du métro. Une fois dans ma chambre, je glisse un faux ongle opalescent entre les pages de mon carnet d'enquête. Il s'agit de mon unique prélèvement sur le lieu du crime et j'espère de tout cœur qu'il se prêtera à une exploitation forensique.

Rien

Je devrais chercher à en avoir le cœur net, exhumer l'ongle opalescent, cuisiner Tweedledum et Tweedledee, confronter mes sources et mener l'enquête de plus belle, mais il faut croire que cette affaire me touche décidément de trop près. Sans compter que la soirée au *Cthulhu* semble avoir boosté mon activité métabolique, quelque part entre accélération de particules et aspiration par le vide.

Il y a des gens qui ont sur le monde l'effet d'un couteau de boucher. Hind en fait partie. Je me relèverai, mais pour l'heure, j'ai les entrailles et le cerveau à vif. Qu'on ne me demande rien, car je suis capable de tout – ou pour le dire de façon plus scientifique et surtout moins absurde, mon point d'éclair est extrêmement bas.

Lenny s'est bien gardé de revenir sur notre réveillon val-de-marnais, mais lui aussi me semble hautement inflammable depuis ses retrouvailles avec Hind – plus tendu, plus fragile. Il s'est illico refermé sur cette fragilité, histoire de faire bonne figure, mais j'ai nettement entendu le pêne s'engager dans la gâche : clic, fini, terminé, on n'en tirera rien, à part une suractivité frénétique, un tourbillon de nouveaux projets pour la Treizième Heure, une nouvelle salve de courriers au président de la République, une nouvelle campagne de démarchage à domicile, tout aussi vaine que les précédentes, mais propre à renforcer l'engagement des treiziémistes.

Je repense souvent à cette nuit où sa colère m'a réveillée – son rictus de rage, ses yeux grands ouverts dans la pénombre, la tension palpable de son corps à mes côtés. J'ai pris mon père pour un homme indigné, en guerre contre les puissances établies et les systèmes d'oppression – et si je m'étais trompée ? Et si ce qui le faisait trembler au cœur de la nuit, c'était plutôt le sentiment désespéré de son impuissance, le voile d'illusion déchiré un instant sur la vanité de son entreprise ? Que peut une petite secte d'illuminés, même animée des meilleures intentions, contre la Bête multidimensionnelle ? Que peut la philanthropie contre le ravage méthodique de la beauté et la persécution de l'innocence ? Que peut mon père contre les forces du mal ? La réponse à toutes ces questions tient en une syllabe désolante. Et c'est à cette même syllabe désolante que se résument désormais mes désirs et mes espoirs.

Lenny

Toujours quand je te vois je tremble

J'ai très tôt cessé d'être un fils. À douze ans, c'était déjà plié et j'avais pour mes parents l'amour impersonnel que j'ai pour l'humanité. Ils m'ont facilité les choses en m'aimant eux-mêmes très peu, et malgré les apparences je ne suis pas sûr qu'ils aient éprouvé beaucoup plus d'amour pour mon frère aîné. Simplement, Kenny avait sur moi l'avantage d'être idéalement problématique, avec son agitation, ses exigences, et ses difficultés scolaires. Il leur donnait du grain à moudre et des motifs de se plaindre, soit très exactement ce dont ils avaient besoin. Ajoutez à ça un travail ennuyeux et des revenus modestes, et vous conviendrez qu'un second enfant n'était pas nécessaire, sauf pour occuper le premier. Ma conception, comme on le voit, n'a tenu qu'à un cheveu : moins turbulent, Kenny serait resté fils unique.

Par une bizarrerie aussi inexplicable que la plupart des comportements humains, mon arrivée a opéré comme une commutation dans le cerveau de mes parents, une sorte de transfert des griefs : Kenny avait beau multiplier les frasques, j'étais l'unique objet de leur ressentiment. On ne gagne rien à être sage, je l'ai compris très vite, mais ma sagesse était indépendante de ma volonté : elle répondait à des lois organiques, me montait des entrailles, en même temps que la douceur et l'égalité d'humeur. À neuf ans, je me suis essayé au caprice et à la bouderie, juste une fois, pour voir, prenant mes parents de court, mais j'ai tout de suite été rattrapé par un paisible sentiment de vanité : à quoi bon ? J'ai laissé l'inconduite à mon frère aîné et les discours acrimonieux à mes parents. À chacun son climat.

Mon premier souvenir date de l'été de mes deux ans. Comme je dois être scolarisé à la rentrée suivante, mes parents se sont mis en tête de me rendre « propre ». Ils ont beau être en vacances à la montagne, ce projet a pris le pas sur tous les autres. Au lieu de randonner ou d'aller se baigner dans le lac tout proche, ils passent leur temps à me surveiller d'un œil rétréci par la hantise de « l'accident ». Tandis que ma mère tient prêts seau et serpillière, mon père me marque à la culotte, et c'est bien le cas de le dire puisque je suis enfin libéré de mes couches. J'ai presque tout oublié de cet été-là, mais pas ce sentiment tout neuf de liberté et de confort. Assis à même l'herbe tendre, je m'absorbe dans la contemplation extasiée de mon frère, ses bonds, ses arabesques folles, ses cochons pendus au garde-corps de bois ajouré, ses cris joyeux à mon adresse : « Regarde, Lenny, je suis le plus fort, t'as vu ? » Ensuite, c'est l'accident, le vrai, pas celui que redoutaient mes parents : Kenny a beau être le plus fort, il vient de s'écraser sous mes yeux ébahis, tête la première sur la dalle dure.

Mon premier souvenir est un tourbillon indistinct de sons et d'images : les yeux de mon frère, exorbités de terreur sous le ruissellement de son propre sang, une poignée de glaçons dans un torchon, des compresses de gaze maladroitement dépliées par mon père, et la voix de ma mère changée par l'inquiétude en un coassement mécanique, « c'est pas grave, c'est pas grave, c'est pas grave »... Une émotion puissante me soulève la poitrine : voir saigner Kenny, sentir sa panique, comprendre qu'il a mal, c'est trop pour moi, je ne peux pas rester spectateur de tant de souffrance, je veux qu'on me laisse moi aussi consoler et soigner – ou à défaut, qu'on me laisse avoir mal. Le chagrin me rend fou, et me précipite contre la dalle, où je viens cogner du front plusieurs fois. Fin du premier souvenir.

Aujourd'hui, je suis entré dans la chambre de Farah en son absence, ce qu'elle blâmerait vertement, et ce que je ne fais jamais d'habitude. Mais ce jour n'a rien d'habituel dans la mesure où il est le premier de l'année – sans compter qu'il succède à la rencontre de ma fille avec Hind, et que cette rencontre me rend malade. Littéralement : ventre et gorge noués, cœur aux abois, souffle strident dans les tympans, mauvaise fièvre, jaune, rouge, noire. Je cherche je ne sais quoi – les traces qu'a pu laisser ce choc frontal sur l'esprit si tendre de mon enfant. Car elle a beau jouer les dures, je connais sa douceur – peut-être même l'ai-je voulue. Que Dieu me pardonne d'avoir cru que les doux auraient la terre en partage ; que Dieu me pardonne d'avoir cru en sa parole ; que Dieu me pardonne de ne pas avoir compris plus tôt que les doux, les tendres et les cœurs purs se feront toujours avoir par les grands fauves.

La chambre de Farah me paraît inchangée. Son bureau croule toujours sous des liasses de feuilles et sa table de chevet sous des piles de livres. Au mur, son tableau d'investigation est bardé de bouts de papier sans rapport entre eux, des articles sur la nourriture pranique, les EMI ou les Ouïghours, des diagrammes abscons, des neckings de cygnes et de girafes, deux cartes de tarot, une liste de prénoms féminins, et une photo de Kenny et moi, enlacés, rieurs, sous le soleil haut-savoyard. Au verso, une inscription délavée par le temps : Kenny et Lenny, Veyrier-du-Lac, été 1983.

Chargé de prendre nos photos de vacances, mon père s'acquittait sans soin de cette obligation, clic, clic, le lac, les vaches, ses fils assis dans l'herbe, sa femme debout près d'un muret, et hop, fini, il rangeait l'appareil dans une pochette de son sac à dos. Floues et mal cadrées, les photos échouaient dans des albums et on n'en parlait plus. Celle-ci sort étrangement du lot, avec sa netteté parfaite et sa composition soignée, le bleu vif du ciel et le vert tendre de l'alpage, le bras protecteur de Kenny sur mon épaule, les sourires qui éclairent nos petits visages tuméfiés.

J'aime que Farah ait choisi ce cliché pour figurer sur son *wall of fame*. J'y vois le signe qu'elle me comprend. D'une façon ou d'une autre, elle a dû deviner que j'étais né ce jour-là, dans la douleur et dans le sang, comme il se doit – même si ma mère n'y était pour rien. Ne dit-elle pas, d'ailleurs, que je suis « passé comme une lettre à la poste », contrairement à Kenny qui lui a occasionné des heures de contractions atroces et un déchirement périnéal dont elle parle encore, quarante-quatre ans plus tard, avec des lumières dans ses yeux que plus rien n'allume.

Je ressors de la chambre avec des précautions de sioux : Farah est bien capable d'avoir tendu çà et là des fils invisibles, ou d'avoir disséminé des biscuits secs sous son tapis, histoire qu'ils se brisent sous le pas des intrus. En tout cas, rien ne trahit qu'elle ait reçu hier quelque choc que ce soit. Il faut croire que je suis le seul à avoir été bouleversé par le retour de Hind dans nos vies. Je ne sais pas à quoi je m'attendais. Des miroirs voilés en signe d'affliction ? Des vêtements lacérés ? Un journal intime ouvert sur son bureau – et que je n'aurais de toute façon pas lu ? La seule chose qui atteste que Farah a vécu intensément la soirée d'hier, c'est un faux ongle couleur de jade glissé dans un cahier, et que je reconnais d'autant plus facilement qu'il m'a déchiré le cœur, la nuit dernière.

Hind est très forte pour ça. Je la regardais hier, tandis qu'elle agitait élégamment ses griffes vertes dans ma direction, et j'étais à deux doigts d'éclater en sanglots. Elle a dû s'en apercevoir. Elle a une sorte de septième sens pour sentir la faiblesse, l'émotion, la vulnérabilité. Heureux les forts. J'ai voulu l'être à ma façon, mais ma façon n'a jamais fait le poids contre la beauté de Hind et son absence totale de scrupules. Hier je la revoyais après seize ans d'absence, seize ans à être le père de ma fille et le fondateur d'une communauté ; seize ans d'amour, de prière, de prédication ; seize ans de lutte contre les obscurantismes, les persécutions, les oppressions, les phobies en tous genres ; seize ans à être un éducateur, un inspirateur, un directeur de conscience, un coach de vie, un maître à penser – et hop, il a suffi qu'elle paraisse pour que je retombe sous son emprise, avec juste assez de présence d'esprit pour feindre l'indifférence.

Je ne sais pas ce que Hind a fait de ces seize ans, à part devenir encore plus belle et encore plus inquiétante. Il faudrait que je le demande à Kenny puisqu'ils semblent être restés en contact. Mais je ne peux pas. Rien qu'en prononçant son nom je risque de m'effondrer aux pieds de mon frère, qui n'attend que ça pour sonner l'hallali – dernier coup de semonce avant le dépeçage et le saccage de tout. Pauvre Kenny. Pauvre petit triomphe dans ses petits yeux, quand il m'a vu la voir, quand il m'a vu la regarder danser avec Farah – une scène de pur cauchemar dont je ne me remettrai jamais, les mains de Hind comme des serres dans le dos de mon enfant, ses dents aiguës torturant sa lèvre inférieure, son profil transylvanien, son œil faussement distrait, balayant déjà la salle à la recherche d'une autre proie – et mon cœur suspendu à cette danse macabre. Quand Hind a enfin relâché son étreinte vampirique, j'ai recommencé à respirer normalement, mais le mal était fait, la contamination avait eu lieu, et Farah la couvait d'un œil extasié. L'éphémère ébloui vole vers toi, chandelle…

Pour avoir procédé à d'innombrables exorcismes, je sais reconnaître les premiers signes d'un envoûtement, les lire dans l'agitation des mains, l'égarement des prunelles, la palpitation de la gorge. Pour autant, je ne veux pas avoir à désensorceler ma fille de sa mère. Il faudra qu'elle le fasse par ses propres moyens et à ses propres risques. Mon rôle à moi, c'est de prier pour le salut de son âme, encore plus ardemment que d'habitude.

Une fois à la Treizième Heure, je me claquemure dans mon bureau, allume un cierge et me prosterne à même les lames rugueuses. Je peux prier n'importe où et n'importe quand, mais j'aime autant le faire là, dans la paisible rumeur qui monte des salles adjacentes, les conversations à voix feutrée, les sonnailles de nos carillons, les bruits de pas étouffés par les tapis, la mise en route de l'imprimante ou celle du percolateur.

J'ai découvert la prière en même temps que la poésie et je n'ai jamais vraiment fait la différence entre les deux. Je laisse les vers de Nerval ou de Baudelaire me monter aux lèvres et me déborder tandis que je presse mon front contre le sol, ravivant à chaque fois le souvenir de ce moment où j'ai voulu rejoindre mon frère dans la douleur. C'est le même geste, le même amour, le même désir éperdu de fraternité et la même tentative de communier, fût-ce dans la souffrance – sauf que je les ai étendus à l'humanité tout entière ; c'est le même geste, sauf que j'ai appris à le retenir, à ne plus ulcérer mon front contre une surface dure, à ne plus faire couler inutilement le sang. Mon sang désormais, c'est celui des poètes, et c'est aussi le chant du monde, le cri du peuple, et la voix des sans-voix.

Je prie pour Farah, pour que Hind ne lui fasse pas autant de mal qu'à moi, mais je prie aussi pour Hind. J'ai toujours prié pour elle, même quand elle me crucifiait avec son absence d'amour ; je lui ai toujours dédié mes illuminations, mes contemplations, et mes romans inachevés, même quand elle piétinait mes rêves de famille heureuse. Me balançant légèrement sur les genoux, je récite à voix basse mon petit rosaire personnel, toujours quand je te vois je tremble, cent fois de suite, et finalement, je reprends possession de mon sang, de mon cœur, de mon souffle – je cesse de trembler.

L'idiot de la famille

J'ai grandi avec le sentiment d'être d'une idiotie écrasante, engluante – et qui se nourrissait de mes efforts désordonnés pour en sortir. J'ai eu sept ans, puis douze, puis quatorze, sans que ce sentiment s'amoindrisse. Pour ça, il aurait fallu que je puisse en parler, ou que je rencontre d'autres idiots dans mon genre ; mais autour de moi tout le monde semblait avoir découvert sans peine le sens de la vie. Mes parents avaient beau être dépressifs, ils avançaient bardés de certitudes, dont celle d'être plus malins que tout le monde ; Kenny avait beau être cruel, il avait des amis et des occupations. Je restais seul en rade, tétanisé par le désir de bien faire et par la crainte de ne pas y arriver.

L'esprit me fond dessus assez tardivement, avec la lecture de Villon, de Rimbaud, d'Artaud... Non seulement je ne suis plus seul, non seulement j'ai des frères, mais je n'ai qu'à les suivre pour sortir de la déréliction. Ma conversion est d'autant plus fracassante que c'est une conversion à tout : au beau comme à l'abject, à l'amour comme à la révolte, à la joie cosmique comme à la mélancolie ombrageuse. Et il faut croire que l'idiotie n'était qu'une incubation, car voici que mon projet prend forme, encore plus personnel que si je l'avais inventé : avant tout être un grand homme et un saint pour soi-même. À quoi bon inventer ? Tout est dit, tout est là, et il n'y a qu'à ouvrir *Les Fleurs du mal* pour trouver des façons d'exister – je laisse volontiers aux autres les joies de l'invention. Dieu suit, dans la foulée, parce qu'il faut bien dédier sa sainteté à quelque chose ou à quelqu'un ; pour le bonheur, il faudra attendre l'amour, mais je suis prêt.

Je cabote longtemps dans le sillage de Hind avant d'en tomber amoureux. Je ne me rappelle même pas notre rencontre, juste une première image fugace, puis, de surimpressions en surimpressions, le sentiment d'une familiarité croissante, un prénom sur ce visage, des sourires échangés, avant que j'en vienne à la regarder vraiment, puis à l'observer passionnément.

À vingt-cinq ans, j'ai échoué deux fois à l'examen du barreau et je suis serveur au *Nouveau Brazza*, en attendant l'inspiration ou l'opportunité qui décidera de ma vie professionnelle. Hind est l'une de nos habituées. Je finis par capter son attention, mais entre-temps, j'ai engrangé des heures et des heures de rush voluptueux. Il est temps que ça s'arrête, parce que je suis en train de devenir fou. Jamais personne ne m'a fait cet effet. Moi dont l'adolescence a été bizarrement épargnée par les obsessions sexuelles, je rentre chez moi l'esprit en surchauffe et je me branle jusqu'à panteler d'épuisement. Au *Nouveau Brazza*, derrière mon comptoir, je ne vis que pour le moment où elle vient acheter ses Camel Mild, puis celui où elle s'installe en salle avec un whisky, généralement rejointe par des amies bruyantes, elle qui l'est si peu, ou par des mâles arrogants, qui la draguent sans vergogne et achèvent de me désespérer.

Je suis affolé par sa beauté, mais aussi par son élégance désuète, son allure sensationnelle – et le mutisme énigmatique dont elle ne sort que pour me chuchoter sa commande. Laissant les autres filles se dépatouiller avec les modes du moment, Hind est toujours en robe ou en jupe, porte des talons, des manteaux à chevrons, des trenchs fuchsia, des fourrures bicolores, des boléros vintage, des pulls en cashmere, des foulards en soie – sans compter des bracelets et des sautoirs dont l'amoncellement rococo est contrarié par une quantité équivalente de tatouages et de piercings menaçants. Même son parfum peut m'amener au bord du malaise, tant il est épicé, pimenté, presque explosif.

Me croyant très habile à cacher mon trouble, j'essaye de sonder mon patron, mes collègues, et d'autres habitués du *Nouveau Brazza*, histoire d'en savoir plus sur elle, mais aussi de déterminer l'effet qu'elle peut bien faire aux autres. Or si personne ne sait rien d'elle, il s'avère qu'elle émoustille tout le monde :

– C'est de la bombe, cette meuf! Avoue qu'elle te plaît à toi aussi, Lenny!

Je l'ai bien cherché, avec mes questions, moi qui me cantonne d'ordinaire à des propos strictement factuels ou à des plaisanteries de bon aloi, sans jamais aucun dérapage vers la sphère intime, jamais aucune ouverture sur ce qui me tient vraiment à cœur, à savoir Dieu, les fleurs, les astres, la poésie de Hugo, de Ronsard, d'Apollinaire, de Dickinson ou de Jaccottet, que je découvre sans méthode, guidé par ma seule fureur de vivre autrement. Je ne suis pas heureux, pas encore, mais je m'approche du bonheur, je le hume à chaque déplacement de Hind dans la salle enfumée, quand elle laisse derrière elle le chypre entêtant de son parfum. C'est par là que je commence d'ailleurs, banalement et bêtement :

– Vous sentez bon, c'est quoi?

Elle se penche par-dessus le comptoir pour me répondre, dévoilant trois centimètres de résille rouge entre sa peau et l'ouverture de sa chemise. Soutien-gorge, caraco, nuisette? Je sens que je ne dois pas chercher à en savoir plus, et je détourne les yeux tandis qu'elle me souffle :

– Je ne réponds jamais à cette question.

Je ne tarderai pas à apprendre qu'elle ne répond pas plus aux autres questions, et qu'elle en pose encore moins vu qu'elle n'a de curiosité pour rien. Qu'importe, c'est parti, je lui paie un verre, puis deux, et nous finissons dans les toilettes, où elle m'offre son corps avec une fougue aussi inattendue que le reste, ce que je n'ai ni deviné ni pressenti : une érection qui répond idéalement à la mienne, des hanches de garçon dures et sèches, des seins tout juste enflés sous la résille rouge, et une croix de poils fins sur son ventre plat.

Après cette première fois, passablement ratée en dépit de notre excitation mutuelle, Hind se rajuste pensivement devant la glace constellée d'autocollants gauchistes. Les minutes qui viennent de s'écouler me laissent un souvenir confus mais humiliant. J'ai joui avant elle, la laissant s'occuper de son propre finish, et je n'aspire qu'à recommencer pour me montrer sous un jour plus favorable. J'ai encore le goût tourbé de sa salive sur ma langue, ma cuisse est encore engluée de son sperme, mais je tremble déjà, dans l'attente d'un commentaire désobligeant, voire d'une sentence de bannissement à vie tombant de cette bouche magnifique.

– Sors en premier.

Je le fais, en titubant presque – de honte, de joie, de terreur. Personne ne semble avoir remarqué notre absence et encore moins notre retour quasi simultané. Moi qui ne bois jamais, je me sers un whisky, pour faire comme elle et pour calmer mon tremblement. Mais le tremblement persiste toute la soirée, même après son départ. Sans un mot. Juste un geste distrait de la main.

Le lendemain, elle est là comme si de rien n'était, et nous entamons ce qui demeure à ce jour ma seule relation amoureuse durable. Deux ans – et non pas un comme je me suis obstiné à le faire croire à Farah, dans une tentative inepte de minimiser l'importance de Hind dans ma vie et donc dans la sienne. Les choses étant ce qu'elles sont, j'aurais pu ne pas parler de Hind, et me contenter de Sophie. Mais Hind m'a toujours brûlé les lèvres, dans un sens comme dans l'autre – brûlant d'en parler, mais regrettant instantanément toute confidence à son sujet, et disant finalement n'importe quoi : Hind est blonde, elle est brune, elle est de taille moyenne, elle est grande, elle aime le rouge, elle préfère le bleu, nous nous sommes aimés un an, notre histoire en a duré deux, elle est la mère de Farah – à moins qu'elle ne soit son père ? Car tout ce qu'on dit de Hind est faux – ou le devient.

Au triste scénario d'origine, j'ai toujours voulu substituer des récits plus mystérieux et moins cruels, des réalités alternatives entre lesquelles Farah n'aurait qu'à choisir, le moment venu. Bien que je l'aie élevée dans le respect scrupuleux de la vérité, je n'imaginais pas que ma fille nourrirait une telle passion pour les faits bruts, ni qu'elle abominerait à ce point les mensonges – et encore moins qu'elle me ferait payer aussi chèrement les miens.

Mes illuminations

Avant d'en venir à la filiation de mon enfant et aux circonstances rocambolesques de sa conception, c'est d'amour que je veux parler, même si je ne sais plus très bien quels sentiments mettre derrière ce mot. En seize ans, il s'est vidé de sa substance au point de me faire rire quand j'entends les autres le prononcer avec inquiétude ou gravité. À celles de mes ouailles qui le cherchent encore, j'ai envie de prêcher le renoncement ; j'ai envie de leur révéler que l'amour n'existe qu'à la condition d'être une maladie mentale, et que les gens raisonnables feraient mieux de le rester. Mais bien sûr, il s'agit d'un savoir à froid, parfaitement incompréhensible à qui est déjà en pleine réaction pyrotechnique.

Au moment où je tombe amoureux pour la première fois, personne ne m'a prévenu contre cette folie. Non seulement elle me paraît inévitable, mais je la souhaite, comme un saut dans le nu de la vie, et je plonge dans l'existence de Hind sans penser un instant à protéger la mienne. J'y pense d'autant moins que ma façon d'aimer, c'est l'adoration. Tout mon être vomit la tiédeur, par un sursaut instinctif, un réflexe stupide et jeune. J'apprendrai à mes dépens que certains peuvent aimer autrement, aimer quand ça leur chante, aimer de loin en loin, aimer peu, aimer mal – aimer, oui, mais… Je l'apprendrai, parce que Hind avait très peu de forces à jeter dans cette bataille, mais que contrairement à moi, elle savait très bien que c'en était une. Elle a été folle, elle aussi, parce que ma folie était contagieuse, mais sa folie est constamment restée bénigne, indolore et contrôlée.

Je pourrais me dire aujourd'hui que pour mon premier amour, je n'ai pas eu de chance ; que les choses auraient mieux tourné avec une fille moins égoïste, moins dure, plus empathique – mais je n'en suis même pas sûr. Je crois au contraire que seule Hind pouvait répondre à mon inextinguible besoin de dévouement et d'héroïsme. Et puis, si peu qu'elle m'ait donné, elle ne me l'a jamais repris : entré dans son univers vif et fantastique, sa réalité à la puissance X, je n'en suis jamais ressorti. Sans elle, j'aurais conservé toute ma vie les mêmes préférences molles, je n'aurais rien rejeté, rien écarté, rien abjuré. Hind m'a permis de mettre en œuvre mon programme baudelairien de grandeur et de sainteté, et rien que pour ça, je ne regrette rien.

Hind a des goûts marqués et des désirs impérieux. Très vite, je sais ce que je dois lui offrir si je veux lui faire plaisir : elle aime les bijoux de bakélite, les grenades, les oursins, les zinnias, les anémones, le make up glitter, le champagne, la côte amalfitaine, Berlin, Cadix, les comédies musicales, les jupes portefeuille, les minaudières, le tweed, les pavlovas, le vieil or, le rouge écarlate, le bleu céladon, les camées, les cuissardes, les animaux empaillés, l'Earl Grey, les parfums orientaux, les cols bénitier, les vagues et les embruns…

La liste de ses dégoûts est tout aussi facile à dresser : elle déteste le jazz, le reggae, l'hiver, la banlieue, les concombres, la vanille, le saumon fumé, les jeans, les baskets, les roses rouges, la nacre, les parfums fruités, les vues panoramiques, les films d'animation, le vert amande, le bleu marine, les sacs à dos, la bière, l'eau plate, la piscine, les chewing-gums, les couverts jetables, les sports collectifs, les traversins… Après d'inévitables tâtonnements et de non moins inévitables bévues, j'adopte ses codes couleur, je me coule dans son système, je la devance dans ses moindres impulsions d'achat, je me ruine en cadeaux, en week-ends, en restos, mais surtout, je deviens elle.

Ça arrive comme ça, à force d'amour et de désir éperdu, un désir fanatiquement sexuel, mais qui n'empêche pas le reste : le souci taraudant de son bonheur et de son salut. Mon désir se heurte d'ailleurs à des obstacles imprévus. Après la spontanéité fulgurante de notre première fois, je m'attends à tout, sauf à faire l'amour dans le noir, avec une fille qui bloque ma main avant qu'elle n'arrive à la hauteur de sa poitrine puis qui la bloque derechef quand je descends vers son sexe. Tout se passe comme si elle ne me laissait pas d'autre choix que la pénétration anale, alors que je rêve de la caresser, de la sucer, de la mâchouiller, de l'embrasser partout – sans faire d'exception pour sa bite ou ses seins.

– Pas question.

– Mais pourquoi ?

– J'aime pas.

– Dis-moi ce que tu aimes, alors : je le ferai.

Elle se dégage de mon étreinte avec un claquement de langue. Il faut croire que c'est à moi de deviner tout seul. Comment lui dire que je n'ai ni l'expérience ni l'assurance nécessaires pour sortir de cette impasse érotique ? Avant elle, j'ai couché avec quatre filles, quatre épisodes si peu enthousiasmants et si peu mémorables, que même en les mettant bout à bout, je n'y trouve rien qui puisse m'aider, rien qui soit transposable à ce que je vis avec Hind. Nous sommes en 2004, je n'ai jamais entendu parler de sexe d'assignation, de dysphorie de genre, de transition, et encore moins de transidentité. Dans mes rares moments de réflexion, je me dis que Hind doit être ce qu'on appelle un

« trav' », mais un trav', c'est la cage aux folles ou le silence des agneaux, pas une fille idéalement belle et dotée d'un pénis fonctionnel. Car elle a beau s'en plaindre et le dissimuler, il fonctionne. Il fonctionne même d'autant mieux que ni elle ni moi n'en faisons de cas – quand nous l'oublions dans l'excitation du moment. Quant à ses seins, ils ont beau être minuscules, je les trouve ravissants et je m'efforce de communiquer mon ravissement à Hind.

– Je les aime.

– T'as des goûts bizarres.

– Ne m'empêche pas de les toucher, s'il te plaît.

À force d'insistance et de supplications, j'obtiens qu'elle me laisse lui aspirer les tétons, les engluer de salive, faire rouler ma langue sur ses petites aréoles grenues, provoquant chez elle de grands frissons voluptueux :

– Tu vois ?

– Je vois quoi ?

– Ça te file la chair de poule.

Elle éclate de rire, sans s'apercevoir que je suis complètement bouleversé, non seulement de lui donner du plaisir, mais aussi de lui faire découvrir des sensations. À moins qu'elle ne s'en aperçoive parfaitement mais préfère en rire. Avec Hind, je ne sais jamais. Il me manque des clefs pour la comprendre, et elle ne me les livre qu'avec parcimonie. Ses seins, par exemple :

– C'est les hormones, tu sais. Autrement, je serais comme toi, avec juste des pecs.

– Tu prends des hormones ? Mais pourquoi ?

– Je viens de te le dire : pour avoir des seins. Sauf que j'aime pas ça.

– Quoi, les seins ?

– Non, les seins j'adore ! C'est trop beau, les seins ! C'est les hormones que j'aime pas. J'aime pas les effets. Ça m'abrutit complètement.

Là encore, il faut que je comprenne, à demi-mot. Sauf que je ne comprends pas, que je la fais répéter, préciser, expliciter, au risque de provoquer sa colère et ma disgrâce.

– Putain, t'es lourd, Lenny.

Je ne veux pas être lourd, je veux être léger ; je veux être une source de joie, de plaisir et de réconfort – pas un motif constant d'exaspération. Mais comment faire avec cette fille fantasque et compliquée, aussi audacieuse en public qu'elle se révèle fragile dans l'intimité ? Quand nous sortons, c'est Hind qui attire les regards. C'est autour d'elle que se passent les soirées, parce qu'elle est aussi belle que drôle, parce qu'elle va facilement vers les gens, parce qu'elle danse bien et qu'elle a un look spectaculaire – sans compter qu'elle tient l'alcool mieux que personne. Partout où nous allons, elle se fait des amis.

– Des amis ? Ces baltringues ?

Elle a l'air sincèrement étonnée. Ces gens, avec qui elle a ri et discuté jusqu'au bout de la nuit, ces gens dont elle a pris le numéro de téléphone, ces gens à qui elle a promis de donner des nouvelles, ces gens qu'elle a enlacés dans une bouffée de tendresse éthylique, elle n'a nulle intention de les revoir.

– Mais Hind, vous aviez l'air de super-bien vous entendre.

– Ah bon ?

– Tu as dit à Lucas et Armelle que tu les appellerais la semaine prochaine.

– Mais non, j'ai pas dit ça !

– Si, si, je t'assure.

– Bah, j'étais bourrée. C'est le genre de trucs qu'on dit quand on est bourré, non ? Mais tu noteras que moi, je leur ai pas donné mon tél.

Elle ne le donne jamais. Elle va de fête en fête, tient tout le monde sous son charme le temps d'une soirée, et puis basta. Sitôt que les gens ont quitté son champ visuel, elle les oublie. De mon côté, je m'efforce par tous les moyens de créer chez elle un attachement irréversible, un peu comme Lorentz avec ses oies cendrées. Je me dis que si je suis le premier objet mobile qu'elle voit, matin après matin, réveil après réveil, je finirai par m'imprimer durablement dans sa conscience. Et ça marche : au bout de quelques semaines, elle vient s'installer dans mon trois-pièces, trimbalant pour l'occasion son encombrant vestiaire, mais aussi tout un petit cabinet de curiosités : un crâne en cristal, une branche de corail montée sur un socle en bois, un geai empaillé, des poufs en velours, des veilleuses coquillages de Vallauris, des insectes figés dans leur bloc de résine, un dessus-de-lit au crochet, des abat-jour à franges, et des dizaines de flacons vintage, qu'elle conserve sans y toucher mais qui répandent dans tout l'appart des parfums qui lui ressemblent, tantôt chyprés tantôt poudrés. Quant au sien, elle finit par m'en donner le nom, histoire que je puisse la réapprovisionner en temps voulu, ce que je fais aussi scrupuleusement et aussi ardemment que je fais tout le reste : la protéger, la consoler, la distraire, l'habiller, la nourrir, la baiser.

Je crois que c'est pour ça qu'elle se laisse apprivoiser : parce que personne ne s'est jamais insinué à ce point dans tous les recoins de son existence, et parce que personne n'a jamais mis une telle ferveur à la servir. Si je m'oubliais complètement dans cette servitude, si j'y sombrais corps et biens, elle se lasserait sans doute. Mais en dépit de ma volonté forcenée d'abnégation, je conserve un petit noyau d'altérité irréductible. Je lui appartiens et j'aimerais être elle, mais je fais bien de rester moi, car c'est ce qui me sauve à chacune de nos crises et de nos séparations. Ma résistance, si faible soit-elle, l'excite suffisamment pour qu'elle revienne à chaque fois me sauver de la nuit du tombeau – jusqu'à la dernière crise, celle qui s'est soldée par sa disparition.

Mais avant qu'elle ne sorte définitivement de ma vie, il y a ces deux années où j'ai l'impression de vivre la poésie de l'intérieur. Et mon désir d'Église, aussi bizarre que ça paraisse, est né dans notre lit, à Hind et à moi ; il est né de ses fureurs, de ses mystères, et du puissant sentiment de communion que j'éprouve à chaque fois que je lui suce les couilles ou que je me branle au-dessus de sa cambrure duveteuse. Comme j'ai fini par le comprendre, elle ne suit qu'à moitié son traitement hormonal, histoire de conserver des érections et des éjaculations.

– Je me demande si je vais pas me faire mettre des implants mammaires… Comme ça, plus besoin d'hormones.

– Mais pourquoi tu veux te faire charcuter ? Tes seins sont très bien tels qu'ils sont.

– Tu m'écoutes, quand je te parle ? Si j'arrête complètement les hormones, j'aurai plus du tout de poitrine.

– Dans ce cas, continue à prendre tes hormones.

– Quand j'en prends, j'ai moins envie de baiser. Et déjà que j'aime pas ma chatte, si en plus elle me sert à rien.

Ce qu'elle appelle sa chatte, c'est son pénis, et il y a effectivement ces jours où elle m'interdit d'y toucher, ces mauvais jours où elle s'offre de dos et avec réticence, ces jours où elle jouit de ne pas jouir et s'esclaffe quand je le fais, ces jours où je lis dans son regard qu'elle se déteste et qu'elle déteste mon adoration perpétuelle. Heureusement qu'il y en a plus de bons que de mauvais – et que les bons sont extraordinaires.

Car je n'aurai rien dit de Hind si je ne dis pas qu'elle est aussi facile à aimer que difficile à vivre et à comprendre. Entre ses périodes de crise, elle se montre joyeuse, expansive, démonstrative – et surtout, toujours partante pour tout : sortir, rencontrer des gens, manger au restaurant, se promener, aller danser, courir, écouter de la musique, partir en voyage. Pour avoir fréquenté beaucoup de dépressifs, à commencer par mes propres parents, je peux dire que personne ne l'est moins que Hind. Elle est juste complètement barrée. Tel est du moins le diagnostic auquel je parviens, sans m'en ouvrir à l'intéressée. À aucun moment je ne me dis qu'elle souffre d'être née fille dans un corps de garçon. Ces problématiques, si évidentes pour la génération de Farah, ne sont tout simplement pas encore parvenues à ma conscience.

Il faut dire aussi que la morphologie de Hind brouille les pistes. Quasi imberbe, faiblement musclée, dépourvue de pomme d'Adam comme de bosses frontales, elle ne suscite jamais d'interrogations quant à son identité de genre – et je n'en dirais pas autant des femmes trans que j'ai rencontrées par la suite, dont celles qui fréquentent ma propre Église, et qui ont pourtant multiplié les actes esthétiques : résection des angles mandibulaires, réduction des arcades sourcilières, réimplantation capillaire, et j'en passe. Hind n'a jamais eu besoin de tout ça, ce qui ne l'empêche pas de se juger trop grande, de détester sa voix et de surveiller avec anxiété ses golfes frontaux.

– T'as pas l'impression que je commence à perdre mes cheveux ?

– Non.

– Tu m'aimerais encore, si j'étais chauve ?

– Oui. Et toi ?

– Quoi, moi ?

– Tu m'aimerais encore, si j'étais chauve ?

– T'es un mec. On s'en fout que les mecs soient chauves. Ils le sont tous, en fait. Regarde bien les gars autour de toi : tu verras, dès vingt-cinq ans, ils commencent à se dégarnir. C'est fou.

– Ah bon ? J'ai jamais fait gaffe.

– Regarde François, Jérémie, Matthieu, Nadjib…

– Ils sont chauves ?

– Non, mais ça les guette. C'est aussi pour ça que je ferais bien de continuer mon traitement.

– Ton père est chauve ? C'est souvent génétique, la calvitie.

– On s'en fout de savoir si mon père est chauve.

Elle ne parle jamais de ses parents, ne va jamais les voir, ne leur passe jamais un coup de fil. Tout au plus ai-je appris qu'ils vivent à Dreux et qu'ils sont d'origine algérienne. La seule personne que j'aie rencontrée, c'est sa tante Bouchra. Quant à mes propres parents, je n'ai pas envie de leur présenter Hind. J'aurais trop peur qu'ils la salissent à coups de petites phrases fielleuses, comme ils l'ont toujours fait avec moi et avec à peu près tout le monde. Si Hind insistait pour les connaître, je ne m'y opposerais pas, mais elle n'éprouve aucune curiosité les concernant, pas plus qu'elle ne me questionne sur ma vie d'avant.

– Ma vie est à partir de toi.

Elle acquiesce d'autant plus facilement à cette vérité poétique qu'elle se fout de ce que j'ai pu vivre avant de la rencontrer. Comme elle éludait mes questions, je l'ai d'abord crue aussi indifférente à son passé qu'au mien, jusqu'à ce qu'elle m'emmène chez sa tante Bouchra, une sexagénaire aux faux airs d'iguane sous son turban pelucheux. Tandis que je trempe poliment mes fekkas dans un café imbuvable, Bouchra me place d'autorité un album sur les genoux, album entièrement dévolu à Hind, comme je ne tarde pas à m'en apercevoir. Sur les premières photos, elle a neuf ou dix ans, un air fermé et des tenues unisexes, mais plus j'avance dans l'album, plus les vêtements et les coiffures penchent côté fille, tandis que le regard s'éclaire et que le sourire se fait radieux.

– J'ai fait ma transition entre le CM2 et la sixième.

– Ta transition ?

– Ouais, j'ai commencé à mettre des robes, à plus aller dans les chiottes des garçons, tout ça. Bon, la vraie transition, enfin si on veut, c'est venu plus tard, avec les hormones, mais c'était déjà pas mal. Surtout que j'étais toute seule, sur ce coup-là, hein. À part ma tante, personne m'a aidée.

– Mais t'aider à quoi ?

– À être une fille.

La petite enfance de Hind, je n'y ai jamais trop pensé. Et quand je l'ai fait, je me la suis imaginée en jolie petite fille à couettes, cachant sa chatte exubérante sous l'ampleur de ses robes ou de ses jupes.

– Parce que pour tout le monde, j'étais un garçon.

– Même tes parents ?

– Ben ouais. À la naissance, j'avais un zboubou et rien qui clochait, ils m'ont appelé Shérif, et puis voilà. Sauf que moi, je me suis jamais sentie garçon. J'avais un grand frère, une grande sœur, je voyais très bien la différence, et je voyais très bien aussi que je ressemblais plus à Anissa qu'à Reddouane. Enfin, en vrai je ressemblais ni à Anissa ni à Reddouane, mais j'avais envie de faire comme ma sœur, de porter les mêmes fringues, de parler comme elle, d'avoir les mêmes jouets, les mêmes copines. Reddouane, on s'entendait bien, je l'admirais, même, mais ses jeux m'intéressaient pas et ses fringues je les trouvais trop moches : rien que des survêts, des maillots de foot ou des tee-shirts Fly Emirates, laisse tomber ! Un jour j'ai dit à ma mère que j'étais une fille, je devais avoir cinq ans, mais elle m'a pas écoutée. Un peu plus tard, je lui ai dit que je voulais m'appeler Stéphanie et m'habiller en fille, et là, je sais pas, elle a eu peur, elle a commencé à pleurer, à dire que j'étais malade, que ça la rendait très triste et qu'il fallait en parler à personne. Je me suis dit que c'était sans doute très grave et que j'allais mourir, mais bon, ça m'a pas dérangée plus que ça. Sauf que je m'appelais toujours Shérif et qu'il fallait toujours que je m'habille en garçon. Je le faisais, tu vois, je mettais les vêtements que ma mère préparait pour moi, mais je m'arrangeais pour les porter d'une façon, comment dire, y'avait toujours un petit truc de fille. Je nouais mon tee-shirt sur mon ventre, ou je le descendais pour qu'on voie mes épaules. Et même quand je pouvais pas faire ça, je marchais en me tenant hyperdroite, le torse en avant, et en me racontant que j'étais une star. Du coup, à l'école, j'avais zéro pote. Les filles me détestaient, elles disaient que je me la jouais trop, et les garçons, ben les garçons, t'imagines, pour eux j'étais gay, et ils me cognaient.

Plus Hind avance dans son récit, plus les fekkas de sa tante me restent sur l'estomac, mais elle n'a pas l'air affectée par ce qu'elle me raconte, les coups qui pleuvaient à l'école comme à la maison.

– Bon, en même temps, c'était pas tous les jours, hein. Et c'était surtout quand je me faisais choper avec les fringues de ma sœur ou le rouge à lèvres de ma mère. Faut dire, aussi, j'étais pas maligne de faire ça sous leurs yeux, mais bon, c'était plus fort que moi. Je crois que ma mère a compris plein de trucs, même si on n'en a jamais parlé. D'une, elle a compris que ça s'arrangerait pas : que j'allais pas rentrer dans le rang et devenir un fils selon son cœur. Deux, elle a compris que j'étais pas gay, que c'était autre chose, et que c'était bien pire, enfin à ses yeux. Ma mère, c'est pas vraiment une femme ouverte d'esprit, hein.

– Et ton père ?

– Mon père, il était pas souvent là. Enfin, il était là, mais à l'ancienne. Il partait travailler très tôt le matin, et quand il rentrait, il était crevé, il avait pas envie de discuter. Ni de s'occuper de nous. Ce qui est sûr, c'est qu'il voulait pas d'un fils pédé. De toute façon, ma mère a vite trouvé une solution. Pas vrai, khalti ?

Les yeux de Bouchra se plissent au-dessus de sa tasse de café, mais elle n'émet qu'un faible grognement.

– À la fin du CM1, elle m'a amenée ici, dans l'Essonne. Et voilà. Fin du problème. C'est Bouchra qui m'a élevée. J'ai plus jamais remis les pieds à Dreux. J'ai un peu revu ma mère, au début, et puis plus du tout. Parce que tu vois, en arrivant au collège, j'étais déjà Hind, et ça, ma mère voulait ni le voir ni le savoir.

– Mais comment t'as fait ?

– Bouchra est allée voir la principale, et moi j'ai parlé aux profs. Je leur ai dit, voilà, sur la liste y'a marqué Shérif, mais c'est une erreur administrative, je m'appelle Hind. J'avais même pas besoin de leur dire que j'étais une fille, ils le voyaient. Et au lycée, j'ai refait pareil. Personne m'a fait chier. Je crois qu'ils se sont tous dit que ça avait dû merder dans mon pays d'origine, tu vois.

– Mais c'est quoi ton pays d'origine ? T'es née à Dreux !

– Ben ouais, mais vu ma tronche, ils devaient s'imaginer que je venais d'un bled, quelque part en Bamboulie, et que là-bas, les gens font n'importe quoi avec l'état civil, ils savent ni lire ni écrire, ils déclarent les enfants des mois après leur naissance, fille, garçon, c'est pareil. Enfin, je te dis ça, mais je sais pas exactement ce qu'il y avait dans leur tête, hein, je te dis juste que la plupart du temps, on m'a laissée tranquille.

– Et pourquoi « Hind » ?

Bouchra revient à la vie et se déplisse sous son turban, comme si j'avais posé la seule question digne de l'être :

– Hind, c'est moi qui ai choisi : c'était le nom de ma meilleure amie, à Alger. On est allées à l'école ensemble, on était inséparables, et puis je suis venue en France, et plus de nouvelles. Je sais pas ce qu'elle est devenue.

– À l'époque, j'aurais préféré Audrey ou Mélanie, mais je voulais faire plaisir à ma tante, et voilà, Hind, c'est resté, et finalement j'aime bien, vu que personne s'appelle comme ça à part moi. Et tu vois, j'ai jamais su si ma mère avait voulu m'abandonner ou me sauver, mais le fait est qu'elle m'a sauvée.

– Et comme ça, moi j'ai eu une fille. Comment j'aurais fait, sinon ? J'avais même pas de mari !

Bouchra rit comme si cette absence de mari était une bonne plaisanterie de l'existence, et Hind fait écho à ce rire :

– Inch'Allah que t'avais pas de mari : on n'était pas trop bien, rien que toutes les deux ?

Ce jour-là, elles ne m'en disent pas plus, mais de confidence en confidence, je reconstitue ce qu'a dû être la vie de Hind entre dix et vingt ans, le collège et le lycée à Mennecy, le BTS à Paris, le tête-à-tête heureux avec Bouchra :

– On s'entendait bien. Elle était stricte sur certains trucs, tu vois, comme le ménage, les courses, la cuisine, fallait que je taffe dans la maison, quoi, mais pour le reste, elle me foutait la paix. Elle était contente que je ramène des bonnes notes, elle m'a poussée à faire des études, mais si j'avais pas voulu, elle aurait compris. Et j'ai toujours pu sortir comme je voulais, rentrer à quatre heures du zbar, si je voulais, même passer la nuit dehors si je voulais. Fallait juste que je la prévienne. Si on a un enfant un jour, je serai comme elle : je ferai confiance, j'interdirai rien, ou pas grand-chose.

Mon cœur s'arrête, puis repart avec l'allégresse que lui ont insufflée ces cinq petits mots : « Si on a un enfant. »

Midnight summer dream

Avant d'être une enfant de chair et d'os, Farah a d'abord été un rêve, plusieurs rêves, même – de ceux que Hind me raconte au réveil d'une voix monocorde et encore ensommeillée :

– C'était une petite fille, elle venait de naître et en même temps elle avait l'air d'avoir déjà quelques mois. Elle sortait d'une sorte de vase, genre Art déco, avec des iris en pâte de verre. J'avais peur de lui faire mal en la prenant, tu vois, peur de l'arracher au vase, mais je la prenais quand même.

Parfois, elle voit l'enfant en transparence dans son ventre, ou le met au monde avant terme, trop petit, trop fragile pour vivre, semblable à un chaton dont il a les miaulements grêles. Parfois encore, elle achète un bébé au marché ou en sauve un de la noyade, de sorte que je finis par lui demander, tremblant de la crainte qu'elle me rie au nez, en dépit des messages limpides que lui envoie son inconscient :

– Tu voudrais en avoir un, d'enfant ?

– Mais trop !

Nous avons vingt-cinq ans tous les deux et nous sommes tous les deux anatomiquement mâles, aussi me dis-je que ce projet d'enfant peut attendre quelques années et qu'il prendra sans doute la forme d'une adoption.

– Adopter, non mais ça va pas ? Je veux un enfant de nous !

– Mais Hind, c'est impossible, ça.

– On pourrait prendre une mère porteuse.

– Mais pourquoi ?

– Comment ça pourquoi ?

– Quelle importance, qu'il soit de nous ou pas ? Ça veut dire quoi, « de nous » ? Tu as l'impression d'être de tes parents, toi ? Tu serais pas plutôt la fille de Bouchra, qui t'a choisi ton prénom, qui t'a élevée, qui t'a aimée, qui t'a protégée ? Et tu crois que moi j'ai envie d'être l'enfant de mes parents ?

– C'est pas parce qu'on a eu tous les deux des mauvais parents qu'on doit pas souhaiter avoir notre enfant à nous.

– Bon, O.K., on pourrait prendre une mère porteuse. Mais dans ce cas, ce serait elle, la mère de cet enfant. Quant au père, ce serait ou toi ou moi. D'un point de vue purement biologique, bien sûr.

– Tu serais d'accord ?

Nous sommes encore au lit, elle vient de me raconter son énième rêve de gestation, et j'ai envie d'en avoir le cœur net :

– Hind, si c'est la grossesse qui te fait envie, il faut bien que tu comprennes que c'est impossible.

Elle se coule dans mes bras, loge sa tête dans mon cou. J'aimerais l'embrasser, mais elle refuse catégoriquement de le faire avant le fastidieux brossage de dents auquel elle s'astreint matin, midi et soir. Pareil pour tout le reste, d'ailleurs : nous ne faisons l'amour que si elle est sûre d'être propre – alors qu'elle m'excite quel que soit son état, et qu'elle le sait parfaitement. C'est la seule de ses coquetteries qui pourrait parvenir à m'exaspérer – mais elle ne me laissera pas le temps de parvenir à l'exaspération, elle me quittera avant.

– Je suis pas débile, Lenny. Oui, j'adorerais être enceinte, mais à moins d'une greffe d'utérus ça n'arrivera pas. Mais bon, si une autre femme porte notre enfant, je pense que ça me fera presque le même effet. Surtout si je m'entends bien avec la meuf, tu vois. Si c'est une pote, par exemple…

– Mieux vaut une étrangère, non ? Une nana qu'on paierait pour ça…

Dans les plis tièdes du drap à monogrammes que Hind a déniché je ne sais où, notre projet prend forme, et je ris doucement :

– La poésie se fait dans un lit, comme l'amour.

– Quoi ?

– Elle a l'espace qu'il lui faut.

– Mais qu'est-ce que tu racontes ?

Je l'embrasse, passant outre à sa réticence et ses cris d'orfraie, parce que nos draps défaits sont l'aurore des choses, et que notre enfant, s'il naît un jour, sera d'abord une aventure mentale, un poème encore plus beau que celui de Breton, mais puisant à la même folie inspirée. Ce jour-là, nous faisons l'amour avec un mélange de ferveur joyeuse et de respect sacré, comme si une insémination était possible – et ce jour-là, elle décharge en moi, ce qui ne se produit quasi jamais.

– Tu devrais le faire plus souvent.

– Quoi ?

– Gicler.

– Je suis une grosse chienne passive, moi, t'as oublié ? Je gicle pas.

– C'est moi qui suis ton chien, pauvre folle.

Et c'est vrai. Depuis le début, il suffit qu'elle paraisse pour que je jappe, que je bondisse, que je perde toute retenue, parce qu'il est dans la nature des chiens d'aimer avec exubérance, d'aimer sans compter, sans regarder aux charmes du maître ni à ses qualités objectives. Hind est égocentrée, calculatrice, froide, inculte et terre à terre, je le sais, mais à ce stade de notre histoire, je m'en fous complètement, et je jouis à mon tour, la laissant ensuite pianoter rêveusement sur mon ventre poisseux. Par une association d'idées assez facile à suivre, elle m'informe qu'elle va arrêter complètement les œstrogènes.

– De toute façon, ça fait un an que tantôt j'en prends, tantôt j'en prends pas, c'est n'importe quoi.

– Tu prends rien d'autre ?

– Comment ça, rien d'autre ?

– Je sais pas, j'y connais rien. Ça suffit, les œstrogènes, pour bloquer la testostérone ?

– Bah non. Mais on m'a déconseillé les trucs genre Androcur. De toute façon, si on veut un enfant, moins je prends d'hormones, mieux c'est : donc c'est décidé, j'arrête tout.

Je n'ose pas lui demander quel rôle m'est assigné dans son petit programme de reproduction, mais la nuit suivante, je rêve moi aussi. Je rêve que Hind étale sur mon ventre une sorte de gélatine dorée dans laquelle je distingue une myriade de petits œufs.

– Qu'est-ce que c'est ?

– Des têtards, tu vois pas ?

Comme pour confirmer ses dires, une grenouille entreprend d'escalader prudemment ma cuisse, et je me réveille, enchanté par cette vision mais hésitant à sortir Hind de son sommeil. Autant elle exige que j'écoute attentivement ses récits de rêve, autant les miens ne l'intéressent pas. Et ça vaut pour à peu près tout ce qui me concerne. Mon boulot au *Nouveau Brazza*, mon projet de passer des concours administratifs, mon engagement dans une association d'aide aux migrants, je lui en parle sans jamais susciter de questions ni de commentaires. Je persiste pourtant à penser qu'elle aime ça, chez moi : que j'aie une vie, des ambitions, des centres d'intérêt extérieurs à elle – surtout si je suis prêt à les abdiquer pour lui plaire.

Écouté distraitement, le rêve des têtards a tout de même pour vertu de faire basculer Hind dans la recherche active d'une mère gestationnelle. C'est elle qui me présente Sophie Leroy, par une belle soirée de printemps. Je la connais déjà, en fait, comme ça, de loin. C'est une collègue de Hind et une cliente occasionnelle du *Nouveau Brazza*. Maquilleuse professionnelle, Hind travaille depuis peu pour la télé, mais c'est sur un tournage qu'elle a rencontré Sophie, technicienne du son. Elles se sont rendu compte qu'elles habitaient le même quartier, et trois covoiturages plus tard, elles étaient copines. Sophie est blonde, mignonne, avec un air vaguement slave. À trente-deux ans, elle élève seule son fils de six ans. Elle est gentille, bien élevée, extrêmement timide, et puis voilà. Même en me battant les flancs je ne trouve rien à dire de plus sur Sophie et j'ai du mal à comprendre l'enthousiasme de Hind. Mais Hind n'a que faire de mes réticences, que faire de la vie de Sophie et d'Erwan, qu'elle s'apprête à chambouler avec sa proposition : elle fonce, elle suit son désir personnel de procréation, et je ne tarde pas à comprendre que je ne suis pas indispensable à l'entreprise : Sophie a fait la preuve de sa fécondité et Hind ne doute pas de la sienne. Dès l'arrêt des œstrogènes, son sperme reprend son aspect d'avant, suscitant ses commentaires enjoués :

– Haha, d'habitude je trouve ça dégueu, mais là, je suis trop contente !

Je ne demanderais pas mieux que de profiter de cette abondance retrouvée, mais elle persiste à entourer ses éjaculations de mystère, sauf quand elle est exceptionnellement détendue ou particulièrement bien lunée, ou que sais-je : avec Hind, l'imprévu est la règle, au lit comme ailleurs, et toujours est-il qu'elle projette d'inséminer Sophie, puis d'élever avec moi le fruit de cet accouplement.

– Mais Sophie est d'accord ?

– Archi-d'accord.

– Mais pourquoi elle ferait ça ?

– Ben, pour nous rendre service.

– Mais elle jouera quel rôle, dans la vie de cet enfant ?

– Elle sera sa marraine. Mais les parents, ce sera nous. Et même officiellement, le père, ce sera toi. Pour l'état civil, je veux dire.

– Tu seras la mère de notre enfant tout en étant son père biologique ?

– Exactement. Génial, non ?

– Compliqué, plutôt.

– Faut savoir ! Tu veux qu'on ait un enfant ensemble, ou pas ? Parce que tout ce qui nous manque, c'est un utérus : pour le reste, on est au top et on fera des parents géniaux.

– Oui, enfin, si on fait comme tu dis, moi je n'aurai aucun lien de sang avec cet enfant !

– Mais c'est toi qui dis toujours que les liens de sang, ça compte pas !

– Ben ça compte pour toi, apparemment.

En quelques mois, j'ai pris le pli de vivre sous sa loi fantasque. J'aimerais bien proposer un mélange de nos spermes respectifs, introduire un peu de hasard dans le processus, mais je sais d'avance que je ne serai pas entendu, et que si cet enfant doit naître, ce sera aux conditions édictées par Hind.

Union libre

Sophie, alias Jewel, est aujourd'hui l'un des piliers de la Treizième Heure. Non pas qu'elle y soit particulièrement active ou efficace – simplement, comme elle est là depuis le début, elle constitue un repère rassurant pour nos nouvelles recrues. D'autant que personne n'a l'air plus raisonnable, plus pondéré, plus ordinaire que Sophie Leroy. Il échappe à tout le monde qu'elle est folle comme un hanneton. Même Hind, pourtant si rapide à détecter les faiblesses, si infaillible en matière de santé mentale, s'y est cassé le nez au moment d'élire la mère porteuse de notre enfant.

Au début, pourtant, tout va bien. Trois ou quatre jours par mois, Sophie s'injecte le sperme frais de Hind dans le vagin. La première fois, Hind accepte que je l'aide à procéder au prélèvement, mais c'est à contrecœur, et dès la deuxième, elle s'enferme pour se branler. J'en suis réduit à errer mélancoliquement dans l'appart de Sophie, sous les yeux non moins mélancoliques de ce pauvre Erwan, un garçonnet aussi blond que sa mère, mais aussi grassouillet qu'elle est menue. Tandis que Hind ahane dans la salle de bains et que Sophie attend sur son lit, les jambes scrupuleusement surélevées, Erwan et moi patientons de conserve :

– Ça va, Erwan ?

– Oui.

– L'école ?

– Oui.

– Tu as eu ton goûter ?

– Oui.

Je ne sais pas pourquoi je pose la question, car à quelque heure du jour qu'on le prenne, Erwan vient de manger ou est sur le point de le faire. À en croire Sophie, il a un appétit d'oiseau, mais cet oiseau picore en permanence, avec une nette prédilection pour les sucreries et les fromages insipides que seul un enfant peut aimer : Babybel, Ficello, P'tit Louis, Vache qui rit… Mes tentatives pour établir un dialogue avec lui se brisent sur la timidité maladive qu'il tient de sa mère. Comme elle, il rougit, bredouille, et baisse furieusement les yeux en espérant que je serai mort quand il les relèvera. J'ai longtemps craint que Farah ne lui ressemble, après tout c'est son demi-frère, mais visiblement, elle tire plus du côté Djebbara que du côté Leroy : laissant à Erwan blondeur atone et grosses joues roses, elle a toujours été fine et brune – quant à son caractère, ce n'est pas une histoire de gamètes, et j'espère bien y être pour quelque chose.

Sophie tombe enceinte dès la troisième tentative d'insémination, confirmant Hind dans l'idée que rien ne lui résiste, pas plus les utérus que le reste. J'ai beau l'inciter à la prudence, mentionner fausses couches et trisomie, elle ne veut rien entendre :

– T'es pas fou de parler de triso ? Tu veux nous porter l'œil, ou quoi ? Khamsa fi ainik ! Dans neuf mois, toi et moi on va avoir une belle petite fille ! Elle sera parfaite, tu verras !

– Mais Hind, on ne sait pas encore si ça sera une fille ou un garçon.

– Moi, je le sais. Et de toute façon, je veux pas d'un garçon. Les garçons, ça braille, ça bouge tout le temps, ça pue…

– Je pue ?

– Non, pas toi. Toi, tu sens bon. Tu sens rien, en fait. Mais tu vois ce que je veux dire…

J'ai fini par le voir, oui, par comprendre, à force de mettre bout à bout ses confidences amères et désordonnées : pour Hind, un garçon, c'est forcément remuant, bruyant et sans-gêne.

– Ton frère était comme ça ?

– Mon frère, oui, et ses potes. Et les hommes adultes, c'est pire. Niveau odeur, poils, grosse voix, tout ça. Et les fringues, aucun effort. Reddouane, il vivait en survêt. Et mon père, il avait des pantalons en velours, tout avachis, marron, bleus, gris, noirs, jamais de couleurs. C'était tellement moche que ça me déprimait. J'avais peur de grandir et d'être obligée de porter ça un jour.

– Il y a des hommes qui s'habillent bien.

– Je sais. Quand j'étais petite, je voyais des publicités avec des mecs stylés, des beaux gosses, bien coiffés, avec des fringues classe. Mais même ça, j'aimais pas : ça restait des pantalons, des chemises, des tee-shirts, des pulls. Et les couleurs, ça allait pas chercher très loin : ils portaient jamais de rose, de doré, de fuchsia... Je voulais pas être un mec bien habillé, je voulais pas être un mec raffiné, je voulais même pas être un mec efféminé, je voulais être une fille. Et ça tombait bien, j'en étais une. J'ai pas eu à réfléchir, à douter, à choisir. Le problème, c'était même pas que j'avais un zboub, parce que ce zboub, finalement, j'en tirais beaucoup de plaisir; le problème, c'était que tout le monde me traitait en garçon et refusait que je me comporte comme une fille. Bon, je te cache pas que c'est devenu un peu plus compliqué à la puberté, quand mon corps a commencé à changer, mais j'ai eu de la chance par rapport à des meufs comme Natacha, ou Inès, tu vois : je me suis pas retrouvée avec des poils partout, un cou de catcheur, ou ces gros pifs de mecs, tu sais...

Elle frissonne rien que d'en parler, de toutes ces disgrâces qui fondent sur les garçons à l'adolescence pour les transformer en créatures grossières et dérangeantes.

– Pourtant, tu aimes les hommes.

– Oui, enfin, pas tous.

Elle aime les hommes dans mon genre, ça aussi j'ai fini par le comprendre : des hétéros discrets, limpides et stables, aux antipodes du mystère intrigant de sa féminité. Ce soir-là, elle porte une robe en soie noire brodée de pavots turquoise, et une nouvelle barrette de strass traverse son cartilage auriculaire :

– Ça fait mal ?

– Pas du tout. Ça te plaît ?

– Pas vraiment. En plus t'en avais déjà plein, des piercings.

– Celui-là est spécial. Je l'ai fait pour marquer le coup. Quand notre fille sera plus grande, je le lui montrerai et je lui dirai : ça c'est le jour où ta mère a appris que tu étais en route.

Nous terminons la soirée au *Feste*, un café où l'on peut danser, et comme d'habitude, elle attire les regards, on lui demande du feu, on lui offre des verres, on la complimente sur sa beauté ou sur son look, exactement comme si je n'étais pas là. Je n'ai jamais vu Hind chercher à se faire remarquer, elle n'en a jamais eu besoin. La plupart du temps, elle accepte les hommages avec une bonne grâce distraite, mais quand elle rembarre un mec, c'est avec une telle froideur et une telle violence contenue qu'il ne se le fait pas dire deux fois.

Nous buvons, nous dansons, le *Feste* se vide, et je sens très distinctement la bonne humeur de Hind tourner et s'assombrir. J'ai beau la serrer contre moi, l'embrasser, lui caresser la nuque comme elle aime que je le fasse, puis régler discrètement la note en espérant un retour sans encombre à l'appart, je sais déjà que la nuit va être longue. En un an, j'ai appris à voir venir les crises, même si je ne sais toujours pas ce qui les déclenche. Nous rentrons sans qu'elle décroche un mot, et elle me claque au nez la porte de la chambre. Je dors au salon, ou plutôt je passe des heures à me refaire le film de la soirée, pelotonné sous mon plaid, cherchant en vain ce que j'ai pu faire de mal.

Dix-sept ans plus tard, je ne le sais toujours pas, mais je dirais que cette soirée au *Feste* marque le début de la fin. Hind a toujours été susceptible, colérique, excessive, mais là, c'est différent, et paradoxalement, nos disputes se raréfient. Finis les insultes, les objets qui volent, ou les SMS de rupture qui me crucifiaient, en pleine rue ou au travail – et il fallait que je fasse bonne figure tout en ayant en tête les termes atrocement définitifs par lesquels elle me sortait de sa vie. Cette fois-ci rien de tout ça, elle se contente d'être moins présente. Ou plutôt, elle est physiquement là, et d'humeur assez égale, mais je sens son éloignement. Je le sens d'autant plus que nous devrions être en train de roucouler nos projets d'avenir.

Je comprendrais à la rigueur qu'elle m'exclue pour se rapprocher de Sophie, qu'elles aient des conversations de parents biologiques, voire des conversations de femmes, autour de cette grossesse de plus en plus visible : le ventre, les seins, les nausées, les contractions, la préparation à l'accouchement – mais rien de tout ça ne semble intéresser Hind. Elle appelle Sophie, prend de ses nouvelles, se rend avec moi à la première échographie, mais je m'attendais à plus d'enthousiasme : tandis que Sophie s'essuie le ventre avec un Sopalin et que mes yeux clignotent encore de l'éblouissement d'avoir entrevu l'embryon, Hind reste imperturbable. C'est moi qui pose au médecin des questions auxquelles il a déjà répondu :

– Vous êtes sûr, pour la clarté nucale ?

– Oui, oui, tout va bien.

– Et il n'y en a qu'un ? Pas de jumeaux…

– Pas de jumeaux.

– Et pour le sexe, c'est trop tôt pour savoir ?

– J'ai bien une idée, mais à ce stade, le risque d'erreur est important. Je vous confirmerai ça au deuxième trimestre.

Hind sort de son mutisme pour tchiper avec impatience :

– C'est bon, tu peux nous le dire : t'inquiète, on te fera pas de procès si tu te plantes !

Le tutoiement comme l'agressivité du ton poussent enfin le médecin à acter la présence d'une troisième personne dans son cabinet d'échographie.

– Vous êtes qui ?

Hind le toise, impériale dans son chemisier bleu dur à plumetis, sa minijupe en cuir noir et ses bottines vernies. Je lis dans son regard qu'elle aimerait lui assener la vérité biologique, mais tandis que le piercing strassé brille de tous ses feux dans la pénombre, elle prend sa voix la plus suave pour lui répondre :

– Je suis la mère d'intention.

Le médecin se garde bien d'approfondir : maté, presque confus, il nous guide vers la sortie tout en concédant que le bourgeon génital plaide plutôt en faveur d'une fille.

– Mais bon, y'a quand même 30 % de chances pour que ce soit un garçon !

Hind éclate de son inimitable rire rauque :

– Je le savais ! Je vous l'avais pas dit, que ce serait une fille ?

Arrachant à Sophie le compte rendu d'échographie, elle m'entraîne joyeusement dans son sillage, et une fois rentrée, aimante au frigo les premiers clichés de notre enfant :

– Elle a un peu mon front, non ?

– Sur les échographies, ils ont tous le même profil, un petit nez, un grand front : ça veut rien dire.

– Rabat-joie.

– Tu veux absolument que le bébé te ressemble ?

– Tu préférerais qu'elle ressemble à Sophie ?

– Ne dis pas « elle ». Le médecin…

– Le médecin a très bien vu que c'était une fille. Il veut juste se couvrir au cas où.

– Au cas où ce serait un garçon.

– Lenny, t'as décidé de me faire chier, ou quoi ?

– Je veux juste que tu ne t'emballes pas, que tu ne tires pas de plans sur la comète. Comme ça tu ne seras pas trop déçue si c'est un garçon.

– Ben si c'est un garçon, je le laisserai à Sophie : ça lui en fera deux, elle l'élèvera avec Edwin, et ça sera très bien comme ça.

– Erwan, pas Edwin. Et on peut pas faire ça.

Son visage se ferme, me dissuadant de poursuivre. Je me tais, par lâcheté, comme tant de fois. Pourtant, je suis glacé qu'elle envoie promener aussi négligemment les termes de notre accord avec Sophie. À l'éclair violent de ta face divine, n'étant qu'homme mortel, ta céleste beauté me fit goûter la mort, la mort et la ruine… Je ne lui récite pas ces vers d'Agrippa d'Aubigné, mais je les ai en tête tandis que je l'étreins, espérant lui faire retrouver son humeur enjouée de tout à l'heure. Ce jour-là, nous faisons l'amour avec fureur, enfin avec sa fureur à elle, sa façon de me dérober sa bouche comme son regard, ses brusques changements de position, les coups de dent qu'elle donne dans mon épaule, se retenant pour ne pas me mordre jusqu'au sang.

– Hind, qu'est-ce qu'il y a ?

– Quoi ? T'aimes pas ce que je te fais ?

– Si...

– Alors quoi ?

– J'ai l'impression que c'est toi, qui n'aimes pas. T'as pas l'air...

– J'ai pas l'air de quoi ?

Ça peut durer des heures, ces dialogues où je n'ose pas lui dire que je sens son refus du plaisir, et sa froide volonté de rester aux manettes pour m'en donner, ce qui aboutit évidemment au résultat inverse – qui est peut-être le résultat souhaité, enfin je ne sais plus et elle m'épuise. J'ai envie d'en finir, quitte à ne pas jouir, mais je sais très bien que je paierais très cher ma défection, alors je continue, essayant vainement d'épouser un rythme qu'elle s'ingénie à contrarier, essayant vainement de m'abandonner alors que la tension est palpable. Et pas question de simuler : elle me grillerait en moins de deux. Quand j'éjacule enfin entre ses cuisses, je lis le triomphe sur son visage, et je la connais trop bien pour suggérer des prolongations qui l'amèneraient elle aussi à l'orgasme. Je préfère ne rien dire, sortir du lit, faire comme si tout allait bien. Mais rien ne va.

Je vis désormais dans un sentiment de panique grandissant, et dans l'obsession de faire bonne figure. La fiction du bonheur, si je parviens à la maintenir assez longtemps, ramènera peut-être Hind dans mon orbite. En tout cas, si je lâche maintenant, si je manifeste mes doutes quant à son amour et à la viabilité de notre projet parental, là je la perdrai à coup sûr. Avec Hind, il faut être constant pour deux car il est dans sa nature même de ne pas l'être; il est dans sa nature d'être cet esprit libre que je poursuis en vain. Ma femme aux hanches de nacelle, ma femme au sexe de glaïeul... J'ai beau lui décocher toutes les flèches de l'amour et de la poésie, plumes de paon blanc, pennes de cygnes noirs, or des nuits, elle poursuit sa course, astre implacable, déjà trop haut pour moi sur l'horizon.

Mes chimères

Le jour où Farah s'annonce, elle le fait par des contractions si violentes que Sophie est prise au dépourvu. La naissance d'Erwan semble avoir été un moment paisible et médicalisé de A jusqu'à Z, avec monitoring fœtal et injection de solution analgésique au moment opportun, mais rien de tel avec notre fille. D'emblée, tout va trop vite, elle surgit en deux heures à peine, pas le temps pour la dilatation progressive, le crescendo contrôlé de la souffrance, l'accompagnement feutré des sages-femmes – et encore moins pour la péridurale. L'accouchement se passe dans un tourbillon de cris, de cliquetis, d'interjections, d'ordres brefs, de bips aussi divers qu'alarmants. Je préférerais ne pas y assister, mais au moment d'entrer en salle de travail, Sophie agrippe ma main avec un tel désespoir que je n'ai pas le cœur de lui refuser mon soutien.

J'ai longtemps imaginé que nous vivrions ce moment à deux, Hind et moi – non pas avec Sophie, mais non loin, dans une salle d'attente ou une cafétéria. Ni elle ni moi n'avions envie de voir une vulve distendue ou un nouveau-né maculé de sang et de merde. Nous avions plutôt prévu de reconstituer un trio tendrement parental dans la chambre d'hôpital, de nous pencher sur le berceau d'un bébé tout propre dans sa grenouillère, grenouillère choisie par Hind, bien sûr. Elle s'était un peu réveillée au moment d'acheter le trousseau de Farah, faisant preuve de son infaillible sûreté de goût pour trancher entre les bodys, les bloomers, les chaussons, les pyjamas, et jusqu'à une adorable et probablement inutile robe en liberty taille trois mois. Hormis ce sursaut maternel, rien, ou pas grand-chose. Hind a passé la grossesse de Sophie à travailler toute la journée et à sortir frénétiquement le soir.

Elle se pointe deux ou trois heures après la naissance, sans avoir répondu aux appels et aux messages de plus en plus pressants que je lui ai laissés. Elle surgit comme si de rien n'était, tout juste un air de léger trouble que j'impute aux circonstances jusqu'à ce que je remarque sa pommette tuméfiée, et son genou sanguinolent. Boitillant légèrement, elle s'approche du lit où Sophie s'efforce d'aboucher Farah à son énorme mamelon, et s'empare du bébé avec une assurance confondante.

– Tu saignes ? Qu'est-ce qui t'est arrivé ?

– Un gars a essayé de m'arracher mon sac.

– Il t'a frappée ?

– On s'est battus : il m'a fait tomber et il s'est barré. Mais j'ai toujours mon sac !

Elle rit tout en berçant le bébé contre elle. Je la connais assez pour savoir que son voleur a dû amèrement regretter de s'en être pris à elle. Hind ne cherche pas la bagarre, mais elle n'a peur ni de donner des coups ni d'en recevoir.

Adossée à l'oreiller et brutalement privée de son nouveau-né, Sophie n'émet aucune protestation, tout juste si elle se masse mélancoliquement le sein, pour en faire jaillir quelques gouttes d'un épais liquide jaunâtre. De toute façon, Hind ne lui jette pas un regard, entièrement absorbée par son premier tête-à-tête avec Farah, qu'elle observe sous toutes ses coutures, notant avec amusement le duvet noir qui la recouvre, les yeux bigles qu'elle ouvre par intermittence, et l'obstination avec laquelle elle suce l'index qu'elle lui a fourré dans la bouche.

– Elle est grave moche !

Sophie et moi avons le même sursaut de désapprobation, mais le rire de Hind résonne de nouveau et me rassure. Comme me rassure la lueur d'attendrissement manifeste dans le regard qu'elle pose sur sa fille. Les mois passant et l'indifférence de Hind se faisant de plus en plus criante, j'en suis venu à appréhender ce moment, à redouter une rencontre ratée, une déception, un réflexe de refus face aux charges de la maternité, que sais-je. Mais non, elle tient le bébé contre elle et s'inquiète de l'entendre émettre un faible vagissement :

– Tu crois qu'elle a faim ?

– Je vais la remettre au sein.

– Pas question : il faut qu'elle s'habitue au biberon.

– Comment ça ?

– Ben oui : comment tu crois qu'on va faire quand on sera rentrés à la maison ? Y'a pas de lait dans mes seins et y'en aura jamais.

Je peux me tromper, mais il me semble lire un soupçon de fierté sur le visage défait de Sophie, comme si elle se rengorgeait secrètement d'avoir au moins cette supériorité-là sur sa copine. Il me semble aussi qu'elle vient de jeter un coup d'œil dans ma direction, histoire de vérifier que j'ai bien pris conscience de la disparité flagrante entre leurs poitrines respectives. Or celle de Sophie a pris de telles proportions qu'on a dû lui fournir un filet de contention entre les mailles duquel je ne distingue rien qui soit de nature à m'exciter : un réseau de veines vertes, la grenure squameuse des aréoles, et le marbre inquiétant de ses seins tendus. Quant à Hind, elle arbore désormais une petite poitrine prothétique qui témoigne du peu de cas qu'elle fait de moi et de ma préférence pour le naturel. Sans lâcher le bébé, la voici qui sonne une infirmière et lui réclame un biberon.

– Ah bon, il va pas être allaité, ce bébé ? Le lait de la maman, c'est ce qu'il y a de mieux pour eux, vous savez. Mais bon, si vous voulez vraiment le sevrer, attendez deux-trois jours, histoire qu'il tète au moins le colostrum !

– C'est quoi, ça ?

– C'est ce que sécrètent les seins de maman, les premiers jours. C'est bourré d'anticorps et de protéines : très très bon pour l'immunité de bébé !

– Le truc jaune dégueu, là ? Pas question que Farah tète ça ! Non, non, apportez-moi un biberon.

Sous le regard impérieux de Hind, l'infirmière perd pied. Je sens bien qu'elle voudrait continuer à nous vanter les bienfaits de l'allaitement maternel, je sens bien aussi qu'elle s'interroge sur la légitimité de Hind à décider du régime de bébé, mais comme elle voit que papa et maman ne mouftent pas, elle revient avec un biberon. Hind s'installe triomphalement dans un fauteuil aux accoudoirs chromés et cale Farah au creux de son coude. En moins d'une minute, il ne reste dans le biberon qu'un chapelet de grosses bulles bleuâtres.

– Ben voilà, c'était pas bien difficile.

Farah toujours au bras, elle se relève, va et vient dans la chambre, le temps de lui faire faire un renvoi discret, qu'elle salue avec la même satisfaction que la descente express du biberon.

– Bon, faut que je file : je reviendrai demain. Lenny, tu fais quoi ?

Que dire? Je filerais bien, moi aussi, histoire d'échapper à la réprobation palpable des infirmières, aux interrogations inquiètes que je lis sur le visage de Sophie, mais aussi à toutes ces odeurs d'hôpital; je filerais bien mais il me semble que quelqu'un doit rester auprès de cette mère dépossédée, et de cette enfant que je vais déclarer comme mienne dès le lendemain.

Farah, Lou Maurier. Autant Hind a tenu à décider du premier prénom de notre enfant, autant elle s'est désintéressée du deuxième, me laissant hésiter entre maints prénoms de muses, Nusch, Délie, Laure, Elsa... Seize ans plus tard, je regrette amèrement de ne pas avoir plutôt choisi Louise, Emily ou Sylvia, vouant notre fille à la création plutôt que de la cantonner à un rôle d'inspiratrice. Mais de toute façon, Lou est un prénom d'état civil, que personne n'emploie jamais. Quant à Farah, Hind l'avait en tête dès le début et n'a jamais voulu en démordre.

– Farah, ça fait arabe sans être trop folklorique, ça passe partout, c'est parfait.

Ce soir-là, dans la chambre désertée par Hind, Sophie pleure silencieusement, probablement éprouvée par son accouchement et par la débâcle de ses hormones – et tout aussi probablement par le sentiment d'être mise sur la touche, éjectée de la vie de ce bébé noiraud, qui lui ressemble si peu et lui appartient encore moins.

Le lendemain, Hind s'apprête avec un soin particulier pour son deuxième rendez-vous avec sa fille. Elle a été, ces derniers mois, si évasive sur ses sentiments, que j'accueille avec un frémissement de joie tout ce qui me paraît traduire un intérêt ou un attachement pour notre projet parental. Moulée de cuir noir et enturbannée de satin émeraude, elle fait dans la chambre de Sophie une apparition hiératique, médusant au passage infirmières et médecins – et jusqu'à ce pauvre Erwan, venu rendre visite à sa petite sœur.

Surprise, il n'est pas seul : à la tête du lit se tient Fabien, père d'Erwan et théoriquement ex de Sophie – sauf qu'il semblerait que la naissance de Farah ait réactivé leur relation moribonde, à moins qu'il ne soit là pour affirmer quelque chose comme un droit de propriété. Oui, c'est ça. Je le sens à la façon dont il me regarde, dont il me renifle, même, comme s'il cherchait à savoir quel chien a bien pu engrosser sa femelle attitrée. J'ignore ce que Sophie a raconté à ses proches concernant cette grossesse inopinée, mais Fabien se fourvoie visiblement sur l'identité du géniteur, et il passe tout le temps de notre visite à tripoter ostensiblement sa Sophie tout en me coulant des regards noirs. Pendant ce temps, Hind ignore tout aussi ostensiblement les uns et les autres pour n'accorder d'attention qu'au bébé, dont elle s'empare avec des roucoulements extasiés.

– Elle a tété ?

– Oui.

– Le biberon ?

– Oui.

– Elle a pris ses gouttes ? Le fluor et la vitamine D ?

– Euh, oui, je crois.

– Comment ça tu crois ? Faut être sûre, hein. Tu lui as donné son bain ?

– Non. Ils m'ont dit qu'il valait mieux attendre encore vingt-quatre heures.

– N'importe quoi !

Elle file dans la minuscule salle de bains attenante, d'où nous parviennent très vite le bruit de l'eau qui coule et de joyeuses exclamations maternelles. D'où Hind peut-elle bien tirer son mystérieux savoir néo natal, elle qui n'a pas plus fréquenté de bébé qu'elle n'a pris la peine de lire quoi que ce soit sur le sujet – tandis que j'ingurgitais consciencieusement tous les guides de survie destinés aux parents néophytes ?

– Lenny, viens voir !

Sur la table à langer, Farah gît, encore tout humide et rose de sa première toilette. La joue plaquée contre le molleton, elle s'efforce désespérément d'ouvrir les yeux, et je suis d'abord sensible à cet effort avant de noter l'air préoccupé de Hind.

– Qu'est-ce que tu penses de sa...

Comme elle m'y invite, je baisse le nez sur les parties génitales du bébé, un amas confus, enflammé, boursouflé, d'où saille un clitoris hypertrophié.

– Pas de panique : j'ai lu que ça pouvait arriver.

– Quoi ?

– Que la vulve des petites filles soit enflée à la naissance.

Je m'empresse de livrer à Hind tout un bloc de connaissances livresques sur la question :

– C'est les hormones de la mère. Il y a même des bébés qui ont leurs règles, ou du lait dans les seins, mais ça rentre dans l'ordre au bout de quelques jours.

– T'es sûr ? Parce qu'elle a vraiment l'air d'avoir des petites couilles. Bon, elle a un vagin, j'ai vérifié, mais quand même, ça m'inquiète.

– Si ça t'inquiète on va demander au pédiatre ce qu'il en pense.

Son inquiétude me rassure, comme un indice de normalité dans l'océan de bizarreries qu'est notre vie, et nous revenons dans la chambre où Sophie arbore la même mine que la veille, à la fois dolente et satisfaite. Comme je m'enquiers poliment de son état, je suis immédiatement submergé par un flot d'informations intimes dont je me passerais bien. Sans doute estime-t-elle que j'ai ma part de responsabilité dans sa déchirure périnéale et ses hémorroïdes, mais ça ne m'empêche pas de regarder ailleurs tout le temps que dure ce soliloque éprouvant.

Fabien s'étant éclipsé après un dernier baiser de propriétaire à la parturiente, Hind entreprend de questionner Sophie avec une sorte de brutalité désinvolte.

– Ils t'ont rien dit, les médecins ? Ils ont rien vu qui cloche ?

– Qui cloche ?

– Le bébé ! On t'a pas parlé d'un problème ?

– Je crois qu'ils veulent lui faire des examens avant de la laisser sortir.

– T'attendais quoi pour nous en parler ?

Vu l'inestimable service que Sophie vient de nous rendre, il me semble que Hind pourrait la traiter avec plus de ménagements, et je m'efforce d'arrondir les angles :

– Hind a trouvé que la vulve de Farah était un peu gonflée. Ça l'inquiète. T'as rien remarqué, toi ?

Après tout, de nous trois, Sophie devrait être celle qui s'y connaît le mieux en vulves – mais non, elle n'a rien remarqué, tout lui a paru normal, et Hind lève les yeux au ciel pour signifier son exaspération. Son hostilité est si manifeste que j'en viens à me demander s'il ne s'est pas passé entre elles des choses que j'ignorerais. Comme la veille, elle semble tout à coup impatiente d'en finir avec sa fille, l'hôpital, la puériculture, et je la suis tandis qu'elle se rue hors de la chambre, les pans de son turban défait flottant dans son sillage courroucé.

– Qu'est-ce qui ne va pas avec Sophie ?

– Tout va très bien avec Sophie, pourquoi ?

– Tu lui parles mal, non ?

– C'est juste qu'elle m'énerve : elle est tellement molle.

– Elle a toujours été comme ça, non ? Pourquoi ça t'énerve maintenant alors que ça ne t'énervait pas avant ?

– J'en sais rien.

– Sois sympa avec elle : l'accouchement a été hard-core.

– Elle devrait s'estimer heureuse de pouvoir accoucher : y'a des tas de femmes qui n'ont pas cette chance !

– T'es jalouse parce que toi tu ne peux pas, c'est ça ?

– Ah non, mais vraiment pas ! Ça m'a jamais fait envie d'accoucher ! Franchement, même si j'avais eu des ovaires, un utérus, tout ça, je crois que j'aurais payé une meuf pour qu'elle fasse le boulot à ma place.

– Il faut vraiment qu'on essaie d'attraper un médecin, demain. Histoire d'en savoir plus sur le problème de Farah.

– Y'a zéro problème avec Farah : elle est parfaite.

– Mais c'est toi qui avais l'air de stresser !

– T'as couché avec combien de nanas ?

– Tu le sais très bien : tu es la cinquième.

Elle me regarde avec un air de stupéfaction presque infamant :

– Oui, tu m'as dit mais j'arrive pas à y croire : t'es vraiment un puceau ! Et comme t'es un puceau, tu sais pas encore que rien ne ressemble moins à une chatte qu'une autre chatte. T'as des gros clitos, des petits clitos, des lèvres qui pendent, d'autres qui pendent pas, c'est ouf.

– Je pense avoir vu plus de chattes que toi.

Elle ricane :

– C'est un concours ?

– Non, mais ne fais pas comme si tu étais une grande spécialiste.

Je devrais savoir, depuis le temps, qu'il ne faut pas chercher Hind sur ce terrain-là, mais c'est plus fort que moi. Comme prévu, elle devient dingue, tout juste si elle ne me saute pas à la gorge :

– Non mais attends, tu sous-entends quoi, là ? Que parce que j'ai pas de chatte, j'ai pas le droit d'en parler ?

– Ce que je veux dire, c'est que j'ai couché avec plus de filles que toi. Tu peux me traiter de puceau, te moquer de moi parce que je n'ai pas une grande expérience en matière d'anatomie féminine, il n'empêche que j'ai sucé des clitoris et doigté des vagins – et pas toi.

– Excuse-moi ! Excuse-moi d'avoir toujours préféré sucer des bites !

– Bon, Hind, on arrête, c'est ridicule : je ne comprends même pas pourquoi on se dispute.

– On se dispute parce que t'es un connard de mec qui croit tout savoir sur les meufs !

– Mais non, je n'ai absolument pas cette prétention !

– On se dispute parce que mine de rien, ce que t'es en train de me reprocher, c'est de pas être une vraie femme sous prétexte que j'ai pas une petite foufoune classique, comme tes meufs d'avant, tes Laura et tes Virginie !

Je suis catastrophé, mais impuissant à enrayer cet affreux discours. Hind est très forte pour faire dire aux gens ce qu'ils n'ont ni dit ni pensé. La meilleure des stratégies en pareil cas, c'est encore de se taire complètement : elle finit par se calmer un peu, tout en continuant à fulminer dans le vide. Mais à chaque dispute, il me semble qu'elle nous abîme, qu'elle détricote un peu plus notre relation et notre amour.

Le lendemain, rien n'y paraît – elle est très forte pour ça aussi : présenter un front lisse et serein après m'avoir agoni d'injures ; se comporter exactement comme d'habitude alors même qu'elle a exprimé en termes définitifs l'horreur que je lui inspirais. Malheureusement pour moi, je n'ai pas l'habitude des conflits : dans ma famille, ils prenaient systématiquement un tour insidieux et bénin, à charge pour moi de décoder les bouderies, les sous-entendus ou les remarques sibyllines. Les humeurs éruptives de

Hind me prennent tout autant au dépourvu que ses brusques retours à la quiétude.

Pour cette troisième visite à la maternité, Hind porte une combinaison-sarouel en maille dorée, aussi spectaculaire qu'incongrue dans la grisaille ambiante – murs, lino, mines des uns et des autres, tout est triste et défait dans ce service pourtant dévolu à la joie. Au moment où nous entrons, Sophie repose Farah dans son berceau avec une mine coupable que Hind décrypte instantanément :

– Tu lui as donné le sein !

– Juste une fois !

– Putain, Sophie, qu'est-ce que je t'avais dit !

– Mais j'avais trop mal !

– T'as qu'à prendre tes médocs !

– Je les prends : ça marche pas !

– C'est pas mon problème ! Ni celui de Farah !

Arrachant le bébé à sa coque de plexiglas, elle la plaque dramatiquement contre le lamé or :

– Faut que t'arrêtes de faire n'importe quoi avec ma fille ! Elle est pas là pour faire du bien à tes nichons !

J'ai presque envie de rire, mais au même moment, une escouade de quatre médecins pénètre dans la chambre déjà passablement encombrée.

– Qu'est-ce qui se passe ? On vous entend crier du couloir !

Loin de faire profil bas, Hind toise tout ce beau monde en serrant Farah plus étroitement contre elle.

– Rien. Une discussion familiale.

Sans lui accorder davantage d'attention, le plus chenu et visiblement le plus chevronné des quatre braque sur moi un regard professionnel :

– Vous êtes le papa ?

– Le père, oui.

Sans paraître noter ma discrète rectification, le médecin décline pompeusement ses titres, que j'oublie illico, puis nous présente ses acolytes, respectivement pédiatre, endocrinologue et chirurgien.

– Monsieur ?

– Maurier.

– Vous avez déjà déclaré la naissance de votre enfant ?

– Je l'ai fait hier.

– Vous l'avez déclaré comme fille ?

– Euh, oui. Pourquoi ? Il y a un doute ?

– Eh bien…

Hind intervient avec son agressivité coutumière :

– Il y a un doute, ou pas ?

Tandis que les sbires resserrent frileusement les rangs derrière leur chef, celui-ci daigne enfin s'aviser de la présence de Hind :

– Vous êtes qui, Madame, par rapport à cet enfant ?

C'est la deuxième fois que cette question lui est posée par un membre du corps médical, et comme à la première, je me fige dans l'attente de la réponse que Hind va lui apporter. Elle se fige aussi, un demi-sourire aux lèvres, ce demi-sourire annonciateur d'orage que j'ai appris à redouter. Je devine qu'elle passe en revue toutes les options possibles, dont la plus jouissive mais aussi la plus risquée, qui serait de revendiquer sa paternité.

Le temps passe. Hind ne dit toujours rien, et son silence amène les sous-fifres au bord de l'arrêt cardiaque. Le professeur Chenu, ou quel que soit son nom, semble au contraire remonté comme un coucou, dopé par l'indifférence qu'elle lui manifeste. Soufflant d'impatience et piétinant presque, il répète sa question oiseuse. En vain. Hind semble très absorbée par l'examen d'un ongle – faux, évidemment, et laqué de rubis.

– Madame ?

– Oui ?

Elle met dans ce « oui » tout le mépris que lui inspirent les gens en général et les médecins en particulier ; elle y met la conscience qu'elle a de sa beauté et de sa singularité ; elle y met sa conviction d'être supérieure au commun des mortels – conviction que je partage absolument.

– J'ai des informations confidentielles à communiquer aux parents du bébé, alors si vous voulez bien sortir.

Oh mon dieu ! Si le professeur Chenu voulait provoquer la fin du monde, il ne s'y serait pas pris autrement ! Je lis dans le regard soudain flamboyant de Hind qu'elle ne va pas s'en tenir aux pieux mensonges ni aux formules équivoques, oh non. Plus question de minauder, de se dire amie de la famille, marraine de l'enfant – ni même mère d'intention. Une main sous le siège de Farah et l'autre sous sa nuque, elle la berce tendrement, opposant son air de madone impénétrable aux fulminations impuissantes du professeur Chenu :

– Mais enfin, Madame, on vous demande de quitter la chambre ! C'est quand même un peu fort, ça ! Vous voulez que j'appelle la sécurité ?

Hind se décide enfin :

– Je suis le père biologique.

Connaissant Hind comme je la connais, je mesure ce que cette affirmation lui coûte. Je sais qu'elle représente à la fois une victoire sur la morgue des médecins, et une défaite provisoire dans le combat intime de toute sa jeune vie. Je pourrais me sentir moi-même défait et désavoué par le peu d'espace que cette phrase me laisse, mais c'est l'inverse : je ne me suis jamais senti autant à ma place que dans cette chambre, aux côtés de Hind, de Farah, de Sophie – et je ne me suis jamais senti aussi responsable de qui que ce soit. Elles sont si vulnérables, toutes les trois, tellement à la merci de la férocité du monde, que les larmes me montent aux yeux, en même temps que la conviction que je pourrais mourir pour elles, mourir pour qu'il ne leur arrive rien de mal, jamais. Je ne sais pas pourquoi Sophie se retrouve incluse dans cette bouffée d'amour – peut-être parce que je déborde de gratitude à son égard, peut-être parce que je perçois son état de faiblesse et de désarroi, peut-être parce que les victimes ont toujours suscité chez moi des désirs de protection et de réparation.

Presque comiques à voir dans leur stupeur, les médecins ont l'air de gamberger à toute vitesse, se demandant sans doute dans quelle configuration familiale complexe ils viennent d'intervenir. Ils aimeraient bien traiter la réponse de Hind comme une boutade, mais elle leur a été faite avec trop d'aplomb et trop de sérieux. Après quelques minutes de conciliabules *sotto voce*, ils semblent en arriver à la bonne conclusion, si j'en juge par la façon presque égrillarde dont ils dardent soudain leurs regards sur Hind. Cette fois, ce n'est plus comique, mais obscène – à croire qu'ils cherchent à voir en transparence sous le sarouel doré.

Au moment où je m'apprête à mettre fin à ce moment pénible, l'endocrinologue s'adresse à Sophie :

– Vous avez porté l'enfant de ces messieurs, c'est ça ? C'est une GPA ?

Comme toujours, Sophie a paru extérieure aux échanges, et la question la cueille alors qu'elle vient de fermer les yeux. Quand elle les rouvre, je suis surpris d'y voir une petite flamme de combativité.

Qui sait si elle ne va pas sauter sur l'occasion pour se venger de Hind et de la façon déplorable dont celle-ci la traite depuis des mois ?

– J'ai porté l'enfant de ces messieurs-dames, oui.

Modestement proférée, cette réponse a le mérite de calmer les ardeurs des uns et des autres. La tension retombe, et Farah en profite pour se manifester par des cris vigoureux. S'ensuit un moment d'agitation, Hind s'efforçant de calmer sa fille par de petites secousses rythmées – en vain. Alors que je m'apprête à aller chercher un biberon, elle dépose théâtralement Farah dans le giron de Sophie, en un geste qui me serre le cœur au lieu de le remplir de joie. Dieu sait si j'ai souhaité que Hind révise son comportement à l'égard de Sophie et lui laisse une petite place dans la vie du bébé, mais il y a quelque chose de trop soudain dans cette abdication. Je suis bien placé pour savoir que Hind ne peut aimer que dans la possession exclusive : qu'elle accepte de partager Farah est peut-être le signe d'un renoncement plus profond et plus définitif.

Sans plus tarder, Sophie fait sauter les trois pressions de sa blouse et en extrait un sein énorme, qu'elle enfourne avec satisfaction dans le bec de Farah. Par une série de toussotements graves, le professeur Chenu s'efforce d'attirer notre attention :

– Bon, messieurs-dames, il faudrait quand même que nous parlions de ce bébé.

Le ton a changé, il n'est plus question de dénier à Hind quelque prérogative que ce soit, plus question non plus de blâmer nos choix procréatifs : les médecins ont décidé d'aller de l'avant et de nous délivrer des informations cruciales.

– Vous avez sans doute remarqué que, euh, nous avions affaire à une petite ambiguïté anatomique.

– Rien de grave.

– Mais quand même…

– Les organes génitaux externes de votre enfant présentent quelques anomalies.

– Le clitoris, pour commencer.

– Il est clairement beaucoup plus gros qu'il ne devrait l'être.

– Six centimètres…

– Et on a une hypoplasie vaginale. Un vagin borgne, autrement dit.

– C'est le plus embêtant.

– Ça pourrait être une hyperplasie congénitale des surrénales, mais tant qu'on n'a pas les résultats du test de Guthrie…

– À moins que ce ne soit un Rokitansky.

– Ouais, chez les Rokitansky aussi, on a une aplasie vaginale.

– Je penche plus pour une HCS que pour un MRKH.

Tandis que les médecins s'envoient les acronymes à la figure, Farah se détache du sein de

Sophie et leur tire une langue laiteuse, comme pour signifier le peu de cas qu'elle fait de leurs diagnostics. À mon tour, je la prends et la berce, admirant au passage la perfection de ses petites oreilles, de ses doigts, de ses ongles.

– Nous allons ouvrir une enquête médico-chirurgicale. Déjà, il faut voir si le caryotype est normal.

– On va faire une échographie, aussi, chercher s'il n'y a pas des malformations associées. Ça arrive souvent.

– On vit très bien avec un gros clito et un petit vagin, vous savez.

L'intervention maussade de Hind suscite une nouvelle salve de regards, à la fois furtifs et salaces, en direction du sarouel doré – à croire qu'ils sont tous en train de s'interroger sur la nature et les proportions de ses propres organes génitaux externes. Heureusement, leur conscience professionnelle reprenant le dessus, ils terminent leur visite avec un laïus aussi docte que menaçant : oui, on vit très bien avec une ambiguïté génitale organique, mais l'hyperplasie des surrénales, c'est grave, le bébé risque une déshydratation sévère, qui engagerait son pronostic vital, il faut donc qu'il reste à l'hôpital le temps qu'on en ait le cœur net.

Six jours plus tard, le test de Guthrie revient négatif : Farah n'est pas atteinte d'hyperplasie des surrénales, ce qui me semble une bonne nouvelle jusqu'à ce que je note la mine soucieuse mais aussi la légère excitation du professeur Chenu – qui s'appelle Leverrier, en fait. Ce jour-là, notre équipe médicale de choc a souhaité nous rencontrer solennellement. Sophie, qui ne se lève que depuis la veille, a exceptionnellement enfilé une robe, et Hind est évidemment sur son trente et un : jupe en panne de velours noir et top en crêpe indigo. Récemment peroxydés, ses cheveux lui font comme une torchère bicolore, ce dont elle se plaint amèrement :

– Tu as vu ? Ils sont incoiffables ! J'aurais jamais dû les décolorer : ça les a cramés.

– Moi, je trouve ça pas mal.

– Pff !

– Ça ne t'empêche pas d'être jolie, en tout cas.

– C'est impossible d'être jolie si on est mal coiffée.

– Bah, les cheveux ça compte pas. Enfin, je veux dire, c'est pas ça qu'on regarde.

– Pardon ? Les cheveux ça compte plus que tout ! Je me suiciderais si j'avais pas de cheveux !

Comme nous avons eu cent fois cette conversation dramatique, je passe outre à sa mauvaise humeur et la traîne jusqu'à l'hôpital, histoire d'honorer un rendez-vous que je pressens crucial. De fait, Leverrier et ses sbires nous énumèrent avec complaisance tous les tests et examens infligés à notre petite fille : échographie pelvienne, IRM, exploration hormonale, génitographie, palpation inguinale, recherche de déficits enzymatiques, analyse moléculaire…

– Bon, on vous épargne le détail, hein, vu que vous n'êtes pas du métier, mais dites-vous que l'enquête a été extrêmement approfondie et qu'il n'y a aucun doute sur le résultat !

Les ongles de Hind s'enfoncent dans la chair de mon avant-bras tandis qu'elle feint l'indifférence à ce préambule inquiétant. Au contraire, Farah a les yeux grands ouverts et le front plissé, comme si elle écoutait très attentivement la conversation, et je me rengorge de fierté paternelle devant tant de précocité.

– Monsieur Maurier !

Leverrier m'interpelle, pointant sur moi un index réprobateur :

– Vous n'auriez jamais dû vous précipiter pour déclarer la naissance de cet enfant ! Vous auriez dû attendre la décision de la RCP !

– La quoi ?

– La réunion de concertation pluridisciplinaire.

Hind monte au créneau, frémissante d'indignation – la mèche bicolore frémissant avec elle.

– Mais depuis quand on attend cette réunion je sais pas quoi pour déclarer la naissance de son enfant ?

– On attend quand le nouveau-né présente une anomalie des organes génitaux !

– Mais fallait nous le dire avant, qu'il y avait une anomalie !

J'interviens à mon tour pour rappeler que la déclaration de naissance doit être faite dans les cinq jours qui suivent le jour de l'accouchement, et que je me suis rendu en mairie sitôt que j'en ai eu l'occasion, prévoyant que j'allais être très occupé par la suite. Aux regards chafouins qu'échangent les médecins entre eux, je devine que quelqu'un, la sage-femme sans doute, aurait effectivement dû nous alerter dès les premières heures de vie de Farah.

– Bon, ce qui est fait est fait, n'y revenons plus. Le problème c'est que ce bébé n'a pas d'utérus.

Sophie réprime un petit cri désolé, s'attirant un regard noir de Hind – que je devine toute prête à entamer son laïus sur l'importance indue que l'on accorde à cet organe.

– Elle n'a pas d'ovaires non plus. En revanche, à l'échographie on visualise très bien deux testicules en position abdominale.

Nouveau petit cri de Sophie. Nouveau frémissement chez Hind.

– C'est d'ailleurs bizarre que ça n'ait pas été vu à l'écho du deuxième ou du troisième trimestre. Vous aviez demandé à connaître le sexe du bébé ?

Aux deux dernières échographies, j'étais seul avec Sophie, et la question du sexe n'a pas été soulevée. Au vu des testicules et du bourgeon génital, qui sait si l'échographiste n'a pas pensé avoir affaire à un garçon ? D'autant que nous n'avons jamais revu le premier médecin, celui qui penchait pour une fille. De toute façon, Leverrier s'en fout, il est sur sa lancée, pressé de claironner ses informations sensationnelles :

– Vous savez ce qu'est un caryotype, n'est-ce pas ? Eh bien celui de votre bébé est tout ce qu'il y a de plus normal : 46XY !

Tandis que Sophie s'autorise un léger sourire de soulagement, Hind et moi échangeons des regards catastrophés.

– Eh oui ! Le sexe chromosomique et gonadique de votre enfant est incontestablement masculin !

– Farah est un garçon ?

– Exactement ! Un garçon avec un phénotype féminin, certes, mais un garçon quand même. Nous avons affaire à un syndrome d'insensibilité aux androgènes ! Pour faire simple, faute de récepteurs ad hoc, la testostérone n'a pas pu viriliser les tissus cibles pendant la vie fœtale. Mais comme les testicules de votre enfant fabriquent quand même de l'hormone antimüllérienne, l'utérus ne s'est pas développé non plus. Ni les ovaires.

– Mais, c'est dû à quoi, ce syndrome ?

– Une mutation génétique extrêmement rare. Il s'agit d'une transmission récessive liée à l'X.

– Qu'est-ce que ça veut dire ?

– Que c'est Madame qui a transmis le gène défectueux.

« Madame », c'est Sophie, dont le visage se décompose tandis que le professeur poursuit impitoyablement son exposé, galvanisé par la rareté du syndrome et le caractère exceptionnel de la situation :

– Chez Farah, il se pourrait qu'il s'agisse d'une insensibilité complète. D'où un phénotype féminin quasi normal. Enfin, on a quand même une atrésie vaginale et une hypertrophie du clitoris, mais rien de grave. Bon, je vous avoue que nous ne sommes pas sûrs encore que l'insensibilité ne soit pas partielle. L'équipe est divisée à ce sujet. Mais vous avez de la chance dans votre malheur, puisque nous sommes ici centre de référence en matière d'intersexuation ! Votre enfant bénéficiera d'une prise en charge optimale.

– De quelle prise en charge parle-t-on ?

Les deux mères de Farah étant pareillement médusées par l'annonciation tonitruante du professeur Leverrier, je m'efforce de faire bonne figure et d'obtenir les informations qui nous seront utiles à défaut de nous rassurer.

– Eh bien, il faut d'abord déterminer un sexe d'élevage. Mais comme vous avez malheureusement précipité les choses et que par ailleurs le phénotype est plutôt féminin, je crois qu'on peut rester sur cette option. D'autant que sur un plan chirurgical, il est beaucoup plus facile de fabriquer une petite fille qu'un petit garçon, n'est-ce pas, chère consœur ?

La consœur en question ne semble pas pressée de prendre la parole, et quand elle le fait, c'est d'un ton patient et lassé – il faut croire que Leverrier n'agace pas que moi.

– Disons qu'en l'absence de pénis pénétrant, mieux vaut que le sexe d'assignation soit féminin, en effet. Quitte à ce qu'on pratique une petite chirurgie clitoridienne. Voire une petite vaginoplastie. Sans compter qu'il faudra tôt ou tard procéder à une petite exérèse des gonades.

J'attrape Farah dans son berceau, bien décidé à faire rempart de mon corps à toutes ces interventions qu'il me semble léger de qualifier de « petites ».

– N'ayez pas peur, Monsieur Maurier, on va vous laisser d'abord digérer le diagnostic, tranquillement, en famille. Et puis vous reviendrez vers nous pour la réduction du clitoris. Il n'y a pas urgence : simplement, plus l'enfant est jeune, moins l'opération est traumatisante.

Je les laisse parler, évoquer le risque de transformation tumorale des testicules, ou encore les séances de dilatation vaginale qui pourraient offrir une alternative à la vaginoplastie ; je les laisse parler, mais il n'est pas question que mon enfant soit excisée, fût-ce avec les meilleures intentions du monde, et pas question non plus qu'on lui coupe les couilles. Je n'ai pas besoin de consulter Hind du regard : nous avons suffisamment parlé ensemble de ces chirurgies mutilantes pour que je connaisse sa position. Les médecins continuent à déblatérer, chacun y allant de son couplet et de son jargon spécialisés, situation métabolique et endocrinienne, cryptorchidie, dysplasie, développement mammaire, échelle de Quigley, classification de Prader, sexe social, risque de stigmatisation…

Dans mes bras, Farah gît paisiblement, bien réveillée pourtant, comme à chacune de nos visites. Je laisse les diagnostics et les pronostics glisser – sur moi sans m'inquiéter, sur elle sans l'atteindre. Plus je l'observe, plus je puise dans cette observation la certitude que tout ira bien pour elle. Née de nos chimères, ne se devait-elle pas d'en être une elle-même ?

Capitale de la douleur

Ayant arraché Farah aux griffes et aux scalpels des médecins, nous la ramenons à la maison. Sophie rentre chez elle de son côté, avec ses seins gorgés de lait et un sentiment de culpabilité que Hind n'a pas manqué d'entretenir, à croire qu'elle n'a retenu que ça de tout le fatras d'informations déversé sur nous par Leverrier et ses collègues : la responsabilité génétique de Sophie dans le pseudohermaphrodisme de notre enfant.

Internet aidant, je ne tarderai pas à devenir un spécialiste de la question et à me convaincre que nous avons bien fait de ne rien faire. Les filles IPA non opérées ne rencontrent finalement pas d'autre problème que celui de leur infertilité. Le risque de dégénérescence tumorale des testicules est très faible et ne justifie pas leur ablation avant la puberté. Nous avons un bébé en bonne santé, et je serais le plus heureux des hommes si Hind ne se torturait pas avec des questions oiseuses. Car autant elle a accablé Sophie de reproches, autant je vois bien qu'elle s'en adresse aussi :

– Tu crois que c'est une coïncidence ?

– Quoi ?

– Que Farah soit un garçon dans un corps de fille alors que je suis une fille dans un corps de garçon.

– Que je sache, tu n'as aucune maladie génétique. Et tes organes génitaux sont tout ce qu'il y a de plus normal. Tu t'en plains suffisamment.

Je la sens sceptique et surtout irritée par le camouflet que constitue à ses yeux la formule chromosomique de Farah, avec son Y inattendu et superflu.

– Franchement, je me sens pas capable d'élever un garçon.

– Farah va être élevée comme une fille.

– J'ai été élevée comme un garçon : on a bien vu ce que ça donnait. Tu peux pas lutter contre ton identité profonde.

– Écoute, on ne peut pas préjuger de l'identité profonde de Farah, mais élevée comme une fille par une mère trans, ça m'étonnerait qu'elle devienne un petit macho homophobe.

– Ouais, si tu le dis.

Nous sommes en 2006, et même si je n'ai pas encore entendu parler de non-binarité, je pressens que notre enfant pourrait bien ne jamais se couler dans aucune norme que ce soit en matière de sexe et de genre. Je pressens aussi que parce qu'elles sont l'infraction à la règle, Hind et Farah sont en passe de me sauver de ma propre normalité : sans elles, je serais encore le fils de mes parents, empêtré dans leur égoïsme et leur conformisme.

Mes parents… Ils m'ont croisé avec Sophie, quelques semaines auparavant, alors que nous sortions précisément de l'échographie du troisième trimestre. Tombés nez à nez avec ce ventre énorme, ils se sont figés sur le trottoir, m'interrogeant du regard. J'aurais pu prétendre que Sophie n'était qu'une amie, mais j'ai saisi l'occasion pour les informer qu'ils allaient être grands-parents. Leur réaction a été à la hauteur de mes attentes : après quelques marmonnements furieux et justifiés sur le fait qu'ils auraient aimé être prévenus avant, ils nous ont quittés en nous admonestant :

– Bon, faudra pas trop compter sur nous pour jouer les baby-sitters, hein ! On a nos activités, faut pas croire ! Papy-Mamie, c'est bien joli, mais Papy-Mamie ça veut pas dire pigeon !

Attrapant le bras de Sophie, j'ai filé hors de leur vue et hors de portée de leurs formules préférées, celles qui ont bercé toute mon enfance, le sempiternel « trop bon trop con », mais aussi « donne le doigt, on te prend le bras », « fais du bien à Bertrand… », « y'a pas marqué la poste » – et j'en passe.

Farah est née il y a une semaine. Pour autant que je sache, elle n'y voit pas grand-chose, mais il me semble pourtant lire de l'amour dans les prunelles bleuâtres qu'elle tourne dans notre direction, et prenant Hind à témoin, je m'efforce de l'introduire dans notre cercle vertueux :

– Regarde-la : elle n'est pas trop mignonne quand elle fait ça ?

– Si.

– Tu veux lui donner son biberon ?

– Non, donne-lui toi : faut que je me prépare.

– Tu vas où ?

– Boire un coup au *Puntarenas*, avec Samuel et Lise. Je t'avais pas dit ?

Non, elle ne me l'avait pas dit, elle ne me dit plus rien depuis des mois, et la naissance de Farah, loin de nous rapprocher, distend inexorablement le lien entre elle et moi ; entre elle qui veut sortir, boire des coups, voir des potes, et moi qui n'aspire qu'à passer du temps avec elle et notre enfant. Rien ne me pèse des soins qu'il faut lui donner, cette routine de sommeils et d'éveils, de biberons, de bains, de changes, d'habillages et de déshabillages. Je me sens comme dans une bulle ouatée, où n'existent que les doses de lait en poudre, l'huile d'amande douce, les gouttes de fluor et de vitamine D, les bodys soigneusement lavés, la peau douce de Farah, son souffle paisible – et les petits sons qu'elle émet et qui m'amènent au bord des larmes, comme si je partageais la débâcle hormonale traversée par Sophie. Je ne suis plus qu'émotion, sensibilité, tendresse et pitié infinies – pitié pour autant de faiblesse, de dépendance et de vulnérabilité. Car Farah est entièrement à notre merci, et ça me rend fou.

– Tu te rends compte, si on s'en va tous les deux et qu'on l'abandonne, elle mourra en deux jours.

– Pourquoi tu penses à ça ? T'es malade ! De toute façon, elle mourrait pas : y'a des voisins qui l'entendraient crier et qui viendraient la sauver.

– Pas sûr : elle a une toute petite voix, on l'entend à peine.

– Ah bon, tu trouves ? Elle a une voix hyper-stridente pour un nourrisson.

– Elle ne pleure presque jamais !

C'est vrai. Farah attendra pour pleurer que Hind soit sortie de sa vie – ce qu'elle ne va pas tarder à faire, sans avertissement préalable, sans explication ni justification rétrospectives, rien, pas une lettre, pas un SMS, pas un coup de téléphone – enfin si, quelques mots griffonnés, si inconsistants que je n'ai jamais vu l'intérêt d'en parler.

Aujourd'hui encore, j'ai du mal à démêler les raisons qui m'ont poussé à enfouir l'existence de Hind sous une telle chape de silence et de mensonge. La honte, peut-être. Non pas celle de l'avoir aimée – j'ai même été très fier d'avoir fixé un temps ce feu follet à mes côtés –, mais celle d'avoir été mis au rebut, celle de ne pas avoir inspiré de sentiments assez fervents ni assez définitifs.

Hind quitte le domicile conjugal avec deux valises de vêtements, sa trousse de toilette et quelques objets. Elle profite de ce que je suis à la PMI avec Farah. Du jour au lendemain, elle devient injoignable, change de numéro de téléphone, d'employeur, et pour autant que je sache, de quartier. Elle cesse de fréquenter les bars où nous avions nos habitudes – quant aux réseaux sociaux, elle n'en a jamais vu l'intérêt ni eu l'usage. Elle me laisse avec l'enfant née de ses rêves – mais aussi de sa giclée de sperme ; elle me laisse avec l'enfant de l'amour, et avec la blessure inguérissable de son départ.

Tant de vide après tant d'amour, tant de journées successivement absurdes après deux ans de vie miraculeuse, je n'arrive pas à m'y faire – m'habituer, m'habituer. Je continue, comme un poulet décapité sur ma lancée, mais si on m'ouvrait, on ne trouverait rien. Hind a tout pris. Non, pire, elle m'a laissé une enfant qui lui ressemble, jusque dans l'alphabet crypté de son anatomie. Bien sûr, je ne laisse rien paraître : je berce, je nourris, je lave, je chantonne – et je dors avec Farah sur la poitrine, pour qu'elle entende battre mon cœur, sauvagement mis à nu par sa mère. Je suis dévasté, mais j'agis comme si je ne l'étais pas, et au-dessus du berceau de Farah, ce berceau choisi par Hind, je penche un visage invariablement souriant.

Dans les premiers mois de sa jeune existence, c'est ma seule crainte : qu'elle s'aperçoive que son père a été frappé sans pardon par le trait de la mort. Car en dépit de mes efforts pour donner le change, il me semble parfois détecter dans ses pleurs autre chose que de la faim ou de l'inconfort, comme une angoisse, déjà, et je la promène inlassablement aux bras, tout en lui récitant du Saint-John Perse :

– Tu es là, mon amour, et je n'ai lieu qu'en toi.

Évidemment, je pleure avec elle, et nous voici tous les deux, inconsolables, ma joue trempée de larmes contre la sienne, tandis que je vais et viens dans l'appartement que Hind a décoré comme un boudoir colonial. Il s'écoulera plusieurs années avant que je prenne la résolution de me débarrasser de ses photophores, de sa coiffeuse et de ses poufs en velours. Elle est partie avec ses deux valises et son geai empaillé, ce qui fait que j'ai longtemps espéré qu'elle reviendrait chercher le reste. J'ai même pensé élever Farah dans tout ce bric-à-brac orientaliste et naturaliste, ce qui m'aurait permis de lui délivrer insensiblement des informations sur sa mère, et puis le cœur m'a manqué. Sans compter que mon idée de la décoration intérieure, c'est le dépouillement – je n'y ai dérogé que par amour pour Hind, cet amour qui avait pris toute la place et remplacé tous mes goûts par les siens.

Insensiblement, je redeviens moi, mais redevenir moi ne compte pas au nombre de mes ambitions.

Pour tout dire, ça m'allait très bien d'être une autre, ça m'allait très bien de ne pas vivre dans un éreintant tête-à-tête avec moi-même, ça m'allait très bien d'aimer éperdument : je me retrouvais dans cette perte. Bien sûr, il y a Farah, mais Farah ne me fera jamais boire à la fontaine ardente du bonheur.

Heureusement que j'ai des frères et sœurs en abandon, en dépossession et en perte brutale, à commencer par Guillaume et sa chanson du mal-aimé. Il fait beau, j'erre dans Paris, ma fille en bandoulière dans son porte-bébé suédois, et chaque octosyllabe me vrille le cerveau. Juin ton soleil ardente lyre. Fontaine ardente, ardente lyre, souviens-t'en quelquefois aux instants de folie, de jeunesse et d'amour et d'éclatante ardeur. Ardeur. C'est le plus beau mot, et que vais-je faire de la mienne, Guillaume ? Je pleure. Les gens doivent me croire fou : quel père pleure quand son bébé rit de voir la Seine, les bateaux, les mouettes ? Car j'ai beau être en train de mourir, Farah grandit, s'ouvre au monde et s'avère aussi solaire que sa mère l'était. Elle a ça dans le sang : la joie de vivre – alors que j'ai tété trop tôt le lait de la morosité. Ce n'est pas ma faute si mes parents étaient incapables de se réjouir de quoi que ce soit. Juin ton soleil, ta lumière implacable, et les rues de mon beau Paris soudain tout aussi implacables. Trop de souvenirs, pitié – qu'un ciel d'oubli s'ouvre à mes vœux ! Je marche, je marche, essayant d'épuiser mon chagrin, essayant de sortir de l'enfer, convoquant pêle-mêle mes poètes, qui sont aussi mes muses – mais dans mon chagrin, rien n'est en mouvement.

C'est peut-être ça, le pire, cette fixité du chagrin. Tout change autour de moi, à commencer par mon enfant, dont je rate toutes les premières fois, premier sourire, premier rire aux éclats, premières vocalises. Je suis là, pourtant, et il est si beau ce moment, où fixant ses yeux dans les miens, Farah s'efforce de me parler, de me répondre, entre avec moi dans le langage, sans savoir que c'est pour la vie et que les mots lui serviront à mentir, à duper, à trahir et à parjurer. Regrets sur quoi l'enfer se fonde. Des regrets, j'en ai tant, à commencer par celui, pardon Farah, d'avoir eu mon enfant avec une folle, d'être entré dans sa folie, d'avoir cru qu'elle pouvait avoir un projet et s'y tenir – alors même que je l'aimais d'être le tourbillon, la frénésie, la fantaisie, l'orage, l'éclair violent, la nuit talismanique, la fureur, le mystère…

C'est peut-être pour protéger ce mystère que j'ai tant menti, que j'ai menti à rebours de tous mes principes et au mépris de mes intérêts comme de ceux ma fille. Et aujourd'hui qu'il est temps de dire la vérité, aujourd'hui que Hind m'offre l'opportunité de le faire, je suis sans force et sans courage. J'en ai eu, pourtant – qu'on ne m'accable pas sans savoir. J'en ai eu pour m'habituer au désespoir et j'en ai eu pour pardonner. J'avais droit à la cruauté mais je n'ai pas exercé ce droit. J'ai préféré être un grand homme et un saint, j'ai préféré bâtir mon Église – et braver les puissances du mal.

Kirie Eleison

Printemps 2006. Hind sort de ma vie et Sophie y entre. Elle y était déjà, me direz-vous, mais disons qu'elle y tenait un rôle très subalterne et que le départ de Hind la propulse au premier plan. J'ai beau vouloir subvenir à tous les besoins de ma fille, tant physiologiques qu'émotionnels, il faut que je retourne travailler, et ça tombe bien, Sophie est en congé maternité. Elle débarque dans mon trois-pièces, suspend Farah à sa mamelle, et vaque paisiblement à ses occupations domestiques : un peu de ménage, de cuisine, de lessive. Quand je rentre, Farah tète béatement, mon appart est nickel, mon repas est prêt, et Sophie s'éclipse. Parfois Erwan est là, toujours aussi placide – ou toujours aussi déprimé, difficile de savoir avec lui. Bien que Sophie prétende le contraire et s'extasie sur la gentillesse qu'il témoigne à sa sœur, je vois bien qu'elle ne l'intéresse pas. Il pose sur elle un regard perplexe, et même vaguement boudeur quand Sophie la lui fourre d'office sur les genoux.

Je suis reconnaissant à Sophie d'être aussi présente et de m'aider sans poser de questions. Tout juste si elle s'est enquise des intentions de Hind. Que dire ? Je n'en sais pas plus qu'elle mais j'ai l'affreuse certitude que j'ai perdu Hind à jamais. Je suis reconnaissant envers Sophie, mais je ne peux pas m'empêcher de noter qu'elle rayonne et qu'elle s'épanouit dans la maternité que Hind lui déniait. De plus en plus souvent, elle reste dormir chez moi avec son fils, au prétexte qu'il est plus simple d'allaiter Farah durant la nuit que de tirer son lait en prévision de ces tétées nocturnes. Bien que je n'aie rien demandé, je me retrouve dans la peau d'un père de famille lambda, avec un fils aîné, un bébé de quelques semaines, et une petite épouse attentionnée. Car insidieusement, Sophie devient mon épouse. Elle cuisine mes plats préférés, fait mes lessives et mes vaisselles, promène et nourrit ma fille en mon absence. J'ai beau lui dire de se reposer, de rentrer chez elle, de me laisser gérer Farah tout seul, puisque tel me semble être mon destin, elle oppose à toutes mes remarques son front lisse et l'alignement rectiligne de ses petites dents, en un simulacre de sourire qui me donne envie de hurler.

Qu'on me rende ma femme, ma femme à la bouche de cocarde, ma femme aux seins de nuit, aux hanches de nacelle, aux fesses de grès et d'amiante, au sexe de glaïeul. Qu'on me rende l'amour. Je ne veux pas d'un simulacre. Je ne veux pas mimer le bonheur conjugal. Je n'ai même jamais souhaité le bonheur conjugal. Hind ne me rendait pas heureux, elle me rendait vivant. Et heureux aussi, oui, bien sûr, mais surtout merveilleusement en vie. Je pleure, de nouveau, encore et encore, sans me soucier du regard de Sophie sur ces larmes qui disent à quel point elle et son fils sont insatisfaisants.

Je veux bien aimer tout le monde, et je souhaite le meilleur à Sophie et Erwan, mais la vie s'est retirée de moi, et je me contente de glisser prudemment d'un jour à l'autre. Je ne veux pas de simulacre, mais j'en suis un, même si personne autour de moi ne semble s'en douter.

Je prie. Je le faisais déjà avant le départ de Hind, mais je m'y absorbe désormais plus intensément et plus douloureusement. Je prends les mots des autres, ceux qui comme moi ont souffert mille morts, et je les mêle à des versets bibliques ou à des oraisons plus personnelles, qui jaillissent de mes entrailles en syllabes entrecoupées : Hind, pardon, reviens, mais dis seulement une parole et je serai guéri, il faut que moi je diminue pour que tu croisses, j'attends, personne ne viendra, personne, tu es là, mon amour, et je n'ai lieu qu'en toi.

Le jour où je me découvre sur le front une tache brune, de celles qu'on obtient à force de prosternations, j'éclate de rire face à mon miroir. Sophie, qui m'a entendu, pointe un minois prudent et plein d'espoir : si je ris, c'est peut-être que je suis en train de retrouver le goût de vivre ? Et c'est vrai. Ça se produit insidieusement et à mon insu, mais le fait est que six mois après le départ de Hind, je n'en suis plus à vouloir me jeter par la fenêtre.

Oui, j'ai voulu mourir, et plus grave, j'ai voulu que Farah meure avec moi. Plusieurs fois, tandis que je la tenais entre mes bras, je me suis dit que je n'avais qu'à sauter avec elle, hop, six étages de chute indolore, et fin de la souffrance pour elle comme pour moi. Car je m'étais mis en tête qu'elle souffrait elle aussi de l'absence de Hind. Il y avait ces pleurs incessants, à la fin de la journée – et ce regard, ce regard insondable et profond, que j'interprétais comme une supplique parce que j'étais fou. C'est la vitalité exubérante de mon enfant qui m'a sauvé de la folie : j'avais beau tout voir en noir, ne trouver de sens à aucune activité et n'avoir de goût pour rien ni personne ; j'avais beau avoir sombré dans une spirale de négativité et me lever chaque matin avec l'envie d'en finir, certains signaux parvenaient quand même à mon cerveau endommagé par le chagrin. Pédalages vigoureux, hurlements de joie et éclats de rire, succion énergique, yeux étincelants d'amour : le tableau clinique était trop clair et l'enthousiasme trop communicatif pour que j'envisage plus longtemps de nous supprimer tous les deux – moi, à la rigueur, mais pas elle.

Ça commence comme ça, avec cette idée que Farah doit me survivre ; une idée qui est d'abord comme une résignation, une série de dispositions à prendre pour son avenir sans moi – puis qui se mue petit à petit en sentiment de responsabilité et en conviction que personne ne peut me remplacer à ses côtés. Un jour, sans que je l'aie vu venir, c'est plié, je vais vivre et je serai le meilleur des pères. Entre-temps, Farah a grandi, elle n'est plus un nourrisson au regard opaque et aux pleurs incompréhensibles. Elle a grandi, et je donnerais un bras pour revenir en arrière, pour profiter de ses premiers mois, de son éveil au monde. J'étais un zombie quand elle a commencé à regarder autour d'elle, à attraper des objets, à se retourner dans son lit, mais désormais j'ai retrouvé sinon la joie de vivre du moins le sens du devoir, et je vais faire en sorte de ne plus rien rater du développement psychomoteur de mon enfant.

Malheureusement pour Sophie, mon retour à la vie s'accompagne d'un regain de lucidité. Ouvrant les yeux après un cauchemar de six mois, je me rends compte qu'autour de moi, tout le monde a accepté docilement ma nouvelle configuration familiale – sans se poser de questions sur le tour de passe-passe qui a substitué Sophie à Hind. Tout juste si mes amis me parlent encore de cette dernière. Ils doivent penser que j'ai quitté l'une pour l'autre, que j'ai quitté la tempête de la passion pour un mouillage paisible – et si ça se trouve, ils me comprennent et ils sont secrètement soulagés. C'est Marco, un client du *Nouveau Brazza*, devenu un pote à force de conversations météorologiques le matin et de discussions avinées en soirée, c'est Marco qui m'éclaire sur ce soulagement inavouable :

– Hind, elle était super-belle, hein, et classe, et tout ça, mais franchement, elle foutait les boules !

– Ah bon ?

Je n'ai pas l'intention de discuter de mon ex avec qui que ce soit, d'autant que Marco n'a jamais fait partie de mes intimes, mais je veux bien entendre ce qu'il a à me dire sur ma superbe ennemie.

– Ouais, j'avais toujours peur de m'en prendre une, avec elle. Je l'ai vue tèj des gars, putain, j'avais mal pour eux ! Et en plus, excuse, hein, mais vous étiez pas super-bien assortis. Toi, t'es un gars tranquille, alors que Hind...

– Quoi, Hind ?

– Elle est pas tranquille, justement. Ou même quand elle l'est, on sent que ça bout à l'intérieur. Et puis, ses fringues, là, tout son tralala, franchement, c'était trop, non ? Un jour elle est habillée comme une taspé, le lendemain, elle est en reine d'Angleterre, t'y comprends rien. Et elle se prend un peu pour l'œuf à deux jaunes, franchement, c'est abuser. Je sais pas comment t'as fait pour rester avec elle, franchement… À part qu'elle était bonne, là, je reconnais, pas de problème, elle était… elle avait quelque chose, quoi. Mais franchement, t'es mieux avec ta nouvelle meuf, la blonde, là, je sais plus comment elle s'appelle. Franchement, elle a l'air plus tranquille.

Franchement ou pas, le prochain qui me parle de ma tranquillité va s'en prendre une, car elle a des limites. Je mets abruptement fin à cet échange, mais tout désagréable qu'il ait été, il m'ouvre les yeux sur la façon dont je peux être perçu : un bon gars, un peu terne, mieux fait pour aimer les Sophie que les Hind. Or, je n'ai plus la moindre affection pour Sophie. Pire, elle m'inspire une sorte de répulsion dont j'ai honte et contre laquelle j'ai lutté jusqu'à présent – mais je vais cesser de le faire, car je vois bien que cette lutte est créatrice de malentendus. Non seulement on me prend pour le mec de Sophie, mais Sophie elle-même me prend pour son mec. Sa main s'attarde de plus en plus souvent sur mon torse ou dans ma nuque, sa voix se fait tendre quand elle me parle, et son regard, son regard, mon Dieu, j'ai souvent envie de m'en débarrasser, de l'essuyer sur mon visage comme je le ferais du sillage argenté d'une limace. Je n'ai jamais détesté personne mais je suis à deux doigts de le faire, et je me déteste d'être à deux doigts de la détestation.

Mes prières incluent désormais des SOS fervents, car je sens bien que mon âme est en danger.

Seigneur, guéris-moi du dégoût et du mépris, Seigneur, tu me connais, tu sais bien que je préfère les inspirer que les éprouver, Seigneur, sauve mon âme de ces sentiments qui l'abîment, Seigneur, aide-moi à aimer Sophie, elle qui ne m'a jamais fait que du bien, elle qui s'occupe de ma fille comme si c'était la sienne.

On m'objectera que Farah est précisément l'enfant de Sophie, qu'il n'y a pas grand mérite à s'occuper du fruit de ses entrailles, et que c'est plutôt moi qui suis bien gentil d'assumer un bébé avec lequel je n'ai aucun lien biologique. Mais pour rationnelle qu'elle soit, cette version des faits ne correspond à aucune réalité. J'ai longtemps été dupe du dévouement de Sophie – les tétées à heure fixe, les couches changées avec diligence, les promenades au square, les vêtements toujours propres, pliés et repassés, mais aujourd'hui que j'ai retrouvé la raison, je sens bien qu'elle n'éprouve rien pour Farah, ni attachement ni tendresse. C'est moi qu'elle aime. C'est moi qui suis la seule raison de cette irréprochable pantomime maternelle. Aux yeux de Sophie, Farah reste l'enfant de Hind, c'est-à-dire du démon.

Je pourrais m'accommoder de son indifférence, des soins qu'elle prodigue mécaniquement à ma fille ; je pourrais même tolérer que de temps à autre elle lâche un commentaire désobligeant sur Hind – après tout, nous faisons tous les frais de son inconséquence et de son égoïsme –, mais bizarrement, je ne parviens pas à lui pardonner la façon dont elle m'aime. Sophie, si tiède et si réservée, Sophie ordinairement passive et muette, se mue à mon contact en créature liquoreuse et insinuante. Je ne peux pas faire un geste ni dire un mot sans qu'elle braque sur moi son regard adorant et fixe. Je ne peux pas émettre un souhait sans qu'elle l'exauce, avoir un désir sans qu'elle le devance, et une nuit se produit l'inévitable : elle entreprend de se glisser dans mon lit, alors que la pluie vient tout juste de me réveiller, comme un chuchotis secret à ma fenêtre.

Je la vois arriver depuis le salon, où elle s'est ménagé une sorte d'alcôve à l'aide d'un paravent en rotin, évidemment chiné par Hind. Elle y passe au moins deux nuits sur trois, avec ou sans ce pauvre Erwan, qu'elle confie aux soins de son père ou de ses grands-parents plus souvent qu'à son tour. Malheureusement pour Sophie, le fait d'être sorti de la folie m'a ouvert les yeux sur la sienne. Rien ne va dans notre arrangement, ni le temps qu'elle passe chez moi, ni celui qu'elle consacre à Farah au détriment d'Erwan. Rien ne va dans son attitude à mon égard, de plus en plus affectueuse, de plus en plus possessive, voire imperceptiblement lubrique.

Cette nuit, d'ailleurs, le doute n'est plus permis, car sitôt glissée dans mes draps, Sophie entreprend de se frotter à moi tout en roucoulant de plaisir. Sa main empoigne mon sexe, qui se trouve malheureusement être en érection. C'est généralement le cas quand je me réveille, mais Sophie l'interprète comme un encouragement à aller plus loin, et elle se retrouve sur moi en moins de temps qu'il n'en faut pour le dire. Je pourrais saisir l'occasion, après tout je n'ai pas baisé depuis des mois, mais sous celui de Sophie, mon corps se cabre instinctivement, l'envoyant valdinguer hors du lit.

– Mais qu'est-ce que tu fais, tu es folle ?

– Lenny...

– Sophie, va-t'en, je ne veux pas, je n'ai pas envie de toi...

– Mais je t'aime.

– Mais moi non. Arrête ça tout de suite. Rentre chez toi !

– Maintenant ?

– Oui. Occupe-toi de ton fils, laisse-moi avec Farah ! On n'a pas besoin de toi, enfin plus maintenant. Au début, je ne dis pas, mais maintenant c'est fini. Je ne sais pas ce que tu as cru, hein, je suis désolé, mais je ne peux pas t'aimer comme... comme tu voudrais.

Nue et tremblante, elle se tient dans la pénombre, cherchant peut-être quelque chose à objecter à mon discours décousu. Je note malgré moi qu'en dépit de sa blondeur éteinte, elle arbore une toison pubienne d'un roux éclatant – et deux alexandrins me montent illico au cerveau : Elle n'a pas d'amies et son foutre de rousse, aux filles qui l'ont bu donnait le mal de mer. Je n'aime pas ces vers, mais ma mémoire me joue souvent ce genre de tour, m'imposant ses réminiscences intempestives alors même que je préférerais garder la tête froide et être vampirisé par Aragon ou Apollinaire plutôt que par Pierre Louÿs et ses quatrains obscènes. Obscène, c'est moi qui le suis, de chasser en pleine nuit une femme qui ne m'a jamais fait que du bien, mais c'est plus fort que moi. En dépit de l'ambitieux programme baudelairien que je me suis fixé, il faut croire que je ne suis ni un saint ni un grand homme.

The way to dusty death

Le lendemain, tandis que je prépare Farah pour sa journée à la crèche, on toque à la porte. M'attendant à trouver Sophie sur mon seuil, j'ouvre avec une certaine brutalité – car j'ai beau me mépriser pour mon comportement de la nuit, je ne regrette rien. Ce n'est pas Sophie, c'est Nelly, ma voisine du dessus, une octogénaire aux airs de poupée de collection : blonde, poudrée, les joues vermillon, les jambes parcheminées sous son éternelle jupe corolle.

– Lenny ?

Veuve depuis quinze ans et riche depuis toujours, Nelly Goudge est ma voisine mais aussi ma propriétaire, vu qu'elle possède tout l'immeuble.

– Je suis désolée de vous déranger, mais ma plaque à induction fait un drôle de bruit. Et puis elle clignote. Je voulais réchauffer ce qu'Anna m'a laissé, et je n'y arrive pas.

Anna est à la fois sa cuisinière, sa femme de ménage et sa dame de compagnie. Elle arrive le matin à neuf heures et rentre chez elle vers dix-huit. Dans l'intervalle, Nelly se débrouille, naviguant entre sa chienne, sa télé, ses meubles estampillés et ses toiles de maître.

– Vous vouliez réchauffer quoi ?

– Du gratin dauphinois.

– Madame Goudge, il est beaucoup trop tôt pour le gratin dauphinois. Vous ne voulez pas que je monte vous faire un café, plutôt ?

– Il est quelle heure ?

– Bientôt huit heures.

Elle rit de bon cœur :

– Huit heures du matin ? Ça alors ! Je pensais qu'on était le soir ! Vous allez croire que je sucre complètement les fraises !

Nelly ne m'a jamais semblé gâteuse et je la soupçonne d'avoir inventé cette histoire de plaque à induction pour le simple plaisir de boire un café avec moi, vu qu'elle m'a inexplicablement à la bonne – tandis qu'elle mène aux autres locataires une guerre sans merci, alimentée de griefs variés et plus ou moins imaginaires : une telle encombre le hall de ses poussettes, un tel nourrit des pigeons sur son balcon, ou crache dans les boîtes aux lettres, etc.

– J'emmène Farah à la crèche et je monte vous voir, d'accord ?

Une fois chez elle, et tandis que je m'active autour de la machine à café connectée dont elle n'a jamais réussi à se servir, elle pépie gaiement ses dernières nouvelles, son comptable est mort, elle n'a pas confiance en son successeur, est-ce que j'irai à la messe dimanche, est-ce que j'ai remarqué que le voisin du deuxième mettait systématiquement son lave-linge en marche après minuit, Anna n'a pas changé l'eau des fleurs, il fait beau, un peu venteux, mais bon, elle va essayer un nouveau complément alimentaire à base d'huile de bourrache, et comment va Sarah ?

Elle a beau pousser des cris de tendresse chaque fois qu'elle voit Farah, je la soupçonne de trouver ma fille trop noiraude et trop louchonne pour s'y intéresser vraiment. D'ailleurs, elle n'a jamais réussi à retenir son prénom, l'appelle tantôt Sarah, tantôt Nora, ou, plus inexplicablement, Flavie. Avec le temps, de toute façon, son univers mental s'est rétréci et il lui est difficile d'y faire entrer de nouveaux venus, fût-ce un bébé. Hind lui inspirait une horreur manifeste, et elle n'a jamais intégré l'existence de Sophie et Erwan. Pourquoi s'est-elle entichée de moi, mystère, mais je ne vais pas m'en plaindre.

– Vous ne voudriez pas remplacer Monsieur Gombrolo ?

– Monsieur Gombrolo ?

– Oui, mon comptable, celui qui est mort.

– Je ne suis pas comptable.

– Vous faites bien la comptabilité, dans votre association ?

Bizarrement, elle a retenu cette info, et il sera difficile de lui faire convenir que la gestion d'un patrimoine tel que le sien outrepasse largement les compétences basiques que j'ai acquises sur le tas. Tripotant machinalement le médaillon de jade indochinois qu'elle porte depuis sa lointaine enfance saïgonnaise, elle embraye sur ce qui est quand même notre sujet de conversation préféré, à savoir la poésie. Eh oui, j'ai trouvé en Nelly une lectrice tout aussi fervente que moi, et surtout mille fois plus érudite. Elle est d'ailleurs la filleule d'un obscur poète parasurréaliste dont elle a fait dévotement publier les œuvres complètes, créant pour l'occasion, et à fonds perdus, sa propre maison d'édition.

En dépit de ses minauderies et de ses réflexes de riche, Nelly pourrait bien être mon âme sœur : non seulement elle aime la poésie, mais elle aspire de plus en plus ardemment à rallier les forces de l'esprit. Il faut dire que j'arrive très tard dans son existence, au moment où elle a épuisé toutes les satisfactions matérielles qu'elle pouvait en tirer. Je crois aussi que vient de s'achever la grande histoire d'amour qu'elle a connue avec elle-même, une histoire qui l'a rendue très heureuse très longtemps, mais qui manque aujourd'hui de carburant.

– Lenny, c'est désolant de vieillir, si tu savais.

– La solution alternative, c'est de mourir jeune : vous auriez préféré ?

– Non, bien sûr, mais quand même, tu m'aurais connue à vingt ans ! À trente ! Ou même à cinquante : à cinquante, j'étais encore éblouissante !

– Je veux bien le croire.

Je refuse de lui dire qu'elle l'est encore, car c'est faux. À quatre-vingts ans, Nelly fait son âge, comme tout le monde d'ailleurs, en dépit des mensonges consolants dont tout le monde se berce. Comme elle a été très belle et très aimée, elle a peut-être plus de mal qu'une autre à renoncer aux dividendes de sa beauté, mais qu'elle ne compte pas sur moi pour l'entretenir dans l'illusion qu'elle peut encore séduire.

– Hosannah sur le ciste et dans les encensoirs !

Hop, voilà ma Nelly qui tombe à genoux sur un vers de Mallarmé. Je m'agenouille à mon tour sur son tapis d'Aubusson, et nous joignons les mains de conserve pour psalmodier tantôt du Valéry, tantôt du Jaccottet. Elle est moins sensible que moi à la poésie de la Renaissance, mais qu'importe, nous nous retrouvons dans la vénération que nous inspirent Rimbaud, Baudelaire, Éluard ou Aragon.

Inutile de dire que Nelly m'encourage fortement à créer la communauté mystique dont j'ai commencé à rêver entre les bras de Hind. Je lui en ai parlé, presque incidemment, alors que nous revenions de la messe.

– Le sermon…

– Oui…
– Pathétique, hein ?
– Je ne vous le fais pas dire.
De fait, le curé avait disserté d'une voix chevrotante sur la douceur de la Vierge Marie, enfilant métaphore sur métaphore, lys près d'une source, rose au printemps, arc-en-ciel brillant dans son nuage de gloire – provoquant ainsi le courroux de Nelly, très sensible aux fausses notes lyriques.
– C'est à vous dégoûter d'avoir la foi, vraiment ! Quand je pense à ce qu'a dû être le Sermon sur la montagne !
– On ne sait pas s'il a vraiment eu lieu, Madame Goudge.
– Bien sûr que si, il a eu lieu ! Tous les Évangiles en parlent !
– Non, justement, il n'y a que Matthieu.
– Peu importe ! Tu sais, Lenny, il n'y a qu'à toi que je peux raconter ça, mais je crois que j'y ai assisté dans une vie intérieure.
– Antérieure ?
– Oui, voilà.
– Vous avez entendu le Christ prononcer le Sermon sur la montagne ?
– Exactement. J'avais une quinzaine d'années, je lavais mon linge dans le lac de Tibériade, il faisait une chaleur à crever, quand j'ai vu arriver cet homme… Ah, c'était quelque chose, hein, rien à voir avec le père Blanchard, tu peux me croire !

Non, je ne peux pas, évidemment : dès qu'il s'agit de Jésus, elle déraisonne comme une groupie en chaleur. Nelly est du bois dont on faisait les saintes jusqu'au siècle dernier : ce n'est pas tant la religion qu'elle aime, qu'un Dieu fait homme et conforme à son idée de la virilité – voix grave, barbe annelée, musculature sèche et bien dessinée...

– Quand il a commencé à parler, le vent a ridé la surface de l'eau, et j'ai ramassé mon linge en vitesse pour aller l'écouter. Ah, c'était quelque chose, c'était quelque chose...

J'ai beau n'attacher aucun crédit aux affabulations évangéliques de Nelly, j'aimerais quand même qu'elle aille au-delà de cette pauvre formule, ce *quelque chose* qui lui embue encore les yeux, deux mille ans plus tard. Nelly est une conteuse hors pair, et j'ai plaisir à l'écouter, même lorsqu'elle divague sur sa rencontre avec Jésus de Nazareth.

– Il parlait pour tout le monde, hein, bien sûr, et tout le monde était sous le charme, mais il me semblait qu'il me regardait tout particulièrement. Ah, ce regard... chaud, caressant... On l'aurait suivi jusqu'au bout de la Terre ! Tu sais, Lenny, tu lui ressembles un peu. Enfin, pas physiquement, hein, il était... plus émacié. Plus mat de peau, aussi. Mais toi aussi, quand tu parles, on te donnerait tout ! Et puis, tu as la manière pour réconforter les gens. Tu devrais prêcher.

Elle ne croit pas si bien dire – et je suis souvent à deux doigts de sermonner les gens, dans la rue, au travail, dans le métro. Il me semble que je devine leurs failles et que je saurais les guider convenablement sur le chemin d'une vie moins vaine et plus épanouissante. Mais bien sûr, personne n'a envie de se faire alpaguer par un inconnu sur la voie publique – quand bien même cet inconnu serait doté d'un charisme christique et de pouvoirs consolateurs hors du commun.

– Si tu veux, je te prête l'entresol.

– Quel entresol ?

– Celui de l'immeuble. Il y a une très grande pièce, et deux plus petites, plus une cuisine et des toilettes. Je n'en fais rien, je ne l'ai pas loué depuis des années… Avec Mike, on voulait y installer une salle de sport, tu sais, avec des bancs de musculation, des rameurs, des vélos… Mais privée, hein, rien que pour nous. Il voulait se remettre en forme, le pauvre chéri, et puis crac, il est mort. Un AVC massif. Thrombolyse, embolisation, anticoagulants, rien n'y a fait…

Elle m'a raconté cent fois la mort de Michel, dit Mike, son dernier mari et probablement le plus aimé. Et comme avec l'âge les gens développent généralement une fascination morbide pour la maladie, je n'ignore plus rien de la fin de vie de ce pauvre Mike, qui a quand même végété trois mois à l'hôpital avant d'entrer sans violence dans la nuit miséricordieuse. N'ayant pas envie d'endurer une fois de plus le récit de son agonie, je la remets doucement sur les rails de notre conversation.

– Il y aurait assez de place pour ouvrir une sorte de salle de réunion, alors ?

– Mais oui, largement ! Nous pourrions faire des conférences ! Et des séances de, tu sais, tout le monde raconte sa vie, on pleure, on s'embrasse…

– Comme chez les Alcooliques Anonymes ?

– Mais non, quelle idée ! Il n'est pas question que nous acceptions les alcooliques !

– Mais si justement, Madame Goudge : nous devons accepter les alcooliques, les toxicomanes, tous ceux qui ont besoin de conseils pour remettre leur vie d'aplomb ! Rappelez-vous que Jésus prêchait d'abord pour les pauvres et pour les affligés, pas pour les heureux de ce monde.

Elle me dévisage comme si je lui ouvrais des perspectives entièrement inédites, et c'est peut-être le cas. Elle a beau avoir connu Jésus dans une autre vie, il ne lui est jamais venu à l'idée de pratiquer la pauvreté volontaire au lieu d'accumuler les richesses et de mener un train de vie fastueux. Aujourd'hui, je la sens prête à l'ascèse, mais c'est un peu facile de renoncer aux biens de ce monde quand on en a profité pendant plus de quatre-vingts ans. Comme elle semble avoir fait de moi son directeur de conscience, je m'efforce d'encourager et de guider ses élans de générosité vers des organismes d'utilité publique – là où elle aurait tendance à m'inonder de ses largesses.

– Nelly, je n'ai besoin de rien, merci.

– Mais le bébé, là, Flavie.

– Farah a tout ce qu'il lui faut.

– Lenny, tu vas me fâcher.

– C'est vous qui allez me fâcher, à me traiter comme si j'étais un miséreux.

Le fond de sa pensée, c'est qu'on est bel et bien un miséreux dès lors qu'on est obligé de travailler pour vivre, a fortiori dans une brasserie, puisque tel continue à être mon sort. Comme elle a cessé d'encaisser mon loyer depuis deux ans, je n'ai pas d'autre poste de dépense que la crèche. Hind me coûtait cher, mais Hind est partie, et j'ai plus d'argent qu'il ne m'en faut.

– Tu le veux, ce miroir ? Je l'ai acheté à Venise, dans les années soixante-dix. Je l'avais payé un bon paquet, à l'époque. C'est une antiquité, tu sais. Regarde ce travail, le cadre…

– Qu'est-ce que je ferais d'un miroir ? Je ne me regarde jamais.

– Tu sais quoi, j'ai tout ce lot de gravures, là, des Daumier. Tu devrais pouvoir tirer cent euros de chaque. Voire cent cinquante. C'est mon père qui avait ça. On les a retrouvées dans le chalet de Combloux.

– Nelly !

– Quoi, Nelly ?

– Arrêtez. Je ne veux rien.

Elle se fige au milieu de la pièce, avec une expression surprise et désolée. Je vois bien que je la frustre d'un des rares plaisirs qui lui restent, celui de donner sans compter, mais qu'y puis-je si je n'ai besoin de rien tandis qu'elle aspire enfin au dépouillement ? Je la sens d'autant plus malheureuse qu'elle a entretenu sa vie durant une relation très gratifiante avec les objets – les vêtements et les bijoux, bien sûr, mais aussi les tapis, les meubles, les vases, les tableaux... Aujourd'hui, ça ne lui dit plus rien de posséder, et elle erre entre guéridons Empire, dessertes en verre fumé, lampes signées et paires de flambeaux en bronze, sans ressentir ni émoi ni fierté. Je pourrais la plaindre, mais je réserve ma compassion à ceux qui n'ont jamais rien eu.

J'ai quand même accepté un vase Daum, avec des iris en pâte de verre, parce que la coïncidence avec le rêve prénatal de Hind me semblait trop belle pour être dédaignée. Un jour, j'expliquerai à Farah quel rôle ce récipient a joué dans sa conception, mais en attendant, il s'empoussière en haut d'une armoire et me renforce dans l'idée que je ne veux rien posséder – ni personne. Je veux juste créer un endroit où cesse la persécution, un endroit où les affligés seront consolés, où les doux obtiendront miséricorde au lieu d'être sans cesse bafoués dans leur douceur, et calomniés dans leur inoffensif désir de justice. Je veux juste répandre ma bonne parole, qui est divine comédie, fêtes galantes, légende des siècles et contemplations...

Nelly va permettre à mon rêve de devenir réalité. Juste retour des choses, puisque j'ai moi-même réenchanté la réalité poussive dans laquelle elle glissait à petits pas, sans autre perspective que la mort poudreuse. Finalement, il suffisait d'un projet, d'une Église à bâtir, d'une congrégation à rassembler, pour la guérir de sa mélancolie et lui redonner son humeur primesautière – en même temps qu'une libido hyperactive, hélas.

La loi du désir

Considérant qu'il s'agissait d'une variante de son propre prénom, Nelly m'a appelé Lenny dès notre première rencontre – tandis que je lui donnais respectueusement du Madame Goudge et persistais à la vouvoyer en dépit de sa tendre insistance. Nelly et Hind se sont toujours regardées en chiens de faïence, et une fois cette dernière sortie de ma vie, Nelly ne s'est pas privée de me dire tout le mal qu'elle en pensait :

– Ce n'était pas une fille pour toi, Lenny, crois-moi ! Déjà, elle était moche comme un pou !

– Ne dites pas n'importe quoi : Hind est magnifique !

– On ne peut pas être magnifique quand on a ces cheveux affreux ! On aurait dit de la paille de fer ! Et puis elle était vraiment trop maigre !

– Vous pouvez parler : vous pesez quarante kilos !

– Aujourd'hui peut-être, mais quand j'étais jeune, j'avais des formes. Alors que ta petite amie, elle était plate comme un garçon ! Non, crois-moi, tu es beaucoup mieux sans elle.

– Je suis atrocement malheureux sans elle, vous voulez dire !

– Arrête tes bêtises. Une de perdue, dix de retrouvées.

– Je ne veux retrouver personne.

– Eh bien tu as tort.

Comme je passe de plus en plus de temps chez elle, à concevoir des projets d'aménagement pour l'entresol, mais aussi à réfléchir catéchèse et liturgie, il était sans doute inévitable que notre relation se fasse plus intime, mais le jour où Nelly passe à l'attaque, je suis complètement pris au dépourvu.

– Lenny, ne me regarde pas comme ça !

– Je vous regarde comment ?

– Avec ces yeux de braise.

– Je n'étais même pas en train de vous regarder : je relisais le psaume 23 !

– À d'autres !

Voluptueusement lovée dans son fauteuil lounge en cuir et palissandre, elle me décroche une œillade clairement aguicheuse. On lui a tellement dit qu'elle avait de beaux yeux qu'elle en joue encore comme d'une arme fatale, papillonnant laborieusement de ces cils rigidifiés par le mascara.

– Tu me plais, tu sais ça ?

Je note machinalement qu'elle est sur son trente et un, flottant dans une longue robe de soie, assortie au bleu délavé de ses yeux. Il me semble aussi qu'elle est allée chez le coiffeur, histoire de redonner du lustre à la mousse rosée de ses cheveux. Sans compter qu'un trait de rouge à lèvres corail raye l'une de ces incisives.

– Vous me mettez mal à l'aise.

– Nous sommes faits l'un pour l'autre, Lenny. Ne le nie pas. Rien que nos prénoms…

– Quoi, nos prénoms ?

– Nelly, Lenny : c'était écrit, c'est tout.

Sans prévenir, la voilà qui abandonne son fauteuil pour venir se jucher sur mes genoux. Attrapant ma main, elle la glisse dans son décolleté et je sens son cœur cogner follement sous mes doigts. Qu'on ne s'y méprenne pas : je suis bouleversé par la candeur avec laquelle elle s'offre. Je suis en colère, aussi, car si la vie était bien faite, Nelly et moi serions de la même génération et filerions le parfait amour. Elle me sauverait du chagrin torpide d'avoir perdu Hind, elle me délivrerait des chimères comme des regrets, elle me rendrait pleinement heureux en embrassant mes obsessions lyriques et ma religiosité forcenée.

Sur mes genoux, la frêle Nelly pèse soudain tout le poids de ma frustration – et de ma rage contre les lois du désir. Passe encore d'avoir dû repousser celui de Sophie : je n'ai rien à voir avec Sophie, hormis le fait qu'elle a porté Farah dans ses entrailles, ce qui me semble très négligeable en regard de l'amour que j'ai pour Nelly et des éblouissements que nous partageons. Ce qui me tue, c'est précisément d'aimer Nelly sans pouvoir le lui manifester physiquement – et sans même savoir ce qui m'en empêche. Car autant l'adoration de Sophie me tétanise, autant Nelly m'inspire de la tendresse, du respect, de la gratitude, toutes choses qui en s'additionnant devraient me conduire à la prendre, là, sur ce fauteuil, ou à même le tapis. Non seulement elle ne demande que ça, mais elle s'est préparée dans cette perspective, s'aspergeant d'Heure Bleue, et troquant son habituelle brassière saumon contre deux triangles de mousseline noire et froufroutante. J'imagine que la culotte doit être à l'avenant, mais je n'ai aucune envie d'envoyer mes doigts dans l'entrejambe de Nelly et c'est bien là le problème.

Le temps passe, mais rien ne se passe. Ma main gît toujours mollement entre les seins de Nelly, là où son sternum fait une bosse crénelée et éclaboussée de lentigo. Son cœur bat toujours aussi vite, mais son sourire se fige et ses beaux yeux clairs rougissent – ce qui est sa façon de pleurer depuis que ses glandes lacrymales ont cessé de fonctionner.

– Lenny !

– Oui ?

– Fais-moi l'amour !

– Oui…

Je tente de nous relever l'un et l'autre, tout en laissant ma main dans son soutien-gorge, histoire de ne pas rompre brutalement le contact. Nous sommes debout, face à face, et les effluves sucrés de son haleine me parviennent par à-coups. Elle a dû sucer un bonbon, comme une adolescente en prévision d'un rendez-vous d'amour. Je l'attire doucement contre moi. Elle est si petite que j'ai le nez dans la masse vaporeuse de ses cheveux morts et l'odeur de plume brûlée qui s'en dégage. Le coiffeur a eu beau œuvrer à grand renfort de laque et de Babyliss, des pans de crâne rose luisent faiblement entre les boucles. Tous ces préparatifs, tous ces soins, pour que finalement je la tienne entre mes bras sans avoir la moindre envie de l'embrasser, de la caresser, de lui donner du plaisir et d'en prendre avec elle. Oui, la vie est injuste, mais il ne tient qu'à moi de réparer cette injustice, et étreignant Nelly, je m'efforce de puiser dans toutes mes ressources mentales pour obtenir une érection. Je risque même une petite prière, mon Dieu, mon Dieu, faites que je la désire. À ma décharge, il faut reconnaître que Nelly ne m'aide pas beaucoup. Bien qu'elle m'ait souvent parlé de ses appétits et de la qualité de ses ébats sexuels, elle n'a pas l'air de s'y connaître en préliminaires – à moins que son savoir-faire érotique ne soit resté en rade quelque part dans les années quatre-vingt, époque à laquelle elle a jeté ses derniers feux de vamp, séduisant et épousant Mike, aussi bon parti que bon coup, à en croire sa veuve :

– Il me faisait grimper aux rideaux, tu sais !

– Je n'en doute pas.

– Avec lui, c'était plusieurs fois par semaine, hein !

– Ah.

– Plusieurs fois par jour, même !

– Quel tempérament !

J'ai toujours renchéri poliment à ces vantardises naïves et peu vraisemblables – compte tenu de l'âge de Mike à sa rencontre avec Nelly, sans parler de son état de santé. Mais maintenant que nous voici dans le feu de l'action, je vois bien qu'il ne peut y avoir ni feu ni action avec Nelly – juste une étreinte maladroite et guindée, ses soupirs à elle et mes petites prières, à la limite du marchandage : Dieu, si j'arrive à lui faire l'amour, je te promets que je bâtirai une Église respectueuse de tes vrais commandements, un bercail où abriter tes brebis les plus fragiles. Dieu, laisse-moi jouir du corps de Nelly comme je jouis de son esprit, laisse-moi aimer le corps de Nelly comme j'aime sa gentillesse, son entrain et sa générosité. Dieu, toi qui sondes les cœurs et les reins pour rendre à chacun le fruit de ses actions, tu sais bien que Nelly et moi ne méritons pas de nous retrouver dans une situation aussi inutilement humiliante. Après tout, je ne demande pas grand-chose, je veux juste que ma queue se dresse. Fais-moi bander, et je me charge du reste, pénétrer Nelly et lui donner du plaisir, quitte à ce que je simule le mien.

En attendant que ma prière soit exaucée, je ferme les yeux et je concentre toutes mes pensées sur mon sexe inerte, espérant provoquer un afflux sanguin. Hélas, ma volonté est sans effet sur mon désir. J'ai beau vouloir, vouloir, vouloir, serrer les mâchoires et contracter mon bas-ventre, je n'ai jamais été plus éloigné d'une érection – sans parler d'une éjaculation. Si encore le corps de Nelly me dégoûtait, je pourrais comprendre mon absence absolue d'émoi charnel, mais tel n'est pas le cas. Autant j'ai pu être rebuté par la peau cireuse de Sophie, son cheveu pauvre et ses dents d'enfant, autant j'aime le nez aquilin de Nelly, son œil pervenche, la douceur de guimauve de ses bras et de ses cuisses. On pourra m'objecter que de façon instinctive mon corps a reconnu l'incapacité de Nelly à se reproduire, sans se laisser berner par ses charmes flétris. Peut-être, mais j'ai toujours cru que je valais mieux que mes instincts et que j'étais capable de les juguler. Sans compter que j'ai éperdument désiré Hind, avec qui je n'avais aucune chance de procréer. Il faut croire que mon instinct n'est pas infaillible, ou que le problème est ailleurs – mais où ?

Pour ne pas laisser la situation s'éterniser, je retrousse la robe de Nelly sur ses cuisses tremblantes, et baisse mon pantalon d'un même élan.

Frottant gauchement mon bassin au sien, j'entreprends simultanément de la pénétrer de l'index et du majeur, en espérant qu'elle n'y verra que du feu.

– Aïe !

– Je vous ai fait mal ?

– Euh, oui, un peu. Mais ça ne fait rien, continue !

Continuer, j'aimerais bien, mais mes doigts butent à l'entrée de son vagin sans en trouver l'accès. Pire, je sens que je lui fais un mal de chien en insistant, comme si ses chairs s'étaient définitivement refermées avec le temps.

– Ouille !

– On arrête, Nelly, si je vous fais mal.

Il me semble que nous tenons là une façon honorable de mettre un terme à cette séquence pénible, mais Nelly n'a pas l'air de cet avis. Au lieu de se rajuster comme si de rien n'était, elle se déshabille complètement, envoyant valdinguer robe et dessous chic sur le tapis d'Aubusson. Je devrais l'imiter, me débarrasser de mes vêtements avec la même pétulance juvénile, mais je suis pétrifié par l'horreur burlesque de la situation. Car elle se tient là, offerte, vulnérable, nue comme au jour de sa naissance – et si cette naissance n'avait pas eu lieu un demi-siècle avant la mienne, sans doute serais-je en train de lui brouter sauvagement le minou.

J'ai beau être accablé par un mélange de tristesse, de honte, de colère et de pitié, je ne peux pas m'empêcher de rire, non seulement à cette idée, mais à sa formulation incongrue – et évidemment héritée de Hind. Avant elle, non seulement je n'aurais jamais osé employer des termes aussi crus, mais les entendre ne m'excitait pas.

Victoire ! Là où ma volonté a échoué, le seul souvenir de ma langue dans les couilles nervurées de Hind est en passe de réussir : je sens mon sexe se raidir et se dresser. Ce frémissement de bon augure n'échappe pas à Nelly, qui esquisse un geste en direction de mon bas-ventre. Je ne verrais aucun inconvénient à baiser Nelly tout en pensant à Hind, à la fleur ouverte de ses aisselles, au renflement de ses seins, à sa cambrure duveteuse, à la perfection de ses fesses – et à sa verge grossissant dans ma bouche quand elle me laissait la sucer. Malheureusement, si excitant soit-il, ce diaporama ne suffit pas à maintenir mon érection, et ma supplique à Dieu prend une autre teneur : Dieu, par pitié, fais qu'elle se rhabille, fais qu'elle renonce d'elle-même, fais qu'elle se contente de croire qu'elle a réussi à me faire bander et qu'on en finisse.

Nous finissons effectivement par en finir : Nelly remballe tristement sa robe et ses dessous affriolants tandis que je remets mon pantalon et tâche de me composer un visage serein. Dieu est miséricordieux, c'est entendu, mais sa façon d'exaucer nos prières peut être extrêmement cruelle. Car Nelly pleure, cette fois avec de vraies larmes, qui diluent son maquillage vintage, ombre à paupières nacrée, blush corail – et ce mascara qu'elle s'obstine à appeler rimmel.

– Tu n'as pas envie de moi.

– Mais si !

– Ne mens pas ! Je suis trop vieille, c'est tout.

– Mais non !

Me voici incapable de prononcer autre chose que de pauvres syllabes, incapable même d'essuyer ces larmes, de bercer contre mon cœur ce chagrin que j'ai fait naître – mais à quoi suis-je bon, à part faire du mal aux gens qui m'aiment ?

– Mais pourquoi ?

– Pourquoi quoi ?

– Pourquoi est-ce que Dieu nous donne la beauté pour nous la reprendre ?

– Vous en avez bien profité, Nelly, vous me l'avez dit vous-même, que vous faisiez tourner les têtes, que vous aviez tous les hommes à vos pieds... Il faut juste que vous appreniez à faire sans, c'est tout.

– Mais je ne veux pas, moi !

– Estimez-vous heureuse : vous auriez pu être un laideron dès le départ. Et puis, je, enfin, ça n'a rien à voir... Je veux dire, si nous n'avons pas fait l'amour, ça n'est pas parce que je vous trouve trop vieille ou pas assez belle.

– C'est pourquoi, alors ?

– Vous-même n'aviez pas l'air d'en avoir très envie.

– Détrompe-toi.

Elle s'est rassise dans sa lounge chair, mais loin de s'y pavaner comme tout à l'heure, elle s'y blottit frileusement, traits affaissés, mains agitées, vivante image du désespoir.

– Nelly, il y a plein de choses que nous pouvons faire ensemble ! Il n'y a pas que l'amour, dans la vie !

Elle proteste, la bouche déformée par l'amertume :

– Si, bien sûr ! Quoi d'autre ?

– Enfin je veux dire, il n'y a pas que l'amour physique !

– C'est important, quand même ! Tu ne lui faisais pas l'amour, à ta petite amie, je ne sais plus comment elle s'appelait, la grande bringue, là, toujours habillée comme l'as de pique ?

Je ne lui réponds pas, mais je laisse les images revenir à moi, Hind allongée sur le lit par une nuit trop chaude, le corps luisant de sueur, le regard provocant, les jambes impatientes...

– Je bois dans ta déchirure, j'étale tes jambes nues, je les ouvre comme un livre où je lis ce qui me tue...

– Oh, c'est beau, ça ! C'est de qui ?

– Georges Bataille.

– Ah bon ? Je ne connaissais pas.

Rien de tel qu'une citation : si j'avais voulu distraire Nelly, je n'aurais pas pu mieux faire. Une expression de ravissement passe sur son visage, et nous revoilà en train de parler poésie. Comment faire comprendre à Nelly que c'est elle qui aura eu droit au meilleur de moi-même, et non pas Hind ? J'étais trop amoureux pour être un bon amant, trop soumis, trop inhibé par le sentiment de ma chance et la crainte de ma chute imminente. Je suis bien meilleur dans la conversation et dans la prédication.

Pilgrim's progress

L'Église de la Treizième Heure ouvre ses portes alors que Farah vient de fêter ses deux ans. Deux ans, c'est à peu près le temps qu'il nous a fallu, à Nelly et à moi, pour rédiger nos statuts, aménager l'entresol en lieu de culte, et surtout faire connaître notre congrégation *urbi et orbi*. Nelly est morte quatre ans plus tard, et je crois pouvoir dire que notre collaboration et notre investissement dans ce projet l'ont rendue mille fois plus heureuse que ne l'aurait fait la relation sexuelle dont nous étions incapables. Et de toute façon, si l'amour physique avait vocation à nous rendre heureux, ça se saurait – depuis le temps.

Nelly est morte en me laissant une partie de son patrimoine. Le reste est allé à une fondation de défense des animaux, au grand dam d'un petit-cousin de Mike, qui avait des prétentions infondées à la succession – et qui les a encore, si j'en juge par ses courriers calomnieux et ses tentatives répétées d'infiltrer les rangs des treiziémistes.

Sans l'argent de Nelly, sans son immeuble parisien, la Treizième Heure aurait connu des débuts moins flamboyants – mais plus conformes à mon vœu intime de dénuement. Je continue d'ailleurs à vivre tout aussi frugalement que quand j'étais pauvre. Quant aux membres de la communauté, ils ignorent qu'elle est assise sur un tas d'or, et sont sommés de contribuer à son fonctionnement. C'est ainsi que nous fabriquons et vendons des carillons, des ex-voto, des pains aux fleurs, des attrape-rêves, des braseros et des cierges à trois mèches.

Je commence toutes mes journées en allumant l'un de ces cierges et en adressant à Nelly des mots d'amour et de gratitude. Car je lui dois beaucoup plus que ma subsistance matérielle et celle de ma congrégation. Je lui dois de m'avoir sauvé d'un chagrin trop grand pour moi. J'aurais probablement fini par me sauver tout seul, ne serait-ce que pour Farah, mais sans Nelly, mes années de pèlerinage auraient été beaucoup plus arides et surtout beaucoup moins lyriques. Car j'avais beau aimer passionnément la poésie, je suis resté longtemps insensible à la musique. J'en voulais même à Kenny de m'imposer la sienne quand nous étions ados et qu'il écoutait à fond les Stones ou les Pixies, sans plus d'égard pour mes oreilles que pour les protestations scandalisées de nos parents. Je pouvais être ému par les paroles d'une chanson, mais rarement par sa mélodie.

Jusqu'à ma rencontre avec Hind, c'est exclusivement par la danse que j'ai maintenu un lien ténu avec la musique, puisqu'à défaut d'en écouter, j'aimais danser. Dans ce domaine comme en d'autres, j'ai évidemment et passivement adopté les goûts de Hind, ce mélange de chanson réaliste, de variété française, de raï et de musique noire américaine. Comme elle était absolument réfractaire au rock, j'ai rengainé des prédilections aussi rares que fragiles, la vague tendresse que j'avais pour Cure ou ma conviction qu'on ne pouvait pas ne pas aimer les Beatles. À leur seule évocation, Hind avait les yeux qui lui sortaient de la tête :

– Les Beatles ? Mais comment peut-on écouter ça ? C'est horrible ! J'ai jamais compris…

– « Horrible », tu exagères.

– Pas du tout. J'ai envie de mourir quand j'entends, je sais pas moi, « Penny Lane », ou le truc, là, oh lali, oh lala…

– Je vois pas.

– Tant mieux pour toi.

Avec Hind, et pour elle, je me suis donc scrupuleusement astreint à écouter Michael Jackson, Dalida, Piaf, Marvin Gaye, Aznavour, Goldman, Berger, Stevie Wonder, Khaled ou Cheb Mami – sans compter un certain nombre de musiques de films, qui avaient le don de la mettre en transe tandis que je me battais les flancs pour éprouver quelque chose – mais quoi ? À défaut d'aimer la musique, j'aimais en observer les effets sur elle, sa joie palpable quand elle écoutait Michael, et son expression d'intense recueillement quand c'était Piaf ou Ferré. Pourtant c'est à Nelly et non à Hind que je dois ma première émotion musicale.

– Tu ne voudrais pas aller à l'Opéra avec moi, Lenny ?

– Je ne suis pas sûr que ça me plairait, l'opéra.

– Tu n'y es jamais allé ?

– Non.

– Oh, mais comment ça ? Enfin, il faut y aller au moins une fois dans sa vie, voyons !

– Je ne suis pas très musique.

– Tss-tss, avec ta sensibilité, je ne peux pas croire que tu n'aimes pas la musique ! Laisse-moi faire : j'ai un abonnement. On va commencer par un Verdi : tout le monde aime Verdi.

Pour une initiation, il faut croire que Wagner fait aussi bien l'affaire que Verdi, puisque nous nous retrouvons un soir à la première de *Tannhäuser*, dont Nelly m'a très confusément résumé l'argument. Emballé par la beauté des lieux, je suis parfaitement disposé à m'intéresser à Wolfram ou à Elisabeth, mais je dois dire que l'ouverture me laisse tout aussi froid que la voix suave de Marvin Gaye, les roucoulades virtuoses de Khaled, ou l'harmonica mélancolique de Morricone. J'ai d'autant plus de mal à me mettre dans le bain, que Nelly presse mon coude avec enthousiasme et ne cesse de me couler des œillades complices, persuadée que je partage son émotion. Or, je m'ennuie. Tannhäuser, par ses airs de viveur lassé, me rappelle fâcheusement mon frère, et je ne parviens pas à suivre ses échanges avec Vénus dans un lupanar rougeoyant – le Venusberg, à en croire Nelly, mais ça ne m'avance pas beaucoup.

Changement de décor. Nous sommes désormais dans une forêt de sapins noirs et de hêtres bleus. Un pâtre chante. Je m'ennuie toujours, et puis soudain plus du tout, car un chœur s'élève, des voix d'hommes qui me bouleversent immédiatement. Aux premiers frémissements de violons, ma poitrine se fissure, quelque chose cède en moi, un nœud d'angoisses et de chagrins accumulés depuis le départ de Hind. Les larmes brouillent ma vue – à quoi bon y voir, alors que j'entends ?

Comment ai-je pu aimer aussi passionnément la poésie et rester sourd à la musique, je n'en sais rien, mais j'accueille cette deuxième révélation avec autant d'émotion que la première – ce coup de gong dans mon cerveau d'enfant, cette levée d'écrou, ce saut définitif dans l'absolu de la beauté. Toujours aveuglé par les larmes, je sens la main de Nelly agripper la mienne tandis que les voix enflent et se font nuée orageuse sans rien perdre de leur douceur. Je n'ai pas besoin de comprendre l'allemand pour les comprendre, car ce qu'elles chantent, je l'ai toujours su, même si le chagrin me l'a fait perdre de vue. Elles chantent la plénitude de la vie, le triomphe de l'être et la certitude d'une délivrance. Renversé sur le velours cramoisi des coussins, je cesse d'être moi pour devenir un atome de joie pure, une vibration qui part à la rencontre du chant des pèlerins, dans cette forêt de pacotille que j'ai cessé de voir, comme j'ai cessé de voir les dorures de la grande salle et de percevoir la présence des autres spectateurs, Nelly comprise. Seule la musique me traverse, comme un acte de magie active.

Si je n'avais pas déjà la foi, sans doute s'abattrait-elle sur moi ; si je n'étais pas déjà infusé d'astres et converti aux grandes odes par des années d'extase poétique, sans doute en aurais-je la révélation, là, sur-le-champ. Mais il faut croire que la déflagration de ce soir est encore d'un autre ordre puisqu'elle arrache brutalement mon esprit à mon corps, l'envoyant rejoindre au plafond les fantaisies lyriques de Chagall, leur gaieté et leur innocence sans mélange. De toutes les sensations qui me bombardent simultanément, c'est le soulagement qui prédomine – le soulagement d'avoir abandonné une enveloppe corporelle trop exiguë et des fonctions cognitives qui ne m'auraient pas permis de traiter toutes ces données nouvelles : ma projection dans une géométrie alternative, mon sentiment de communier avec la totalité de la création, et ma conviction que plus rien n'échappe à ma connaissance.

En moi et hors de moi, voix et violons poursuivent leur ascension solennelle vers une joie de plus en plus parfaite, et avant même que le chœur n'éclate en alléluias, ils ont déjà résonné en moi, comme la promesse d'une jubilation perpétuelle, dans cette langue que je fais mienne, moi qui n'ai plus ni langue ni poumons, en cet instant qui coïncide avec l'éternité – Alleluia in Ewigkeit !

Sans heurt, je réintègre mon corps – mon corps trop humain pour cette ineffable expérience de souveraineté, mon corps qui m'en aurait privé si Wagner ne m'avait pas violemment soustrait à la matérialité, aux lois de la pesanteur et aux exigences de l'intellect. Je réintègre mon corps, et je m'efforce de suivre les tribulations de Tannhäuser sur la scène de l'Opéra Garnier, sans douter un instant qu'il échappera à la damnation comme je viens moi-même d'y échapper. Portant la main de Nelly à mes lèvres, je m'efforce de la remercier silencieusement pour la grâce qui vient de me toucher, moi l'avorton, moi qui me consumais dans mon enfer de regrets – regrets sur quoi l'enfer se fonde, qu'un ciel d'oubli s'ouvre à mes yeux ! Mes regrets sont toujours là, mais ils ont perdu le pouvoir de me hanter. Ce soir-là à Garnier, non seulement je ne suis plus torturé par le souvenir de Hind, mais mon cœur tressaille d'allégresse. Il m'est donné de voir ma vie renaître, aussi miraculeusement que le bâton pastoral de l'opéra wagnérien, en une même inexplicable et miraculeuse reverdie. Offrande, offrande et faveur d'être !

Si Hind était là, je lui pardonnerais instantanément tout le mal qu'elle m'a fait et qui n'est rien en regard de tout le bien que j'ai reçu et que je n'aspire qu'à rendre au centuple. Si Hind était là, je lui dirais, prends, ceci est mon corps – parce qu'un corps, finalement, ce n'est pas grand-chose. Je lui dirais, bois, ceci est mon sang. Je lui dirais surtout, mon sang, c'est la fontaine ardente du bonheur.

Proof of Heaven (II)

J'ai évidemment pensé à Tannhäuser, quand j'ai vu arriver les premiers expérienceurs à la Treizième Heure – à commencer par Marsiella, ma fidèle comparse, l'autre pilier de la congrégation, celle sans laquelle j'aurais dix fois jeté l'éponge.

Elle entre dans mon bureau alors que Nelly vit encore mais n'est plus en état de me prêter son concours. Je me retrouve seul à la tête de la communauté, toujours porté par la grâce, mais accablé par ma solitude. Marsiella est tombée sur l'un de nos flyers, a visité notre site, et s'est dit que la Treizième Heure pouvait être un lieu pour elle. Elle se présente à moi avec la modestie qui la caractérise, sans se targuer de ses brillantes études ni de son poste à responsabilités dans une florissante banque d'affaires. Elle ne s'appelle pas encore Marsiella, mais elle est déjà bien décidée à oublier son prénom d'origine. C'est d'ailleurs Marsiella qui me soufflera l'idée de baptiser les membres de la congrégation – ou plutôt de les débaptiser pour qu'ils renaissent en tant que treiziémistes, en une cérémonie que nous avons mis des années à peaufiner dans les moindres détails, histoire qu'elle ne ressemble pas à ce qui se pratique chez les chrétiens évangéliques ou autres born again.

Des idées, Marsiella n'en manque pas, comme je ne vais pas tarder à m'en apercevoir, pour mon plus grand bonheur et pour celui de la congrégation. Tout se passe comme si le Ciel m'envoyait un nouvel ange gardien, pour suppléer au déclin de Nelly – dont les moments de lucidité sont de plus en plus rares. Quand je monte la voir, je la trouve généralement en grande conversation avec Jésus de Nazareth, ou du moins sa version personnelle de Jésus de Nazareth. Le moins qu'on puisse dire, c'est qu'il la rend très heureuse, tout juste si elle me reconnaît et prend la peine d'interrompre son activité masturbatoire à mon arrivée. J'ai déjà renvoyé deux auxiliaires de vie que j'avais surprises en train de grommeler – quand elles n'essayaient pas de priver Nelly de cette inoffensive consolation. Anna, la dame de compagnie, se contente de quitter discrètement la pièce, avec un sourire gêné à mon intention. Il faut croire qu'elle est tout aussi convaincue que moi qu'il n'y a pas de mal à se faire du bien, surtout si on a quatre-vingt-cinq ans et plus toute sa tête. Anna a d'ailleurs rallié nos rangs dès le début, et sans avoir les qualités hors du commun de Marsiella, elle n'en est pas moins une recrue précieuse.

Le jour où je la rencontre, Marsiella me parle d'emblée de son expérience de mort imminente. C'est même la raison de sa présence dans mon petit bureau. Plutôt que de mort imminente, mieux vaut d'ailleurs parler de mort partagée, Marsiella ayant assisté à l'agonie d'une amie très chère.

– Quand on l'a admise en soins palliatifs, j'étais là tous les jours. À la fin, elle n'était plus consciente, mais je lui tenais la main et je lui parlais. Et puis il y a eu ce moment où sa respiration est devenue comme une sorte de ronflement, ça a duré à peu près une heure, et tout d'un coup, j'ai senti que je quittais mon corps et que j'étais happée par un courant, comme un souffle. Je me suis laissée porter, et j'ai retrouvé Solène – elle s'appelait Solène. Je ne la voyais pas vraiment, enfin, pas avec mes yeux, mais je savais que c'était elle et elle savait que c'était moi. On s'est embrassées... Là encore, embrasser n'est pas le mot juste, puisque nous n'avions plus de corps, mais j'ai senti son étreinte et je la sens encore. Nous avons commencé à avancer ensemble dans une espèce de tunnel, très lumineux... Des gens chantaient. En tout cas, on entendait une musique, très belle, que je ne peux pas qualifier autrement que de « céleste », même si ça fait cliché.

J'ai compris que Solène était en train de mourir, que moi je l'accompagnais dans l'au-delà, et que c'était très bien comme ça. Parce que je ne m'étais jamais sentie aussi heureuse, aussi en paix, avec moi-même, avec le monde, avec Solène, aussi. Les derniers temps de sa maladie avaient été très durs, pour elle bien sûr, mais aussi pour nous deux. Elle m'aimait, mais elle ne pouvait pas s'empêcher de m'en vouloir d'aller bien. Et surtout, elle s'inquiétait beaucoup de ce que j'allais faire après sa mort. Elle ne supportait pas l'idée que je puisse retomber amoureuse. Je comprenais, bien sûr, et je ne lui en ai pas voulu, enfin si, quand même un peu. Il nous restait si peu de temps, et elle le gâchait avec des crises de jalousie et des explosions d'amertume, je ne la reconnaissais plus. Alors que là, tout d'un coup, je la retrouvais, la Solène d'avant, celle qui n'était ni jalouse, ni égoïste, ni mesquine. J'ai revu tous les moments de notre histoire, tous, même ceux auxquels je n'avais jamais repensé, ceux qui n'étaient même pas dans mes souvenirs conscients. Ça n'a sans doute duré que quelques minutes, mais durant ces quelques minutes, j'ai reparcouru douze ans de vie. C'était très beau, très doux, et je me suis dit, voilà, c'est la fin, nous sommes ensemble, c'est bien. Rien ne me semblait plus souhaitable que de mourir avec elle, d'abord pour ne pas la perdre, mais aussi pour rester dans ce monde merveilleux, pour être délivrée de mon corps, de mes faiblesses, de mes inquiétudes. C'est difficile de vivre, finalement. On n'est pas tous à la hauteur de cette difficulté. J'avais cru l'être, mais à cet instant précis, j'ai eu envie de déposer le fardeau. C'est Solène qui m'en a dissuadée. Je l'ai entendue très nettement me dire : reste en vie, reste en vie et fais quelque chose de cette vie. C'est son amour qui m'a enveloppée et propulsée à l'extérieur du tunnel. Quand j'ai réintégré mon corps, Solène avait cessé de respirer. Voilà.

Contenant mon émotion, j'attrape sa main par-dessus le bureau de palissandre que m'a offert Nelly, et je lui dis :

– Moi aussi, je veux faire quelque chose de ma vie. Cette Église, c'est ça – c'est pour ça.

Marsiella, qui ne s'appelle pas encore Marsiella, m'adresse un sourire radieux et serre ma main en retour. Je ne le sais pas encore, mais nous venons de nouer un pacte qui ne prendra fin qu'à notre mort – si tant est que la mort existe, puisque ni elle ni moi n'y croyons plus. Je ne lui parle pas de ma soirée à l'Opéra, et je n'en ai d'ailleurs jamais parlé à personne, mais son souvenir extasié me guide encore sur la voie d'une compréhension toujours plus bienveillante de mes frères humains. Sans compter que notre Église organise chaque année un cycle de conférences sur l'expérience de mort imminente – expérience que j'ai décidé d'étendre à tous nos adeptes, tant j'en constate les bienfaits sur ceux qui l'ont traversée. Ce n'est encore qu'un projet, mais j'ai bon espoir de le mener à bien sans faire courir de risque à quiconque, évidemment. Il s'agit de les amener aux portes de la mort, pour qu'ils y puisent les mêmes certitudes heureuses que Marsiella, et pour qu'ils en ressortent dotés de la même capacité d'empathie et des mêmes pouvoirs calmants. Pour ce faire, je compte sur les effets psychotropes de la DMT – mon seul problème étant que je n'ai pas de DMT et ne sais pas comment m'en procurer sans enrichir les narcotrafiquants. Il faudrait que nous arrivions à la synthétiser nous-mêmes, et j'ai mis nos chimistes sur le coup, sans grands résultats pour l'instant.

Au moment où je rencontre Marsiella, j'ignore encore tout de la DMT, et la Treizième Heure fête ses quatre ans d'existence – une existence bien trop végétative à mon goût. Si l'idée était d'accueillir tous ceux qui sont à bout de souffle, alors je devrais m'estimer satisfait, mais le problème c'est que nos premières recrues sont trop mal en point pour donner de l'élan à la congrégation. Ils se contentent d'assister aux offices, frileusement et muettement blottis sous ma chaire en bois sculpté du XIXe, un autre cadeau de Nelly, évidemment. Je ne leur en veux pas, au contraire : leur désarroi me conforte dans l'idée qu'il leur faut un endroit où abriter tant de faiblesse, un endroit où reprendre espoir.

L'espoir, je le vois fugitivement briller dans leurs yeux quand nous récitons du Nerval à l'unisson : La Treizième revient, c'est encore la première et c'est toujours la seule ou c'est le seul moment, car es-tu reine ô toi la première ou dernière, es-tu roi toi le seul ou le dernier amant ? L'alexandrin agit sur eux comme un mantra, à moins qu'ils ne soient traversés par la prémonition d'une royauté secrète, fragile et encore à venir.

Sans aimer ni même vraiment connaître la poésie en général et Nerval en particulier, Marsiella n'a jamais remis en question mes choix liturgiques. Au contraire, elle s'est plongée dans les anthologies avec enthousiasme et y a fait des trouvailles vivifiantes, Sappho ou Agrippa d'Aubigné, par exemple, que nous avons très vite mis en circulation au sein de la confrérie. Pour être juste, je dois admettre que la contribution la plus précieuse de Marsiella ne tient pas aux textes qu'elle a judicieusement exhumés, mais plutôt à la façon dont elle a pris à bras-le-corps le problème du recrutement de nos adeptes. Rompue aux nouvelles technologies, elle a su installer la Treizième Heure sur les réseaux sociaux, et nous doter d'outils de prospection beaucoup plus efficaces que le démarchage à domicile.

Pour autant, je n'ai jamais renoncé à grimper les étages, Farah sur mes talons, histoire de porter la bonne parole jusque chez les gens. J'aime ce moment où ils m'ouvrent, baissent leur garde, me laissent entrer dans leur salon, m'offrent un verre d'eau ou du café. J'ai développé tout un art de l'observation, histoire de savoir si je dois commencer par les écouter, ou me lancer immédiatement dans mon discours amoureux. Car c'est bien d'amour qu'il s'agit, même s'il s'avance masqué, ou plutôt dépourvu des oripeaux flatteurs de la romance.

Il faut bien reconnaître que la plupart du temps, mes catéchumènes ont d'abord besoin de déverser sur moi un flot de jérémiades aigries. Je ne sais par quelle aberration un romancier a pu écrire que toutes les familles heureuses se ressemblaient et que toutes les familles malheureuses l'étaient à leur façon, car j'ai pu vérifier cent fois que c'est exactement l'inverse. Le malheur des uns ressemble au malheur des autres, et il s'exprime avec les mêmes pauvres formules : ah, si vous saviez, mon pauvre monsieur, je suis bien malheureux·se, c'est trop dur, je n'y arrive plus, autant en finir, pff, la vie, la vie c'est quoi, hein, on naît, on souffre, on meurt, je souffre trop, moi, c'est plus possible, mon Dieu mon Dieu, ah, misère…

Ils n'arrivent pas plus à vivre qu'ils n'arrivent à dire l'impossibilité de cette vie ; ils en sont réduits à des exclamations, à des bouts de phrases, et c'est là que j'interviens, parce que contrairement à eux, j'ai des mots pour la difficulté d'être et pour la douleur d'être au monde. Je n'ai aucun mérite à les avoir, vu que ce ne sont pas les miens mais ceux des poètes – ces derniers ayant sur les romanciers l'avantage inestimable de ne pas écrire à la truelle, avec un début, un milieu, une fin. La poésie ne se laisse pas plus que la vie tronçonner en chapitres ou en épisodes. Je ne suis même pas sûr qu'il soit indispensable de l'attribuer à un auteur plutôt qu'à un autre. À la Treizième Heure, nous récitons du Nerval, du Rimbaud et du Ronsard en un même flux intarissable et indistinct. Si nous sortons réconfortés de cette récitation, c'est parce qu'elle nous connecte directement à nos émotions les plus puissantes, sans l'intermédiaire encombrant de l'auteur, ses postures embarrassantes ou le folklore de sa biographie.

Selon Farah, je suis de mauvaise foi, et ma haine du roman est totalement infondée, mais il me suffit de penser à Flaubert pour me convaincre que je suis dans le vrai et m'ôter toute envie de lire *Madame Bovary*.

– Je vois pas en quoi la vie de Flaubert est plus dérangeante que celle de Nerval ! Au moins, il s'est pas pendu à une grille d'égout !

Elle a parfaitement raison, mais je déplore que sa raison la conduise à préférer les chiens noirs de la prose aux rutilements du vers. Sans parler d'expérience, je vois bien que la lecture de romans est une activité abrutissante, dont ma fille s'extirpe à grand-peine pour revenir à la réalité – alors que la lecture ou l'écoute d'un poème est une méditation active, dont on ressort plus fort et plus vivant. Il n'y a qu'à voir mes paroissiens : autant ils arrivent à la messe en traînant les pieds, accablés par le ressassement de leur misère, autant ils en sortent la poitrine ouverte, le regard brillant et les traits détendus. Je n'y suis pour rien : c'est Baudelaire ou Éluard qui leur fait cet effet. Mes sermons ne font qu'enfoncer le clou dans des cerveaux que la beauté a enfin rendus disponibles et perméables à la Bonne Nouvelle.

Il n'en reste pas moins que ces sermons sont nécessaires pour déconstruire les idées dont on a intoxiqué leur esprit depuis l'enfance. Le Royaume du Ciel existe, mais pour les en persuader, mieux vaut les maintenir en permanence dans un bain d'informations et d'activités diverses : nos messes poétiques, nos conférences Proof of Heaven, mais aussi nos ateliers de déparasitage psychique et nos concerts de carillons – qui ont la vertu de libérer les émotions bloquées. Quand sonnera la Treizième Heure, qui est aussi l'heure de nous-mêmes, elle nous trouvera bien éveillés, tous nos sens en alerte, absolument prêts pour le triomphe de l'amour.

Que ma joie demeure

L'heure de nous-mêmes a sonné.

Non, pas encore – hélas, trois fois hélas. Mais nous y travaillons. Et moi plus que quiconque. D'autant que les signes s'accumulent pour nous avertir que la fin est proche. Je suis intimement persuadé que cette fin fera un bon début, car c'est parfois quand tout est perdu que l'on se découvre des forces insoupçonnées. Quand nous aurons été décimés par les virus, chassés de chez nous par la guerre ou la montée des eaux, affamés par la désertification de nos terres et la disparition de nos bêtes, peut-être entendrons-nous enfin le message que Satan s'ingénie à brouiller – avec l'aide très efficace des GAFAM et des NATU.

L'heure de nous-mêmes n'a pas encore sonné, mais elle est imminente, et c'est fort de cette conviction que je monte en chaire, jour après jour, pour inciter les treiziémistes au soulèvement.

– Mes amis, des comme vous le siècle en a plein ses tiroirs ! On vous solde à la pelle et c'est fort bien vendu. Vous êtes de la chair à tout faire, une sorte de matériel courant, de brique bon marché. Avec vous pas besoin d'y aller de main morte, vous êtes ce manger que les corbeaux emportent, et vos rêves les loups n'en font qu'une bouchée.

Je commence avec Aragon, et je les sens frémir, de la joie d'être compris, démasqués dans leur faiblesse et leur indignité. Le problème avec mes ouailles, c'est qu'ils se contenteraient bien de cette compréhension, et que s'ils viennent à la Treizième Heure, c'est pour déballer des humiliations et partager des défaites. S'il ne tenait qu'à eux, ils en resteraient là, heureux de goûter à la chaleur du troupeau, de barboter dans le même lisier, vaguement honteux de le trouver confortable, et incapables de transformer cette honte en rage contre les puissances établies. Leur rage à eux se soumet tout de suite : il suffit qu'on leur parle un peu ferme ou qu'on tonne un peu fort – à moins qu'elle ne se soit muée dès l'enfance en résignation amère : à quoi bon agir puisque ce sont toujours les mêmes qui raflent la mise pendant que les autres boivent le bouillon ?

Même si je la comprends, je ne me résigne pas à leur résignation, et surtout, je sais qu'ils valent mieux que l'idée qu'on pourrait s'en faire, à les voir venir à l'église comme ils iraient au garage – pour une bonne révision comportementale. Je sais aussi qu'ils valent mieux que la somme de leurs symptômes, même s'ils s'accrochent à ces derniers comme à des amulettes sacrées – leur hypertension, leur asthme, leur colopathie, leur lombalgie ou leur cholestérol… Quand ils m'ouvrent leur porte et me reçoivent dans leur salon, ils finissent tôt ou tard par me tendre des liasses de prescriptions ou d'analyses médicales, parce qu'aller chez le médecin et suivre un traitement, ça occupe – sans compter que c'est une façon d'exister qui nécessite peu d'efforts et peu d'imagination. Que cette façon d'exister fasse les beaux jours du complexe médico-industriel, voilà qui les laisse froids comme des concombres. Ils souffrent. Qui suis-je pour nier l'existence et l'intensité de cette souffrance ? Qui suis-je pour tenter de la relativiser avec mes considérations sur le capitalisme ?

Qui suis-je ? La question mérite d'être posée, en effet – et je dois reconnaître que l'éventualité que je sois Dieu m'a traversé l'esprit, en dépit du peu de cas que je fais de ma personne. Après tout, nous attendons son retour, et moi le premier. Ayant choisi la paille d'une mangeoire à son premier avènement, le Christ aurait très bien pu opter cette fois-ci pour une modeste clinique parisienne.

Pour clore le sujet, disons que si j'étais Dieu, je le saurais. Mon Père m'aurait averti de ma nature divine – et s'il ne l'avait pas fait, j'en aurais eu la conviction intime et indéboulonnable. Non, je ne suis pas Dieu, même si les treiziémistes aimeraient le croire, parce que ça leur faciliterait la vie, et qu'ils accueillent avec complaisance tout ce qui leur évite de réfléchir et de prendre des décisions. Je ne suis pas Dieu, et si j'en crois des années de recherches infructueuses et d'erreurs déshonorantes, personne ne l'est.

Dieu n'existant pas, il va falloir faire sans. De la part du fondateur d'une Église, ce constat peut sembler étrange, mais il se double de la certitude que si Dieu n'est personne, il est vraisemblablement quelque chose. Quelque chose a parlé dans le désert, des siècles avant notre ère, sans doute un buisson ardent, à moins que ce ne soit une nuée d'étourneaux, une tempête de sable ou une source gouttant au creux d'un rocher – le désert est l'endroit ad hoc pour les révélations. Quoi qu'il en soit, la révélation ardente s'est muée en tablettes de pierre et en commandements vétilleux, jusqu'à ce que le Fils de Dieu s'en empare. Comme il était aussi le Fils de l'Homme, il en a fait la grande loi de l'amour, celle que je veux répandre à travers le monde, avant que le monde n'aille à sa perte : ai-je vraiment besoin de Dieu pour ça ?

Je sais que je passe pour un illuminé, y compris aux yeux de ma propre fille, qui m'applique sans états d'âme ses grilles de lecture scientistes – quand elle n'essaie pas d'évaluer en douce mon fonctionnement psychologique et relationnel. À chacun ses marottes : j'ai la poésie, Farah a ses échelles numériques, ses items et ses scores. Tant mieux si ça la rassure, mais je doute qu'elle capture quelque vérité que ce soit avec ses classifications, ses normes et ses systèmes. La vérité peut apparaître en transparence entre deux alexandrins, mais elle ne se laissera jamais fixer par quelque échelle de cotation que ce soit.

C'est pourtant au nom de la vérité que ma fille m'a déclaré la guerre. Il y a un an seulement, j'étais son héros, et elle aurait sauté à la gorge du moindre de mes contempteurs ; aujourd'hui, elle ricane dès que j'ouvre la bouche et persifle tous les projets de ma congrégation. Seule Marsiella trouve encore grâce à ses yeux, et c'est par Marsiella que je dois passer si je veux communiquer avec mon unique enfant, ou tâcher de comprendre ce qu'elle a dans le crâne.

– Elle me déteste.

– Mais non.

– Si, je t'assure. Elle ne supporte même plus d'être dans la même pièce que moi.

– Bon, d'accord, elle te déteste. Mais d'une, ça lui passera, et de deux, je trouve ça plus sain que de t'idolâtrer. Ce qu'elle a fait longtemps, rappelle-toi. Et puis, c'est dans l'ordre des choses de détester ses parents à seize ans.

– Je suis sûr qu'elle adore sa mère.

– Tu n'en sais rien. Elle ne l'a vue qu'une fois, et je n'ai pas l'impression que ça se soit bien passé entre elles.

– Je le sens.

– Ce que tu sens, c'est la permanence de ton adoration à toi – pour une femme qui ne t'arrive pas à la cheville, si je peux me permettre.

– Toi aussi, tu ne l'as vue qu'une fois : c'est peu pour porter un jugement.

– Je ne l'ai vue qu'une fois, mais ça m'a suffi. Je t'ai suffisamment fréquenté pour savoir qu'elle t'a bousillé. Et qu'elle a bousillé Farah aussi.

– Il n'empêche que c'est à moi que Farah en veut.

– Pour qu'elle cesse de t'en vouloir, il faudrait peut-être que tu commences par lui dire la vérité.

Marsiella a beau être supérieurement intelligente, elle non plus n'a toujours pas cerné la nature exacte de la vérité. Elle est comme la plupart des gens, cramponnée aux évidences et incapable de se désaxer pour voir les choses sous un angle neuf. Pour bien faire, selon elle, il faudrait que je dise à Farah que sa mère est un homme – ou que sa mère est son père, comme on voudra. Et puis tant qu'on y est et toujours pour bien faire, il faudrait que j'ajoute qu'elle-même est un garçon.

Je ne sais même plus ce que j'ai raconté à Farah ni sous quels tombereaux de fariboles j'ai enseveli ce que Marsiella appelle la vérité. Je sais juste qu'à chaque fois que j'aurais pu clarifier la situation, j'ai préféré les faits alternatifs à de sordides histoires de gonades, d'hormones ou de chromosomes. Ce faisant, il me semble avoir protégé tout le monde. Je regardais ma fille, j'écoutais ses questions naïves, et une immense fatigue me prenait à l'idée de lui parler de transidentité ou d'insensibilité aux androgènes.

De toute façon, si Farah préférait la réalité à la fiction, elle ne lirait pas plus de romans qu'elle ne suivrait de séries. Or, c'est désormais l'essentiel de son activité. Je devrais m'estimer heureux qu'elle continue à lire au lieu d'avoir été complètement happée par Netflix ou OCS, mais cette idée ne me console pas. Je n'ai pas élevé mon enfant pour qu'elle passe son temps dans des mondes imaginaires et à peine crédibles. Si encore ces mondes étaient sa création ; si seulement elle vivait dans sa propre fantasmagorie ! Mais non, elle se laisse imposer des univers et des scénarios pauvrement formatés par d'autres cerveaux que le sien. Entendons-nous bien, je n'ai rien contre la fantasmagorie, à condition qu'elle ne nous détourne ni de la réflexion ni de l'action collective. Le problème, c'est qu'on se satisfait très bien de l'état de la planète quand on n'y passe que quelques heures par jour.

Si je pensais avoir communiqué à ma fille mon sentiment de révolte et ma fièvre missionnaire, je me suis bien trompé. Farah est tout aussi aboulique

que les autres treiziémistes et tout aussi peu disposée à changer de vie – sans parler de changer la vie, la sienne et celle de tous les opprimés. À croire que je ne l'ai pas biberonnée à l'amour fanatique de la Création et au rejet viscéral de toute injustice ; à croire que je ne l'ai pas éduquée dans l'idée que nous étions sur Terre pour faire le Bien au mépris de nos intérêts propres et de notre petit confort personnel ; à croire que j'ai échoué à être un père comme j'ai échoué dans tout le reste.

– J'ai quelque lassitude – est-ce l'heure, est-ce l'âge – à faire ce qu'il faut pour être bien compris.

Je termine comme j'ai commencé, avec Aragon, mais cette fois-ci, mes ouailles réagissent à peine : ma lassitude les intéresse beaucoup moins que la leur. Quant à la révolution, ils veulent bien la faire à condition qu'il ne s'agisse que d'un petit tour sur eux-mêmes, une petite inspection de leur âme avant de revenir à leur position initiale – une position douloureuse mais familière.

Je vais parler à Farah. Marsiella a raison : mon enfant a droit à la vérité, même si par vérité on entend une série de diagnostics ineptes et forcément décevants. Je vais parler à Farah, mais j'aimerais autant que ça se fasse comme dans les films et les séries dont elle s'est entichée : les gens se parlent, l'aveu a lieu, mais le spectateur n'entend rien vu qu'il assiste à la scène derrière une vitre embuée – à moins qu'une porte ne lui ait opportunément claqué au nez. Le procédé est facile, mais il a l'avantage d'éviter les laïus fastidieux comme les réactions mélodramatiques. Moi qui n'aime ni la facilité ni les procédés, j'appelle pourtant de tous mes vœux l'ellipse qui me permettrait de passer à la scène suivante et d'y retrouver une Farah miraculeusement informée et miraculeusement clémente.

En attendant, je suis toujours en chaire, et je dois trouver les mots pour être bien compris. Car il ne suffit pas de soigner ses images, et de serrer de près le sens dans le langage : il faut compter avec les sourds, les ahuris. Sachant que la surdité se cultive et que l'ahurissement est notre pente naturelle, ça laisse peu de chances à mon discours d'atteindre sa cible – et pourtant, je n'ai jamais pu me départir de ma confiance en l'humanité. Je suis là, à tenter de galvaniser mes troupes pour les envoyer au seul combat qui vaille, et je vois çà et là s'allumer une lueur dans leurs regards aimants. Car ils m'aiment. Avec une dévotion qui m'exaspère mais dont je ne peux pas douter.

– Mes amis, mes amis…

Je bute sur cette adresse, je balbutie, les poèmes me font défaut. Aragon, Nerval, Apollinaire, j'ai tout essayé. Reste cet amour. Celui qu'ils ont pour moi et celui que j'ai pour eux, dévorant comme une idée fixe et sans rapport avec son acception romantique, qui finalement le dévalue sous couvert de le sublimer. Suis-je le gardien de mon frère ? À cette question, j'ai toujours répondu oui. Un oui qui me montait des entrailles sans que j'aie besoin d'y réfléchir à deux fois. Et ce n'est pas à Kenny que je pensais – ou plutôt, je pensais à lui mais il se trouvait englobé dans la vague indistincte de ma fraternité. J'étais dépassé, débordé, pulvérisé – la vague était trop haute, et moi trop petit. Aujourd'hui encore, je le sens battre, ce cœur innombrable, ce cœur à aimer toute la terre, mais qui doit se contenter d'une poignée de paroissiens bien intentionnés.

Je pleure. Et ils pleurent avec moi, bien sûr. Pour les larmes, ils sont toujours partants. Certains plus que d'autres : Ragnar sanglote, Marie-Ciboire convulse, Jewel enfouit le visage dans ses mains. Pendant ce temps, ma fille reste très droite et me fixe d'un œil sévère. Elle continue à assister à nos offices, de temps en temps, peut-être pour mieux me fustiger. Mon enfant, si tu savais… J'ai beau être ton père, je sais ce que qu'a ressenti le Fils, ce désir éperdu de saigner, d'être un bœuf à l'étal, une carcasse écorchée, suspendue à un crochet, prête pour la flagellation, la dévoration par des bouches avides, l'ingestion dans des ventres affamés.

Mon enfant, si tu savais, comme ce désir remonte à loin et vient du plus profond. Ta mère n'a fait que me confirmer dans mon aspiration au martyre, et peut-être même a-t-elle senti à quel point elle me comblait en me faisant souffrir ; peut-être même a-t-elle deviné à quel point je jouirais d'être trompé, bafoué et abandonné. Que cet abandon ait failli me tuer est une autre histoire, plus claire, plus rationnelle, plus avouable. Mais si je veux être honnête, je suis toujours le petit garçon qui voulait avoir mal avec son frère, et se cognait le front pour le rejoindre dans la douleur, le sang, la plaie.

– Mes amis, mes amis…

Marsiella me dévisage avec perplexité, prête à me rejoindre en chaire, prête à substituer ses mots aux miens si besoin est. Mais ce n'est pas une question de mots, je le sens bien. Il faudrait juste que j'aie la force d'ouvrir mon ventre en deux, d'écarter mes parois abdominales et de montrer aux treiziémistes mes entrailles palpitantes.

– Ceci est mon corps, prenez et mangez-en tous…

Je ne sais pas si j'ai prononcé cette phrase ou si me suis contenté de la penser très fort, mais dans le regard de Farah, l'inquiétude a remplacé la désapprobation. Mon enfant, tu me connais si bien… Tu as beau me détester, tu ne me veux aucun mal. Ratés, nous le sommes tous, mais j'ai au moins réussi ça : faire de ma fille quelqu'un que les batailles perdues attristeront toujours.

Oui, j'ai perdu cette bataille, Farah, si tu crois que je n'en ai pas conscience… Est-ce l'âge, est-ce l'heure, mais j'ai comme un sursaut de lucidité – à moins que Satan ne me tende un nouveau piège – comment savoir ? J'ai toujours compté sur le courage, le mien et celui de mes disciples ; j'ai toujours compté sur la joie pour laver à neuf les avanies de la veille ; j'ai toujours compté sur l'action, sur la dépense, sur l'énergie, pour qu'elles finissent par l'emporter ; j'ai toujours compté sur Dieu sans le lui dire, mais sans imaginer qu'il puisse me faire défaut.

Tombant à genoux, je laisse monter à mes lèvres le cri le plus tragique qui ait jamais retenti sur la Terre, et dont je n'ai jamais mieux compris qu'aujourd'hui la signification déchirante : mon père, mon père, pourquoi m'as-tu abandonné ?

Où est la joie ? Où est le courage ? Où est l'espoir ? Et surtout, où est ce Père, qui m'a confié la mission impossible de rassembler ses enfants et de les rendre libres ?

– Seigneur, je ne suis pas digne de te recevoir mais dis seulement une parole et je serai guéri !

Dans la salle, l'hystérie monte d'un cran, les treiziémistes se griffent les joues, entrent en transe, parlent en langues. Marsiella a dû distribuer des baies de belladone juste avant la cérémonie. Elle fait ça de temps en temps, histoire de resserrer les liens entre les membres de la congrégation. Ingérée ou résorbée dans la vulve, la belladone provoque de légères hallucinations et met l'anxiété en échec – à condition d'en maîtriser la posologie, mais on peut compter sur Marsiella pour la maîtrise. Avec elle, la transe est sous contrôle et le dérapage n'aura pas lieu. À moins de considérer que mon lamento constitue une sortie de route. De fait, mes disciples ne sont pas habitués à ce que je m'exprime sur un registre personnel. Avec eux, je m'en tiens à la prédication, à la harangue, à l'oraison, tout juste si je m'autorise la première personne du singulier, tant elle m'a toujours semblé inconvenante – et presque obscène me concernant. Mais aujourd'hui je vois bien que je suis malade, complètement malade.

– Je ne rêve plus, je ne fume plus, je n'ai même plus d'histoire, je suis sale sans toi, je suis laid sans toi, je suis comme un orphelin dans un dortoir…

Dans l'assistance, ceux qui ne sont pas très occupés à écumer et à psalmodier ouvrent de grands yeux. Sans doute reconnaissent-ils les paroles de la chanson. Autant je ne les ai pas surpris en passant d'Aragon à l'Évangile, autant ils bronchent sur « Je suis malade ». Cette chanson, je l'ai longtemps prise pour une chanson d'amour, mais il me semble aujourd'hui qu'elle parle d'autre chose : d'un dégoût de soi, d'une incapacité à s'aimer, et d'un refus de guérir. Car je ne veux pas guérir si guérir signifie m'habituer à la laideur, à l'égoïsme et à l'indifférence.

– Je n'ai plus envie de vivre ma vie, ma vie cesse quand tu pars…

J'aurais pu écrire ces mots pour Hind et les lui chanter tant ils racontent notre histoire, mon amour comme une intoxication et un dérèglement de tous les sens – mais Hind n'est pas responsable de ma déréliction ni du sentiment qui me terrasse ce soir.

D'habitude, nos offices durent entre une et deux heures, en fonction de mon inspiration et de la réactivité de la salle, mais ça doit faire bientôt trois heures que je divague, citant tantôt la Bible tantôt *Le Roman inachevé* – et voilà que je chante du Serge Lama, prenant au dépourvu mes brebis frileuses. Belladone ou pas, un rien les fait paniquer : voir leur chef à genoux et en larmes, c'est plus qu'il n'en faut pour ébranler leur fragile santé mentale et pulvériser leurs repères. Je vais les perdre, là, et réduire à néant quinze ans d'efforts pour construire une Église et former des disciples. Il n'y aura plus personne pour répandre notre évangile de poésie, plus personne pour œuvrer au triomphe des pauvres et à l'avènement d'un règne de l'esprit.

– Je n'ai plus de vie, et même mon lit se transforme en quai de gare quand tu t'en vas...

Le moins qu'on puisse dire, c'est que je les ai sortis de leur transe : même Ragnar a cessé de rouler des yeux et de se frapper la poitrine pour me dévisager avec anxiété. Quant à Farah, elle échange des regards alarmés avec Marsiella : sans doute se demandent-elles toutes les deux dans quelle mesure il ne faudrait pas mettre fin au service religieux, allez hop, rideau, revenez demain, quand le célébrant aura recouvré ses esprits, là vous voyez bien qu'il n'est pas dans son état normal, vous voyez bien qu'il est à deux doigts de s'ouvrir les veines, le ventre, la poitrine, histoire de vous rassasier une bonne fois pour toutes, histoire que vous plongiez vos mains dans sa cage thoracique et mordiez à même son cœur mis à nu.

Farah, toi qui m'es plus chère que la chair de ma chair, toi qui es d'autant plus mon enfant que tu n'aurais jamais dû naître, toi qui me connais mieux que personne, toi qui lis en moi comme dans un livre, sache qu'au bout du compte, il n'y a qu'un livre – un seul grand poème humain, qui mêle les évangiles aux fleurs du mal, l'apocalypse aux illuminations, le cantique des cantiques aux amours de Cassandre ou de Lou, les psaumes aux fêtes galantes, aux trophées, aux alcools, aux regrets… Ce n'est pas un roman, oh non, mais c'est quand même une cloche de détresse – et tu l'entends.

Tu viens de l'entendre, là. Tu as perçu son tocsin affolé et tu t'avances vers moi, articulant silencieusement des mots de tendresse et de sollicitude. Mon livre à moi, tu le sais bien, se terminera toujours sur un don du sang – mon sang, c'est la fontaine ardente du bonheur, prenez et buvez-en tous, je veux le voir ruisseler sur vos joues, couler dans vos gorges, je veux vous voir revigorés par mon vin de vigueur, lavés de toutes vos fautes, ou plutôt débarrassés de la plus grave d'entre elles, la tristesse. Car je suis malade, mais ma joie demeure – et elle nous sépare.

– Je suis malade, complètement malade…

Alors que je suis sur le point de m'interrompre en plein refrain, et de me ruer hors de la chapelle, quitte à fendre la foule, à bousculer ma fille, Marsiella, Ragnar, Jewel, tout le monde, histoire de leur épargner le spectacle de ma déroute, un chevrotement s'élève, puis un deuxième, un souffle encore fragile mais qui prend de la force, rallié par d'autres, puis d'autres encore :

– Comme quand ma mère sortait le soir, et qu'elle me laissait seul avec… mon désespoir !

Sur ce dernier mot, toutes les voix se sont rejointes, avant d'entonner la suite à l'unisson :

– Je suis malade, parfaitement malade, t'arrives on ne sait jamais quand, tu pars on ne sait jamais où, et ça va faire bientôt deux ans que tu t'en fous…

C'est absurde, cette chanson est absurde, elle ne parle ni de moi ni d'eux, mais ce soir ils s'en servent pour me retrouver. Ce qu'ils me disent, c'est qu'ils acceptent d'être malades à ma façon, quitte à abandonner leurs vieux symptômes et leur dépression chronique, pour entrer avec moi dans l'inconnu d'un nouveau mal.

– Je suis malade, complètement malade, je verse mon sang dans ton corps…

Il faut croire que, contre toute attente, le don du sang a fonctionné, cette transfusion de ma fièvre dans leurs veines : mes brebis relèvent la tête, secouent leur toison, et retroussent leurs babines sur des canines aiguisées. Hosanna ! À moins que Marsiella ne leur ait donné de la jusquiame noire, en lieu et place de la belladone ? Auquel cas ils ne vont pas tarder à grincer des dents et à se mordre les poings, comme les guerriers-fauves des poèmes scaldiques – ces berserkers dont Ragnar est fou. Mais non, ils se contentent de chanter avec enthousiasme, et Ragnar n'a pas l'air plus fou que d'habitude, ce qui ne signifie rien, vu qu'il est quand même très inquiétant en temps normal.

Qu'il soit clairement établi que je n'ai rien contre la jusquiame noire, rien contre la belladone et rien contre l'écorce d'acacia – dont Moïse était certainement un grand consommateur. Je suis même favorable à tout ce qui peut ouvrir les portes de la perception sur un univers moins étriqué que celui où la sobriété nous cantonne. Je n'ai jamais eu besoin de psychotrope pour parler à Dieu ni pour l'entendre, mais tout le monde n'a pas ma chance, et si la plupart des drogues n'étaient pas hautement toxiques, j'en lancerais moi-même la production et les distribuerais largement – à titre d'eucharistie dominicale, bien sûr, mais aussi pour remplacer les médicaments absolument légaux qui maintiennent mes treiziémistes dans la torpeur et dans l'attente passive de rien.

– Je suis malade, parfaitement malade, tu m'as privé de tous mes chants, tu m'as vidé de tous mes mots…

Si mes choristes ont des problèmes de justesse, ils se rattrapent par leur parfaite connaissance des paroles de cette chanson étrange. Il faut dire que nous faisons karaoké tous les premiers vendredis du mois, et que « Je suis malade » s'y taille toujours un franc succès, avec « Le téléphone pleure », « Comme d'habitude », et autres couplets doloristes. Le karaoké mensuel, c'est encore une idée de Marsiella, et le fait est que chanter ensemble crée chez nous le sentiment que tout est possible, sentiment qui retombe comme un soufflet dès que nous nous dispersons dans la nuit froide, mais qui nous rend heureux le temps d'une chanson.

J'accepte d'être privé de tous mes chants et vidé de tous mes mots, si d'autres les reprennent à leur compte. Mieux, cette dépossession me rend heureux. Être un bœuf à l'étal, une charogne sur le gibet, les bras rompus et le flanc dégouttant de sang : prenez et buvez-en tous. Être la nourriture que les corbeaux emportent – prenez, frères humains. D'ailleurs, je ne suis vidé de rien, privé de rien, mais mystérieusement sustenté, augmenté, ragaillardi par le chœur de mes treiziémistes, qui vaut bien celui des pèlerins de *Tannhäuser*. Peut-être arrivons-nous au bout de notre pèlerinage, eux comme moi; peut-être que la terre promise, c'est maintenant et c'est ici…

Parfois la réalité vaut bien mieux que n'importe quel miracle clinquant. La preuve : mes frères et sœurs chantent avec une ferveur nouvelle, les yeux brillants et la main sur le cœur. Ça pourrait être une soirée karaoké comme les autres, une communion dans la fraternité molle de nos messes poétiques – sauf qu'il plane comme un halo de bonté au-dessus de leurs têtes, une volonté de bien faire, un désir d'action qui est aussi un désir de rupture. Ils ont cessé de se tapoter anxieusement le thymus pour se camper fermement sur leurs jambes et décocher à la ronde des sourires rayonnants. Ils ont cessé d'attendre un déclenchement merveilleux pour laisser couler en eux une joyeuse envie d'en découdre et de défaire les forces du mal.

– Mes amis, mes amis…

Au fond de la salle, la portière de perles a un frémissement, le cliquetis caractéristique qui annonce un visiteur du soir. J'entrevois l'éclair d'un pull de tweed rose, et une main fastueuse qui soulève et balance les pendeloques du rideau, tandis qu'à mes oreilles, une rumeur enfle et hurle, me rendant sourd aux murmures étonnés qui saluent le retour de la fille prodigue, la beauté faible, avec ses secrets décevants.

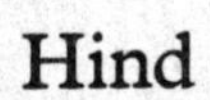

Hind

Danse avec les loups (I)

Dès le début, tu m'as vue comme un poème, une fée baudelairienne, une émanation un peu tremblée de tes grandes odes. Il t'a complètement échappé que j'étais une chanson – une chanson réaliste, une java bleue, une môme catch-catch, une vraie de vraie. Pauvre Lenny, il t'aura échappé tant de choses, à commencer par le fin mot de notre histoire. À moins qu'il n'y ait pas de fin mot, pas de clef, pas d'explication, ce qui est mon idée sur tout depuis toujours. Si on commence à chercher des explications, on en trouve, mais elles ne seront jamais que des rationalisations et des simplifications du mystère.

Lenny, mon amour, que je te plains d'être tombé sur moi – car que veut dire l'amour quand on en a si peu à donner ? J'aurais tellement voulu m'élever à la hauteur du tien, être un cœur innombrable au lieu d'un muscle sec. Crois-moi, le monde se divise en deux : ceux qui aimeront toujours sans ménager leur peine, et ceux qui ne disposent que d'un tout petit capital, juste assez de carburant pour la mise à feu mais plus rien pour assurer ensuite la navigation spatiale. Si encore chacun aimait dans sa catégorie, tout irait bien. Mais les cœurs innombrables ont tendance à s'éprendre des cœurs secs, une tendance aussi fâcheuse que tragique. Je ne sais pas si les contraires s'attirent, ou si les champions de l'amour pèchent par optimisme, voient un défi à relever là où il n'y a que du chagrin à espérer, mais le fait est qu'ils foncent, avec un enthousiasme qui force le respect, tout droit vers celle ou celui qui est le moins fait pour eux.

C'est exactement ce que Lenny a fait avec moi, foncer dans le mur en négligeant tous les signaux d'alerte, à commencer par mon inconstance, mon impatience, mon intolérance à l'ennui, et ma volonté forcenée de plonger dans le tourbillon de la vie. Pauvre Lenny, qui se serait bien contenté de m'aimer. Pauvre Lenny, qui a pris mon désir de maternité comme une merveilleuse nouvelle – alors qu'il en a été de ce désir comme du reste : il s'est usé, ou volatilisé, que sais-je, pour laisser la place à d'autres merveilleuses nouvelles, à d'autres désirs impérieux, à d'autres tourbillons – et à d'autres vies que la nôtre, ce train-train tendrement conjugal qui lui suffisait sans me satisfaire.

J'étais une chanson, Lenny, une ritournelle éphémère, un truc pas fait pour rester dans les annales. Si tu l'avais compris plus tôt, tu te serais méfié, tu n'aurais pas jeté toutes tes forces dans la bataille, et surtout tu ne m'aurais pas aidée à programmer une naissance aussi déraisonnable que celle de Farah. Je ne dis pas ça parce que je suis sa mère, je le dis parce que l'être humain a perdu le droit de se reproduire. Mais évidemment, je ne pensais pas à l'être humain voici dix-sept ans ; je ne pensais même pas à toi, Lenny, et encore moins à cette pauvre Sophie, qui n'a jamais été qu'un réceptacle, un vase, une couveuse. D'ailleurs je ne pensais pas : j'essayais juste de réussir mon autofécondation, comme une acrobatie sensationnelle qui aurait cloué le bec à tout le monde.

Si j'avais vingt ans aujourd'hui, je militerais activement pour la ligature des trompes et la vasectomie pour tous, mais j'en ai presque quarante-trois, et j'ai déjà commis l'irréparable, à savoir accroître la population mondiale. Je ne regrette rien parce que c'est Farah, et que son humanité me semble d'un autre matériau que l'humanité ordinaire. Il se peut que je me fasse des idées, comme s'en font la plupart des mères, mais je suis si peu une mère que ce qui vaut pour elles ne vaut pas pour moi – leur vanité, leur fierté de pondeuse, leurs convictions infondées quant au haut potentiel de leur progéniture. Mes convictions à moi sont tout à fait fondées : elles se basent sur l'observation d'une enfant que je n'ai pas élevée moi-même et vers laquelle aucun élan ne me pousse, aucun mouvement d'entrailles, aucun sursaut de reconnaissance intime.

La première fois, je l'ai même jugée franchement laide, avec ces cheveux rasés sur les tempes et longs sur la nuque, cette coupe qui revient à la mode mais qui ne va à personne. Et le reste était à l'avenant : silhouette massive, bouille maussade, fringues informes. Depuis, j'ai eu le temps de revenir sur cette première et fâcheuse impression, et si je n'en suis pas encore à la trouver jolie, je dois reconnaître que Farah est troublante, presque séduisante en dépit de ses disgrâces. En tout cas, elle ne tient de moi pour rien et c'est presque risible. Il n'est peut-être pas trop tard pour la transmission, mais je ne sais pas si j'en ai envie. Et surtout, qu'ai-je à transmettre ? Je suis vide, Lenny. Je suis comme toutes ces pauvres broques que ton Église accueille, pire qu'elles, même, parce que je n'ai aucune humilité – juste la lucidité qui consiste à admettre que la vie m'a étripée.

Ça s'est passé très vite, Lenny : à trente ans, j'avais encore le sentiment d'exister et de briller plus fort que tout le monde. Douze ans plus tard, j'ai tout juste la force de me traîner jusqu'au refuge que tu ouvres aux gens comme moi – avec l'espoir que tu me pardonneras l'impardonnable. Et comme il y a une chanson pour tout, il y a une chanson pour ça, elle s'appelle « C'est écrit » et elle me fera pleurer tant qu'il me restera une once de sensibilité. Elle raconte ce qui aurait pu se produire si je ne vous avais pas abandonnés, Farah et toi. Et si tu penses avoir souffert de cet abandon, dis-toi que je t'ai épargné le pire.

Mon amour, mon doux, mon tendre, mon merveilleux amour, j'ai beau t'avoir bafoué et trahi, j'ai toujours su que je ne serais jamais aimée d'une façon plus douce, plus tendre et plus merveilleuse – mais parfois, savoir ne sert à rien. Je ne compte plus les informations que je n'ai pas laissées monter jusqu'à mon lobe frontal, parce qu'elles m'auraient encombrée dans ma ruée vers l'or, ma folle parade, ma cavalcade orgiaque et désaxée. Je ne t'ai jamais sous-estimé, Lenny – mais j'ai surestimé ma propre capacité à danser avec les loups sans être lacérée.

Instant crush (II)

Mon enfer personnel est pavé de regrets plutôt que de bonnes intentions. Et parmi les plus lancinants, il y a celui de t'avoir laissé assister à mon premier coup de foudre – et le seul à ce jour. Tu ne t'es rendu compte de rien, mais c'est encore pire. Tu étais là, souriant, inconscient de ce qui se jouait sous tes yeux, parce que tu as toujours été incapable de concevoir la trahison et d'imaginer qu'elle ait lieu.

Nous avons vingt-cinq ans. Dans le ventre de Sophie, Farah est un assemblage de cellules dont aucun test n'a encore confirmé la présence, mais ce soir-là, rien n'est plus éloigné de mes pensées que cette conception pourtant si ardemment souhaitée. Nous venons de débarquer à une fête d'anniversaire, chez des amis d'amis, et j'ai commencé à danser sans m'embarrasser de mondanités, histoire de river leur clou aux cinq pétasses qui se déhanchent sur du Sean Paul. Parfois, ça m'énerve qu'on laisse passer pour de la danse ce qui n'en est qu'une pâle imitation, et j'ai envie de replacer la barre là où elle devrait être. Je fais ça l'air de rien, personne ne peut soupçonner mes intentions pédagogiques, mais insensiblement, je décourage tous les arythmiques et tous les culs de plomb de venir se ridiculiser à mes côtés : ne restent en lice que les vrais danseurs, c'est-à-dire pas grand monde.

Lenny m'observe avec une admiration naïve, et pourtant il fait partie de ceux qui font bonne figure sur une piste de danse. Lenny m'observe, mais il n'est pas le seul. Depuis le début, un beau garçon me jette des coups d'œil goguenards, prélude à une drague agressive – ou je ne m'y connais pas. Il y en a beaucoup, des gars comme ça, qui aiment entrer en matière avec des moqueries ou des commentaires désobligeants. Mais j'ai l'habitude de débusquer leur tendre intérêt derrière leurs manières brutales – et de toute façon, ils ne m'arriveront jamais à la cheville en matière de brutalité.

Celui-là me rejoint et entreprend de tressauter lourdement en face de moi, tout juste s'il ne se martèle pas la cage thoracique pour m'impressionner. Il respire à ce point la satisfaction d'être lui que je me détourne dédaigneusement pour observer mon reflet dans la baie vitrée. Dancing with myself. Et pourtant, il me plaît, il m'a plu tout de suite. C'est même la seule fois de ma vie où la beauté m'a fait un tel effet. D'habitude la mienne me suffit et je n'ai pas besoin de trophée. Lenny est très mignon, mais là, c'est autre chose : ces boucles châtaines, ce sourire radieux, ce teint or et rose, cet air insolent de force et de santé, j'ai tout à la fois envie de lui et envie d'être lui, envie d'être un beau mec irrésistible au lieu d'être une fille trans sublime – pour voir, pour changer. Et peut-être que si tous les mecs lui ressemblaient, je n'aurais pas souhaité ma transition avec autant de force, peut-être que j'aurais trouvé des façons d'être un homme moins dérangeantes que celles qu'on m'a mises sous les yeux dès la naissance.

En attendant, j'ai envie de lui faire payer sa beauté et son assurance, et je danse sans un regard pour lui. Dans le même temps je me suis quand même discrètement débarrassée de mes escarpins. Il a beau être grand, on ne sait jamais : j'ai connu des gars que mon mètre soixante-seize décourageait d'avance. Celui-là n'a pas l'air du genre à céder au découragement, mais je préfère lui envoyer des signaux contradictoires, histoire de semer la confusion dans sa jolie tête. Par chance, je suis au top ce soir. Mes cheveux bouclent au lieu de moutonner, j'ai des inserts dans mon soutif et une petite robe vert bronze qui s'ouvre sur mes cuisses fuselées. Côté maquillage, j'ai mis le paquet mais rien n'y paraît vu que c'est quand même mon métier d'embellir les gens sans qu'ils aient l'air replâtrés de frais. Et évidemment je sens délicieusement bon, dans deux secondes Beau Gosse va me demander ce que je porte comme parfum et je l'enverrai chier bien comme il faut. Lenny aussi avait commencé par là, sauf que Lenny me matait depuis des semaines mais ne m'avait jamais regardée avec cet air avide et conquérant.

Il faut croire que les astres se sont alignés pour favoriser cette rencontre, parce que non seulement je suis largement à la hauteur de cet effarant étalage de charme, mais ayant cessé tout traitement hormonal depuis des mois, je suis aussi hautement excitable, voire à fleur de peau. C'est le problème avec les antiandrogènes, en tout cas pour moi : ils ont toujours des effets satisfaisants sur mes seins, ma voix, mes poils, mais ils rendent mon désir instable et capricieux. Rien de tel ce soir : ma chatte a réagi dès les premiers regards insistants de Beau Gosse. J'aurais même préféré moins de docilité. Surtout qu'il continue ses manœuvres d'encerclement, rapprochant dangereusement l'or rose de son visage, et tentant d'empoigner mes hanches pour un simulacre de danse à deux.

Autour de la platine, c'est l'habituelle bousculade pour choisir le prochain morceau, mais au lieu d'hésiter entre Outkast et Black Eyed Peas, je sélectionne « Emmenez-moi » d'Aznavour, provoquant le tollé de ceux qui ne savent pas reconnaître une valse, et la consternation de Beau Gosse, brutalement interrompu dans sa parade amoureuse. Fendant la masse désappointée des danseurs, Lenny s'avance vers moi tout sourire, avant de m'attirer sur son cœur. Un-deux-trois, un-deux-trois, c'est parti. Lenny ne danse jamais seul, mais c'est un cavalier hors pair, capable de rendre gracieuses les partenaires les plus gauches. Aucun risque de gaucherie avec moi, je danse depuis que j'ai trois ans – sans compter que nous avons des heures d'entraînement tous les deux : rock, valse, tango, be-bop, tout nous va, et aucune évolution ne nous paraît trop technique. Je compte justement sur la technique pour éblouir Beau Gosse, mais je veux surtout lui montrer qu'en danse aussi, on peut faire preuve de générosité, au lieu de se pavaner au détriment des autres. Car c'est très exactement ce qu'il a fait avec moi, me marchant presque sur les pieds et m'empêchant de faire la preuve de mon talent avec ses gesticulations intempestives.

Tandis qu'on fait cercle autour de nous, je m'abandonne tendrement sur l'épaule de Lenny, arborant l'air ravi et modeste de celle qui n'a qu'à suivre le mouvement – un air de salope, en fait, dont je dose parfaitement les effets sur les mâles hétéros. Je tiens à préciser que je n'ai jamais été une salope, et encore moins une allumeuse. J'ai toujours laissé ce jeu à d'autres. Je ne drague pas et je laisse rarement les dragueurs arriver à leurs fins. En revanche, je connais parfaitement le fonctionnement des mecs, et ça n'a rien à voir avec le fait que j'aie moi-même des couilles et un pénis, vu que je les ai toujours gardés entre les cuisses au lieu de leur laisser prendre la place de mon cerveau. Je connais le fonctionnement des mecs parce que je les regarde faire depuis toujours, en m'efforçant de me démarquer d'eux autant que possible.

Sans compter qu'être une fille vous conduit tout droit à être une proie, sauf à décrypter et à anticiper le comportement de votre prédateur naturel. Et encore, je suis plutôt grande et visiblement arabe, bien qu'on me prenne parfois pour une métisse ou une latino. Ce que je veux dire par là, c'est qu'être petite, mince et blanche vous désigne comme un gibier facile en cas de chasse à courre – c'est-à-dire tout le temps, vu qu'il n'y a pas de saison, pas de trêve hivernale. Je suis un gibier moins facile, mais j'ai quand même dû défendre ma peau plus d'une fois. J'ai beau être racisée et physiquement impressionnante, je reste une fille. Et je tiens à préciser aussi qu'être jolie n'entre absolument pas en ligne de compte : les moches se font autant emmerder que les belles. La seule chose qui finit par décourager les chasseurs, c'est l'âge : quand la bête grisonne et prend des fanons, eux perdent la piste et ne la retrouvent jamais.

J'ai toujours su reconnaître les mecs qui n'avaient pas le goût du sang dans le sang, et m'en tenir à leur fréquentation, de préférence à celle des petits chasseurs survoltés. Ils sont suffisamment nombreux pour que la vie soit vivable et nous offre des aires de repos, hamdoulilah. Mais ce soir, il faut croire que j'ai perdu tous mes réflexes de prudence, puisqu'au lieu de remercier Dieu d'avoir été épargnée, au lieu de lui rendre grâce d'avoir créé des hommes comme Lenny, aussi forts que sensibles, aussi déterminés que tendres, je bénis le Ciel d'avoir mis Beau Gosse sur mon chemin. Pauvre fille…

Je sais, pourtant. Alors que je valse sur le cœur de mon amoureux, je ne peux pas dire que je ne sois pas consciente de ma chance ni au courant de la réalité qui veut que le sang coule dès qu'il peut couler. Hamdoulilah, tu parles. Si Dieu existait, il m'aurait sur-le-champ frappée de cécité ou de paralysie, tout plutôt que de me laisser faire ce que j'ai fait. Car abandonnant Lenny dès la fin de la chanson, je retourne vers l'or rose, vers les boucles lustrées, vers le sourire ravageur du grand fauve. Oh, j'y retourne sans avoir l'air d'y toucher, comme si je revenais non pas à lui, mais à moi, après trois minutes trente de valse passionnée – et Black Eyed Peas l'ayant finalement emporté sur Outkast, je me retrouve à bouger dédaigneusement sur « Hey Mama », mais c'est trop hip-hop pour Beau Gosse, qui file à la cuisine s'enfiler une bière, comme si je n'étais pas en train d'agiter les fesses à son intention. Merde, merde, merde, je l'ai perdu en voulant le ferrer, ou alors il joue lui aussi, comment savoir…

La nuit s'avance, les morceaux se suivent, « Hung Up », « La Camisa Negra », « Ma philosophie », « The Sweet Escape », sur lesquels je danse sans conviction mais avec plaisir quand même. Et qui finit par surgir devant moi, ayant visiblement franchi un seuil dans son ivresse ? Beau Gosse. L'or délicatement rosé de tout à l'heure a laissé place à des marbrures violacées, et les boucles collent à son front moite, mais c'est bien lui et il faut croire que rien ne peut amoindrir sa séduction.

– On t'a déjà dit que tu bougeais de ouf?

Dans ma tête, ça mouline à fond pour trouver la réponse ad hoc, qui ne fasse ni pétasse blasée ni fille qu'on peut se mettre dans la poche avec des compliments, résultat je ne dis rien, ce qui est peut-être la meilleure option.

– Moi, c'est Céline, et toi ?

Mon cœur saute trois battements et se suspend dans le vide, le temps d'imaginer que Céline est aussi trans que moi. À bien y regarder, s'il était doté d'une ligne de mâchoires moins carnassière, il ferait une très belle femme. C'est à ces occasions que je mesure ma chance d'être peu musclée, presque imberbe, et surtout dépourvue de tous ces os grossiers qui bossellent la plupart des visages masculins. Sans cesser de danser, je scrute sa peau veloutée, ses longs cils, ses lèvres pleines – mais non, pas moyen que Céline soit trans. Aucune femme trans ne se refuserait le plaisir de faire cascader jusqu'aux fesses une chevelure pareille ; aucune femme trans n'arborerait une coupe aussi franchement virile. Céline est juste un garçon avec un nom de fille.

– Céline ?

– Tu m'as pris pour une meuf, ou quoi ? Sélim, pas Céline !

Hop, autre coup d'œil subreptice pour vérifier si nous avons des origines communes, mais il me devance avec un gros rire :

– Chui pas rebeu, hein, c'est juste qu'on m'a donné le prénom du meilleur ami de mon père !

– Ça alors, moi c'est pareil ! Ma tante m'a donné le prénom de sa pote d'enfance !

– C'est comment ?

– Comment quoi ?

– Le prénom de la pote de ta tante. En plus c'est trop chelou que ce soit ta tante qui ait choisi !

– Hind.

Ses yeux se perdent dans le vague. Je ne sais même pas s'il a compris. La musique est forte et il a l'air d'avoir beaucoup picolé. En fait d'alcool, je n'aime que le whisky ou le champagne – et je ne bois jamais jusqu'à l'ivresse. Tout me dégoûte chez les gens ivres, leur regard, leur élocution, leur sentimentalisme, leur lubricité – sans compter qu'ils risquent de me vomir dessus sans crier gare, ce dont je ne me remettrai jamais. Le pire, ce sont peut-être les vapeurs fadasses de la bière et sa couleur de pisse. Or Sélim brandit précisément une bouteille de Corona, et je ferais mieux de m'écarter avant d'être éclaboussée. Mais non, je reste là, dansant à peine, tâchant de maintenir un contact visuel, histoire qu'il n'aille pas fumer sur le balcon ou s'intéresser à une autre jolie fille. Mais j'ai tort de m'inquiéter, parce que s'emparant brusquement de mon poignet, Sélim m'entraîne vers les profondeurs de l'appart haussmannien – une coloc d'étudiants attardés, à ce que j'ai cru comprendre :

– Viens !

Il me jette dans la première pièce venue, une chambre obscure où s'entassent les affaires des invités. Autant dire que nous risquons d'être interrompus à tout instant et que je vis très mal le tripotage aviné que m'inflige Sélim :

– Arrête !

– Tu me plais trop ! Tu sens comme tu me plais ?

Joignant le geste à la parole, il plaque ma main contre son sexe dur. Je pourrais lui céder, m'affaler avec lui sur le lit encombré de sacs et de vêtements, mais en sept ans d'activité sexuelle, je n'ai fait ça qu'avec Lenny, coucher le premier soir, me laisser emporter sans me soucier des conséquences.

– Arrête, je te dis !

La fermeté de mon refus semblant le dégriser brusquement, c'est lui qui s'affale sur le lit, où il reste étendu, yeux grands ouverts dans la pénombre. Au lieu de me ruer hors de la chambre, retrouver la lumière, la musique, le regard confiant de Lenny, je suis là, plantée, à attendre je ne sais quoi – ou plutôt je sais très bien quoi, et Sélim finit par le savoir aussi et par reprendre du poil de la bête :

– File-moi au moins ton tél. J'ai envie de te revoir.

– J'ai un mec.

– C'est celui avec qui t'as dansé ?

– Oui.

– Il ressemble à rien. Alors que toi, t'es juste trop belle.

Contrairement à la mienne, la beauté de Lenny n'est pas sensationnelle. La plupart des gens n'ayant aucun sens de l'observation, ils ne remarquent ni le modelé ardent de son visage ni son sourire magnifique ; ils voient juste un gars de taille moyenne, aux yeux et aux cheveux bruns, aux traits réguliers mais ordinaires.

– De toute façon, je donne jamais mon numéro.

– Même pas à oim ?

Je devrais lui rire au nez, lui rétorquer qu'il est le dernier garçon à qui une fille sensée devrait filer son 06, mais je continue à balancer entre réflexe de fuite et désir dévorant d'entrer dans sa vie.

– Bon, tu sais quoi, y'a un café, métro Goncourt, *Les Quatre Points Cardinaux*. J'y suis tout le temps. T'as qu'à passer. Plutôt après le taf, vers dix-huit, dix-neuf heures. Tu viendras ?

– Comment je m'appelle ?

– T'as un prénom trop chelou. Déso. Mais tu me plais de ouf.

– Sélim...

– Quoi ?

– Tu devrais parler normalement, au lieu de jouer les racailles. Moi c'est Hind, au fait, H-I-N-D.

Sur ce, je parviens enfin à le quitter, ravie d'avoir pointé ses irritantes manies linguistiques, et encore plus ravie de ne lui avoir donné ni mon tél ni ma bouche – même si malheureusement pour moi, j'emporte le souvenir de la sienne.

Captured effortlessly

Quelques jours après cette soirée, Sophie fait irruption chez nous, brandissant un test de grossesse flanqué d'une croix d'un bleu hésitant – qu'elle affirme pourtant être le signe indubitable de sa gestation :

– J'ai eu exactement pareil pour Erwan : la deuxième ligne était très pâle, mais j'étais bel et bien enceinte.

Lenny a beau se montrer dubitatif, je partage la confiance de Sophie. Je peux même avancer avec certitude que cette grossesse ira à son terme et que notre enfant sera une fille. Mais outre le fait que Sophie s'obstine à me mettre sous les yeux son bâtonnet imbibé d'urine, ce qui me dégoûte au plus haut point, je suis incapable d'accueillir cette nouvelle avec un ravissement sans mélange. Il faut dire qu'un événement imprévu, et finalement malencontreux, est venu s'intercaler entre l'insémination et l'annonciation : je suis tombée amoureuse.

Entendons-nous bien, je n'ai eu aucune nouvelle de Sélim et je n'ai pas l'intention de me rendre aux *Quatre Points Cardinaux*, mais le mal est fait. Même si je ne le revois plus jamais, je ne peux pas reprendre le cours de ma vie comme s'il ne s'était rien passé. Ou plutôt, c'est peut-être parce qu'il ne s'est rien passé que je ne peux pas revenir à ma vie d'avant : que Sélim ait pu me mettre dans un tel état alors que nous n'avons pas échangé vingt mots et que je ne lui ai pas cédé, c'est encore plus perturbant que n'importe quelle liaison fatale.

À vingt-cinq ans, je me connais bien et ne nourris aucune illusion me concernant. La grande affaire de ma vie, ça a été la survie. J'ai développé juste assez d'empathie pour assurer ma sécurité dans un monde hostile à ma simple existence – ce qui me laissait peu de chances de devenir une grande amoureuse. Lenny est le premier à m'avoir inspiré un attachement durable. Avant lui, j'ai connu une idylle au long cours avec Tim, un mec trans – une histoire confortable mais quasi platonique vu qu'une fois au lit, tout nous embarrassait, notre corps et le corps de l'autre. Excitation aidant, il m'est arrivé de le pénétrer et de lire dans son regard un mélange de plaisir et de confusion qui était sans doute le reflet du mien. Quand il est passé au gode-ceinture, il était trop tard, et de toute façon, je n'ai jamais vraiment aimé la sodomie.

Je l'ai revu par hasard, il y a peu. Hormones aidant, il avait pris du muscle et de la barbe – et je ne l'aurais pas reconnu s'il ne m'était pas tombé dans les bras avec une joie sincère. Il arborait fièrement une petite amie toute neuve, évidemment moins flamboyante que moi, mais nettement mieux pourvue en nichons, et je me suis fugitivement demandé pourquoi ce qui nous déplaisait chez nous nous plaisait tant chez les autres. Car Tim avait passé le temps de notre liaison à rêver de la réduction mammaire qui le débarrasserait de son 95 C, pour finalement se retrouver à sucer les tétons de cette créature plantureuse. À moins que, transition ou pas, il ne soit resté l'amant inhibé et empoté qu'il était à vingt ans…

Après Tim, j'ai enchaîné les plans cul éphémères, des mecs à qui j'annonçais d'emblée que j'étais trans, mais qui finissaient par me le reprocher quand même, et à qui ça semblait une raison suffisante pour m'imposer ce dont je ne voulais pas. Ayant connu plus que ma part de semi-viols, j'avais renoncé à toute vie sexuelle quand j'ai rencontré Lenny. Séduire me suffisait – et séduire sans efforts si possible. M'habiller, me maquiller, me parfumer, je ne l'ai jamais fait que pour moi – mais tant mieux si d'autres étaient sensibles à mes choix esthétiques.

Aujourd'hui encore, je ne comprends pas tout à fait comment j'ai pu me retrouver avec Lenny dans les chiottes du *Nouveau Brazza*. Il me plaisait, c'est sûr, et nous avions tous les deux trop bu, mais ce n'est pas une raison. Ce sont peut-être sa timidité, sa réserve, ses manières feutrées, qui m'ont donné envie de prendre les choses en main – car c'est clairement moi qui lui ai suggéré de me rejoindre aux toilettes. Je tiens à préciser toutefois qu'il ne s'agissait pas d'un coup de foudre : j'ai gardé la tête froide depuis le premier whisky jusqu'au moment où il a éjaculé entre mes cuisses – avant moi, bien sûr, mais c'était déjà beau que j'arrive à jouir compte tenu des circonstances, les chiottes d'un bar, ce mec que je connaissais à peine et à qui je faisais la surprise de mon anatomie, ce qui ne m'arrive absolument jamais.

Jusqu'à mon dernier souffle, je chérirai le souvenir de ce moment, parfait jusque dans sa précipitation : le miroir embué, les lèvres entrouvertes de Lenny, son geste pour rajuster la bretelle de mon soutif, un éclair de soie rouge sur ma peau brune – puis son regard, entre terreur et émerveillement.

C'est toi qui étais merveilleux, mon doux, mon tendre amour – et tu avais raison d'être terrifié, bien sûr, même si je ne savais pas encore à quel point tu avais raison ni à quel point j'allais dévaster ta vie. J'ai procédé à cette dévastation sans états d'âme, et j'ai d'autant moins de circonstances atténuantes que je l'ai fait pour un homme qui ne t'arrivait pas à la cheville, et que j'ai aimé tout en le méprisant, alors que j'ai toujours eu pour toi une forme de respect dont tu ne peux pas avoir idée, et dont je vois bien moi-même qu'il ne signifie pas grand-chose puisqu'il ne m'a pas empêchée de te trahir – parce que bien sûr, j'ai fini par aller aux *Quatre Points Cardinaux*.

J'ai attendu, j'ai essayé de me changer les idées, de les orienter vers la puériculture plutôt que de nourrir mon imaginaire à coups de flashs aussi érotiques qu'insanes, mais j'ai perdu le combat, et je peux même dater précisément le jour de ma défaite. Sophie vient de passer le cap du premier trimestre, et Lenny commence tout doucement à planifier notre avenir à trois. Il le fait comme il fait tout le reste, sérieusement – en se documentant sur les bébés, en se renseignant sur les places en crèche, en prenant des mesures dans l'appartement, et en me regardant avec une gravité nouvelle, qui m'exaspère au moins autant que les rapports circonstanciés que Sophie tient à nous faire concernant sa grossesse.

Ce jour-là elle m'a entretenue très longuement des premiers mouvements *intra utero* de Farah, comme un battement d'aile de papillon, un soubresaut imperceptible qu'elle aurait pu confondre avec des gargouillis intestinaux si elle n'en était pas à sa deuxième grossesse. Je raccroche avec humeur. Sophie n'a pas l'air de savoir que je n'autorise personne à me parler de son système digestif. Le mot « intestin » fait même partie des mots que j'ai proscrits de mon vocabulaire – avec les mots « transit » et « gastro ». Si cette enfant doit être la nôtre, et puisqu'elle ne peut décidément pas nicher dans mon utérus, j'aime autant la découvrir le jour de sa naissance, et m'épargner la trivialité des bilans d'étape.

Attrapant mon sac, j'informe Lenny que je vais faire un tour et je fonce aux *Quatre Points Cardinaux*, honorer un rendez-vous fixé il y a plus de deux mois. Il est dix-huit heures, et je ne sais pas ce que j'espère. Si Sélim n'est pas là, je puiserai peut-être dans son absence la force de rentrer chez moi et d'accepter l'ennui domestique. Après tout, j'ai la chance de vivre un grand amour, ce qui n'est pas donné à tout le monde : ai-je besoin d'aller chercher l'excitation dans un rade du Xe arrondissement ? Excitation n'est pas le mot juste, d'ailleurs, et j'en ai tristement conscience tandis que je remonte la rue du Faubourg-du-Temple – car s'il ne s'agissait que d'excitation, Lenny ne serait pas en danger, et moi non plus.

Poussant la porte des *Quatre Points Cardinaux*, je reprends mon souffle et croise mentalement les doigts pour que tout se passe bien : que Sélim ne soit pas là, ou qu'il ne m'inspire plus les sentiments passionnés de l'autre soir, ce qui serait de loin la meilleure option. Sauf qu'il est là, accoudé au comptoir, plongé dans sa lecture, un café devant lui – et plus beau que jamais. Si au moins il avait été entouré de potes bruyants et déjà légèrement bourrés, j'aurais eu une chance de m'en sortir, mais non : il lève les yeux et a un sourire de pur ravissement en me reconnaissant. Eh oui, il me reconnaît – je n'ai pas disparu dans les brumes alcoolisées de notre première rencontre, ce qui aurait été vexant mais m'aurait permis de faire demi-tour sans compromettre à tout jamais mes chances de bonheur. Car autant le dire d'emblée, j'ai préféré la passion au bonheur – et pour être banal, ça n'en est pas moins tragique.

– Hind !

– Tu as fini par retenir mon prénom ?

– J'ai tellement pensé à toi !

Moi aussi, Sélim, j'ai pensé à toi. Je me suis même branlée en pensant à toi – jusqu'à m'arracher la peau du zboub, jusqu'à hurler de plaisir et de la rage impuissante de n'être rien pour toi, juste une fille draguée à une soirée et oubliée le lendemain – sauf que tu ne m'as pas oubliée du tout, et que je vois dans tes yeux que toi aussi tu t'es branlé en te repassant le film de l'autre soir.

– Tu lis quoi ?

Une fossette se creuse sur sa joue tandis qu'il me montre la couverture écornée de son bouquin :

– *Le Loup des steppes*.

– C'est bien ?

– Ouais. Mais j'en suis qu'au début.

– Tu lis beaucoup ?

– J'essaie. Et toi ?

– Je lis pas mal, mais jamais de romans.

– Ah bon, mais tu lis quoi ? Des essais ?

– Essentiellement de la poésie.

Je comprends à son regard que je viens de gagner des points, et je devrais m'en inquiéter au lieu de me sentir bêtement flattée, vu que je ne lis absolument jamais. Mais je suis prête à parler poésie jusqu'au bout de la nuit si ça lui plaît – et surtout si ça doit amener dans ses yeux cette chaude lueur d'approbation. Je ne lis absolument jamais, mais je vis dans le poème perpétuellement déclamé par Lenny, et s'il le faut, je suis capable de réciter du Baudelaire ou du Ronsard – voire de discourir intelligemment sur Emily Dickinson.

Je me suis bien gardée de te le dire, Lenny, mais j'ai toujours vibré intensément quand tu célébrais ma beauté avec les mots des autres, des vers que tu scandais sur mon échine, en t'émerveillant qu'ils aient été écrits pour moi sans me nommer.

– À l'éclair violent de ta face divine,
N'étant qu'homme mortel, ta céleste beauté
Me fit goûter la mort, la mort et la ruine…

– C'est pas très gai.

– Non, mais c'est tellement toi : l'éclair violent, la bouche cramoisie, et le cinquième fruit du nectar le plus doux…

– C'est quoi, ce cinquième fruit ?

– Aucune idée. Avec Agrippa d'Aubigné, on ne comprend pas tout, tu sais.

Je me suis servi de l'érudition de Lenny pour séduire Sélim, ajoutant de la trahison à la trahison – et mentant aussi bien à l'un qu'à l'autre, puisque Sélim n'a jamais su que je n'avais jamais ouvert un livre de ma vie. Avant Lenny, seules les chansons m'avaient donné un aperçu du pouvoir des mots, et aujourd'hui encore, certaines m'émeuvent davantage que les poèmes les plus sublimes. Je n'ai jamais réussi à convaincre Lenny d'écouter du Fréhel ou du Ferré, sans parler de Goldman et de Cabrel, que je mets très haut dans mon Panthéon personnel. Mais il faut croire qu'il a fait du chemin en dix-sept ans, puisque je l'ai retrouvé chantant du Serge Lama avec les membres de sa secte.

Mais en ce lointain jour de mars, Lenny ne s'est pas encore converti à la chanson, et je n'ai pas encore fait le pas qui me séparera à tout jamais de lui et de l'enfant à naître. Je me tiens devant Sélim, essayant de faire bonne figure et de dissimuler mon trouble. J'accepte un café, refusant de passer à la bière ou au Ricard comme il m'y invite : si nous devons aller plus loin, je veux que l'alcool n'y soit pour rien.

Il discourt gaiement et essentiellement de lui : il est plus jeune que moi, habite chez ses parents, est en master d'éco, aurait bien fait des études de lettres mais n'a pas envie d'être prof, et de son propre aveu se cherche un peu. Quand il finit par s'intéresser à moi, je fais court : je suis maquilleuse pour la télévision, et je vis avec Lenny depuis plus d'un an. Moi aussi, je me cherche un peu, ai-je envie de lui dire : j'hésite entre fonder une famille ou m'envoyer en l'air avec toi. Mais bien sûr, je ne pipe mot de ce qui m'agite et me contente de prendre des airs lointains tandis qu'il recommence à se raconter, ses études, ses parents, bla-bla-bla, son grand frère IMC…

– IMC ?

– Infirme moteur cérébral. Il est en fauteuil roulant. Mais c'est une tronche, hein : il est ingénieur nucléaire et il gagne très bien sa vie. Sauf qu'il lui faut quelqu'un pour l'aider quasi en permanence.

– Il s'appelle comment ?

– Adrien. Il a dix ans de plus que moi, ce qui fait qu'on n'est pas super-super-proches, mais je l'adore. Tu as des frères et sœurs ?

– Oui, mais je ne les vois jamais. J'ai coupé les ponts avec ma famille et c'est pas un sujet, O.K. ?

Ce n'était pas le but, mais je lui ai fermé son clapet. Il ne doit pas avoir l'habitude qu'on lui parle sèchement, ce beau garçon bien élevé. Car maintenant qu'il a renoncé à son verlan de pacotille, ses bonnes manières me sautent aux yeux. Lenny a de très bonnes manières aussi, mais on sent qu'elles ne doivent qu'à lui, à sa volonté fanatique de tout bien faire – alors que Sélim semble les avoir sucées à la mamelle, en même temps qu'on lui lisait des histoires le soir et qu'on l'emmenait skier l'hiver. Je peux me tromper, mais en principe j'ai toujours su reconnaître un vrai bourgeois.

Un air d'incertitude passe sur son beau visage, il doit se demander ce que je fous là, et ne plus savoir comment s'y prendre. Tant mieux, c'est bien qu'il doute un peu. Sauf que loin de douter, il attrape ma main et la porte à ses lèvres, me suce un doigt, puis deux, précipitant follement les battements de mon cœur sous le petit pull angora très ordinaire que j'ai mis ce matin. Si j'avais su, je me serais préparée, évidemment, au lieu d'être en jean, pull et bottes cavalières. Heureusement que mon chignon tient la route et qu'aucune mèche ne s'en échappe en suivant des angles bizarres. Et puis je peux toujours compter sur mon maquillage – aujourd'hui un trait d'eye-liner, et un rouge mat mais éclatant sur les lèvres.

Reposant ma main sur la table, il avise la petite couronne ducale que je me suis fait tatouer sur le majeur droit :

– T'es une princesse ?

– Car es-tu reine, ô toi ! la première ou dernière ?

Es-tu roi, toi le seul ou le dernier amant ?

Si jusque-là on pouvait douter de l'issue de ce rendez-vous, je lis dans les yeux de Sélim que je viens définitivement de le conquérir. Pardonne-moi, Lenny, et pardonne-moi d'autant plus que je ne te l'avouerai jamais, mais oui, j'ai eu recours à ton poème préféré, celui que tu m'as récité tant et tant de fois, et avec tant et tant de ferveur, m'en dédiant chaque alexandrin, et fermant les yeux sur l'image finale, roses blanches et fantômes blancs qui consacraient ma royauté et ma sainteté de femme damnée.

Hop, me rejoignant sur la banquette, Sélim entreprend de m'embrasser avec fougue, puis glisse une main sous l'angora du pull avant de marquer un temps d'arrêt. Il faut dire aussi que ce jour-là, je n'ai ni seins ni soutif. Je sens bien qu'il n'ose pas marquer de surprise et je retiens mon souffle en attendant la question qui ne manquera pas de venir. Sauf qu'il est vraiment très bien élevé et qu'il continue à me peloter poliment cinq minutes, avant de retirer sa main et de reprendre sa place en face de moi.

– Tu veux vraiment pas boire autre chose ?

– Je prendrais bien un whisky, finalement.

Un Glenfiddich ne sera pas de trop pour ce qui m'attend. J'ai beau en avoir l'habitude, je déteste ce moment, ou plutôt je déteste être contrainte à cette précision préalable.

– Sélim, je suis trans.

Entendons-nous bien, en huit ans, cet aveu, n'a jamais entraîné de réaction de rejet. Aucun mec ne m'a jamais attrapée au collet en hurlant que je l'avais trompé sur la marchandise. Aucun non plus n'a fait état d'une impossibilité viscérale ni ne m'a objecté qu'il ne couchait qu'avec des femmes biologiques.

Quelques-uns ont ricané qu'ils s'en doutaient, ma voix, ma taille, on ne la leur faisait pas – mais c'est moi qui n'étais pas dupe et qui savais très bien les avoir éblouis par ma féminité incontestable. Mais dans tous les cas, je dis bien dans tous, j'ai senti leur ardeur monter d'un cran. Je m'efforçais pourtant de délivrer l'information comme en passant, sur un ton neutre et factuel, histoire qu'elle ne prenne pas toute la place entre nous, mais peine perdue. Ils n'essayaient même pas de cacher leur surexcitation, sans compter qu'ils embrayaient illico sur mes organes génitaux :

– Mais t'es… t'as quoi ? T'es opérée ou t'es pas opérée ? T'as toujours ton zguègue ou tu t'es fait faire… T'as une chatte ?

La brutalité de l'interrogatoire me servait de pierre de touche : je n'ai jamais couché avec un mec qui était incapable de me parler d'autre chose que du contenu de ma culotte – un premier tri sélectif nécessaire mais pas suffisant, si j'en juge par la somme des ennuis que je me suis quand même attirés rien qu'en étant moi. C'est bien simple, à part Lenny, tous ont fini par me le faire payer, sans que je sache jamais si j'expiais leur excitation initiale ou les torts que j'infligeais à leur virilité – puisqu'ils finissaient tôt ou tard par l'estimer bafouée par ce qui restait de la mienne.

De tous mes amants, Lenny est le seul à n'avoir manifesté ni curiosité ni enthousiasme particuliers à me découvrir trans. Il est aussi le seul que j'aie mis devant le fait accompli – cet effet de surprise n'expliquant en rien la simplicité, ou devrais-je dire l'innocence avec laquelle il a ensuite abordé les choses :

– Comment ça se fait que tu aies, euh, une bite ?

Mon merveilleux amour, je ne te remercierai jamais assez de m'avoir posé la bonne question, et d'avoir vu l'incongruité là où elle était. Car dis-toi que les autres, tous les autres, avant et après toi, ont pris les choses à l'envers, comme si ma féminité était factice, surjouée et surajoutée.

Même Sélim, en dépit de sa finesse, m'a demandé si ça m'excitait de m'habiller en meuf, si je prenais des hormones et si je comptais me faire opérer. Il ne l'a pas fait le jour des *Quatre Points Cardinaux*, et c'est dommage, car j'aurais fui, laissant là mon attirance pour lui et mes fantasmes le concernant. J'aurais retrouvé Lenny et son amour inconditionnel, j'aurais été une mère pour Farah, au lieu de m'abîmer dans une histoire foireuse et vouée à l'échec.

L'échec flottait entre nous, dès le début, dans la lumière poudreuse qui nimbait le comptoir, dans le bruit du percolateur, les entrées et sorties des clients, dont beaucoup saluaient Sélim. L'échec flottait dans la promesse que je lui ai faite de revenir bientôt, à la même heure ; l'échec flottait dans le baiser que nous avons échangé, mêlant nos langues, nos mains et nos souffles. Je le dis aujourd'hui, mais j'aurais pu le savoir hier, au moment même de ce baiser passionné. Parce que Sélim était comme moi, inconstant et cruel. J'aurais dû identifier sa cruauté et prévoir son inconstance, reconnaître un alter ego en ce beau garçon, mais du jour où j'ai aimé Sélim, j'ai cessé d'être une garce insensible pour devenir une pauvre conne, éperdument amoureuse et durablement dépendante. Il n'a eu qu'à claquer des doigts pour me faire tomber dans sa gibecière. Et comme il y a une chanson pour tout, il y a une chanson pour ça et elle s'appelle « Ain't Nobody ». Captured efforlessly, that's the way it was, happened so naturally, I did know it was love...

Boobs

Que faire ? Si Farah n'était pas solidement implantée dans l'utérus de Sophie, je pourrais peut-être reprendre mes billes, dire que je me suis trompée et suggérer un avortement. Ce serait affreux pour tout le monde, à commencer par ce pauvre Lenny, mais on resterait dans le cadre d'une rupture – une rupture un peu plus sanglante qu'elles ne le sont d'ordinaire. Sauf que Sophie a dépassé le délai légal pour une interruption de grossesse. Elle sent le bébé bouger en elle, et ce bébé est le mien. Je me résous donc à faire ce que je n'ai jamais fait, à savoir tromper et mentir.

Car si j'ai une longue habitude de la dissimulation, je n'ai jamais proféré de mensonge. Au contraire, toute ma jeune vie a été un combat pour faire admettre une vérité jugée inadmissible. Si j'avais pu me dispenser de ce combat et accepter d'être un garçon, je l'aurais fait, mais ce garçon n'a jamais existé, et c'est lui qui aurait été un mensonge.

Au début de ma liaison avec Sélim, je suis donc partagée entre l'euphorie amoureuse et la tristesse de m'inventer en permanence des alibis pour mes retards et mes absences. Heureusement que Lenny ne me demande rien et accepte sans sourciller mes affabulations. Il sent bien mon éloignement et ma désaffection, mais il est incapable d'imaginer l'ampleur de ma trahison, et il est de toute façon obnubilé par la naissance de notre enfant – et accaparé par Sophie, dont les exigences croissent en même temps que le ventre.

Je la hais. La haine s'est installée tout doucement, mais elle contribue à me désinvestir de notre projet parental à trois bandes. Je la hais d'autant plus que je la soupçonne d'être tombée amoureuse de Lenny – à moins que mon propre rut ne me pousse à flairer des phéromones partout. Mais je la hais aussi de se masser le ventre à l'huile de calendula, d'acheter de nouveaux soutiens-gorge, de se priver de fromages au lait cru, de se tenir les reins, d'être écœurée par le café et les parfums trop insistants – à commencer par le mien, dont elle prétend qu'il la barbouille, un autre mot qui a le pouvoir de me rendre dingue, ce qui fait que je m'asperge exprès quand je sais que nous allons la voir.

Je déteste tout particulièrement la façon dont elle joue de ses nouveaux seins, des seins de grossesse, tendus et luisants comme du marbre ; des seins qui ne survivront pas à l'accouchement, puisqu'il n'est pas question que je laisse mon enfant les lui sucer. Toujours est-il que Sophie, qui n'a ni fesses ni poitrine en temps normal, s'autorise désormais des fringues moulantes et des décolletés qui sont tout sauf sexy.

Il faut dire que les seins ont toujours été pour moi un sujet sensible. Autant la chirurgie me fait horreur, autant je n'envisage pas de vivre sans seins. A fortiori depuis que Sélim est entré dans ma vie. Car si Lenny s'est toujours contenté de mes modestes efflorescences, quand efflorescences il y avait, Sélim a manifesté son insatisfaction dès la première fois que nous avons couché ensemble.

Cette première fois arrive très vite. Une semaine après avoir revu Sélim aux *Quatre Points Cardinaux*, je me retrouve dans son lit. Pour ce deuxième rendez-vous, j'ai fait évidemment en sorte d'être irrésistible : minijupe de cuir noir, top fuchsia, talons quasi plats pour contrebalancer l'effet de la mini, teint glowy, faux cils insoupçonnables, et passage chez le coiffeur pour ne pas arriver avec une startouf indomptable – je sais de quoi mes cheveux ont l'air après l'amour, et il n'est pas question que j'inflige ça à Sélim. Après un bref passage au café, et un verre formellement avalé au comptoir, direction l'appart que lui ont acheté ses parents en face de l'hôpital Saint-Louis.

– Il est à toi, vraiment ?

– Ben oui. Tant qu'à mettre leur fric quelque part, autant qu'ils m'aident à démarrer dans la vie. Ça sert à ça, les parents, non?

Loin de m'aider à démarrer dans la vie, les miens m'ont propulsée hors de la leur, mais je ne suis pas loin de penser que c'était précisément le démarrage qu'il me fallait. Toujours est-il que l'appart de Sélim est spacieux, lumineux, très éloigné de mes goûts en matière de déco, mais très joli quand même – et de toute façon, personne n'a mes goûts en matière de déco.

Je m'attendais à ce qu'il me saute dessus, en un remake de notre première rencontre, mais non, il entend parler d'abord, et d'autre chose que de lui pour changer, ce qui fait que je me retrouve à lui raconter ce que je n'ai livré à personne, sauf à Lenny, par bribes réticentes – trop de tristesse à m'y replonger, trop de fatigue à devoir expliquer mes évidences intimes.

Sélim balaye tout, la réticence, la tristesse, la fatigue, et même l'exaspération que m'inspirent d'ordinaire les questions trop naïves ou trop indiscrètes.

– Mais t'as toujours su que t'étais une fille? Genre t'étais coincée dans le mauvais corps?

– J'étais pas coincée dans le mauvais corps, il m'allait très bien, mon corps.

– Mais t'avais une queue! Ça t'allait d'avoir une queue?

– Ben oui. Quand j'étais petite, je croyais même que tout le monde en avait une.

– T'avais pas de sœurs, de cousines ?

– Si tu crois que ma sœur se baladait à oilpé...

– Ben alors, c'était quoi ton problème ?

– Mon problème, c'est que j'aimais les trucs de fille et que je détestais les trucs de garçon.

– Quoi, par exemple ?

– J'aimais les robes, le rouge à lèvres, les chapeaux, les poupées, la danse. Et je n'aimais pas jouer avec les garçons, ni parler avec eux. De toute façon, parler avec eux c'était parler de foot ou d'embrouilles dans le quartier. Moi, j'aimais dessiner tranquillement dans mon coin, faire des découpages, m'inventer des chorégraphies. D'une façon générale, j'aimais qu'on me foute la paix, et ça, c'est un truc ni de fille ni de garçon, c'est juste moi.

– T'es mal tombée avec moi, si t'aimes qu'on te foute la paix. Je suis un vrai chieur, je te laisserai jamais tranquille.

Nous sommes dans son lit, nus comme au premier jour, et il titille mon mamelon, avant de reprendre :

– T'aimerais pas avoir des seins ? Parce que t'as un corps de ouf mais tu serais encore plus ouf avec des eins.

Cette fois-ci, je ne le reprends pas sur sa façon de parler, mais je ressens, très cruellement, à l'endroit même où il promène son index, l'absence d'une rotondité, un globe que je pourrais moi aussi mouler dans le satin et faire pigeonner insolemment, comme cette dinde stupide de Sophie Leroy, cette conne qui ne mérite pas d'avoir des seins. D'ailleurs, elle n'en a pas, elle fait du 75A, sauf quand elle est enceinte. Autant dire qu'elle me doit sa poitrine actuelle, ce qui ne fait qu'ajouter à mes regrets.

Ce jour-là, Sélim et moi finissons par faire l'amour, mais je suis trop débordée par mes émotions pour bander. Comme il m'a très efficacement préparé le cul avant de me pénétrer, je n'ai pas mal, et je ne crois pas utile de lui dire que d'autres options s'offrent à lui. Les autres options attendront que nous nous connaissions mieux – sans compter que l'enthousiasme gourmand de Sélim compense largement son manque d'inventivité.

Cela dit, le ver est dans le fruit et je ne m'imagine plus vivre sans seins. Dès le lendemain, je consulte ma seule amie trans, elle-même pourvue de seins laiteux du plus bel effet. J'ai rencontré Clémentine à une marche des fiertés à laquelle je participais sans conviction et sans plaisir. Je ne suis pas faite pour défiler, pas faite pour militer non plus. Je le regrette, mais je ne vais pas infliger une aliénation de plus à ma nature profonde, qui est d'être un loup solitaire.

Clem passe un bras sous le mien, alors que je défile sombrement, ressassant mon incapacité à faire corps avec mes sœurs et mes frères, à partager leur liesse – sans parler de leur fierté autoproclamée. Et comme il y a des chansons pour tout, il y a une chanson pour ça et elle s'appelle « Je marche seul ». C'est plutôt une chanson pour les déambulations nocturnes, mais elle m'a toujours semblé s'appliquer parfaitement à moi. Un jour, j'écrirai à Goldman pour lui à quel point il m'a aidée à me comprendre et à comprendre le monde. La fois où j'ai exprimé cette idée devant Lenny, les yeux lui sont sortis de la tête :

– Mais enfin, Hind, qu'est-ce que ces chansons débiles ont à voir avec toi, avec moi, avec la complexité et la subtilité de ce qui nous traverse ?

– Qu'est-ce que t'en sais qu'elles sont débiles, tu les écoutes même pas !

– Je les écoute suffisamment pour voir que Goldman ou Berger n'arriveront jamais à la cheville de Verlaine ou d'Éluard.

Lui qui déteste être en désaccord avec moi n'en démord pas : la chanson, ça ne dit rien d'intéressant, et ça n'est pas de la poésie, sauf quand ça en est, mais là encore, il ne voit pas bien l'intérêt : Ferré chantant Aragon, par exemple, ça le laisse froid.

– La musique était déjà là, l'alexandrin, l'octosyllabe : quel besoin d'en rajouter ?

Pas moyen de lui faire comprendre que moi, c'est la musique, la voix, la mélodie, qui me donnent accès aux mots, et que ça n'empêche pas ces mots de posséder leur force propre.

Mais j'en reviens à ma rencontre avec Clémentine. Boucles rousses, cils carotte, petit nez refait qui se fronce quand elle sourit, elle m'est d'emblée sympathique, même si ça ne l'autorise pas à me palper affectueusement le bras comme elle le fait.

– Ici c'est toi et moi qui avons le meilleur passing, chérie, et de loin !

C'est la première fois que j'entends le mot, mais l'idée m'est familière et elle a longtemps été mon obsession et mon objectif : être identifiée comme une fille. Clémentine rit franchement :

– Eh oui, je t'ai grillée ! Mais honnêtement, si je t'avais croisée ailleurs, je me serais jamais doutée que t'es trans. Tu fais 100 % pure meuf! Note que j'aurais pu me tromper, mais je me suis dit ça passe ou ça casse !

Hop, plantant là la monstrueuse parade, nous faisons halte dans un café de Bastille, où Clem déverse en vrac son vécu chaotique – et infiniment plus douloureux que le mien : son enfance de petit gros efféminé dans un bled de la Sarthe, la stupeur horrifiée de ses parents à chacun de ses pas vers la vérité, l'habillement, le maquillage, la volonté d'imposer prénom et pronoms.

– Clémentine, ça me va bien, non ?

De fait, elle est aussi ronde, orange et charnue que je suis longue et brune. Loin de m'offusquer de ses manières abruptes, je ris avec elle, et déballe à mon tour de tout petits morceaux choisis de mon histoire. Notre amitié date de ce jour-là, et elle est la relation la plus stable de ma vie, chacune ayant trouvé en l'autre une conseillère avisée sur tous les sujets, y compris les plus intimes. Je préfère toutefois ne pas lui dire que j'ai un amant : elle idolâtre Lenny et ne comprendrait pas que j'aille voir ailleurs. Je me contente de taper du poing sur la table, avant même nos roucoulades de retrouvailles :

– Je veux des seins !

Comme d'habitude, les deux tiers des siens sont bien visibles, son décolleté s'arrêtant pile à l'aréole rouge fraise de son sublime 100 D, une folie qui ne doit rien à de la silicone, vu qu'elle s'est fait injecter sa propre graisse, technique malheureusement inapplicable en ce qui me concerne, dans la mesure où je n'ai de graisse nulle part.

– Commence par prendre ton estradiol.

– Je vais pas attendre mille ans pour au final me retrouver avec une poitrine de moineau.

– J'ai plein de copines qui ont des seins pas mal rien qu'avec les hormones. Faut juste être un peu régulière et un peu patiente, pas comme toi.

– Je veux des implants, pas des hormones.

– Aucun chirurgien t'opérera si t'as pas suivi ton traitement pendant au moins un an. Faut déjà qu'il y ait une base, tu vois, un peu de tissu mammaire…

– T'as pas compris : j'ai besoin d'avoir des seins tout de suite, des gros seins qui bougent, comme les tiens, pas des tubercules tout cheum.

– Qu'est-ce qui se passe ? C'est Lenny qui te met la pression ?

– Non, c'est moi. Je supporte plus d'être plate, et je préfère mettre des implants direct plutôt que de m'imprégner de trucs chimiques qui me flinguent la santé. Trouve-moi un bon chirurgien, je suis sûre que t'as ça dans ton carnet d'adresses.

– Quelqu'un t'a fait une remarque sur ta poitrine ?

– Clem, t'es sourde, ou quoi ? Personne m'a rien dit, personne m'a rien demandé.

– Bon, tu fais une dysphorie thoracique.

– Voilà, si tu veux : je fais une dysphorie thoracique.

– T'es prête à aller à Budapest, pour t'acheter des seins, bitch ?

– Pourquoi pas…

– Bon, j'ai une pote qui a fait ça. Elle a tout fait là-bas, les seins, le visage… Elle dit que les Hongrois travaillent super-bien et pour pas cher. Et y'a un suivi d'un an. Elle est toujours moche, note bien, mais moins moche qu'avant, j'avoue.

– Du moment qu'elle est contente.

– Elle est ravie. Je vais lui demander les coordonnées de la clinique.

– Je compte sur toi. J'ai envie ni d'hormonothérapie ni de suivi psy.

– J'ai compris, Hind, tu veux juste des big boobs.

– Pas forcément énormes, hein, mais ouais, je veux des boobs.

Je m'envole pour Budapest trois mois plus tard, contre l'avis de Lenny mais avec l'assentiment enthousiaste de Sélim – et bardée de leurs conseils à tous les deux, comme si je n'étais pas assez grande pour décider par moi-même du volume et de l'aspect de mes seins. Lenny redoute les suites opératoires, et Sélim se demande si mes tétons resteront sensibles, mais ils se rejoignent tous les deux dans leur désir risible de « naturel ». À Lenny comme à Sélim, je réponds que mes faux seins feront de leur mieux pour imiter les vrais, mais que le naturel n'est plus une option, et je file vers la clinique du Dr Farkas, pour qu'il insère deux prothèses anatomiques derrière mes pectoraux. Incision axillaire, points de suture résorbables, bas de contention dans l'avion du retour, et roule ma poule.

Dans son français parfait, le Dr Farkas me félicite de l'étroitesse de mon buste et du positionnement de mes mamelons, qui m'évitera d'avoir des seins trop écartés. Il est persuadé d'obtenir le résultat naturel souhaité par mes amants, à condition que je ne me montre pas déraisonnable :

– Comme vous êtes plutôt osseuse, je vous conseille un bonnet B. En tout cas, n'allez pas au-delà du C : ce serait inesthétique. Après, bien sûr, c'est vous qui décidez.

– B, c'est petit, non ? Je fais quand même un mètre soixante-seize.

– Il y a des femmes très grandes qui n'ont pas de poitrine, et inversement. C'est d'ailleurs très problématique, les très gros seins sur une petite femme. Je fais beaucoup de réductions mammaires, figurez-vous. Et un bonnet B, c'est déjà une poitrine moyenne. Après, bien sûr, c'est vous qui décidez.

Je finis par comprendre que cette expression, qu'il répète comme un mantra, signifie, « après tout, c'est vous qui payez », ce qui est parfaitement exact, mais je me range à son avis, et va pour le bonnet B. Le Dr Farkas a raison : des seins trop épanouis jureraient avec la sécheresse de mes clavicules et l'échelonnement bien visible de mes côtes. Clem m'envie ma maigreur, mais elle n'a rien d'enviable, même si c'est plus facile pour s'habiller. J'ai toujours aimé les corps amples, la surabondance des chairs, mais j'aurai beau faire et manger comme quatre, je ne parviendrai pas à prendre un gramme, alors autant que j'accepte mon morphotype.

Paradoxalement, les quelques semaines qui suivent mon opération comptent parmi les plus heureuses de mon histoire avec Lenny. Mes seins siliconés ont beau me ravir, ils offrent encore des boursouflures étranges – sans compter que mes cicatrices suintent un peu et nécessitent des soins que Lenny est ravi d'assurer mais qui horrifieraient Sélim. Je préfère attendre d'être redevenue moi-même – moi-même avec des seins souples et mouvants, plutôt que de lui offrir le spectacle de mes aisselles couturées et de mes grimaces de douleur parce que mes pecs me font mal.

Eh oui, quelques mois après le début de notre liaison, je ne me fais déjà plus d'illusions sur lui, et j'ai déjà compris qu'il est capable d'empathie mais pas généreux pour autant, sensuel mais facilement dégoûté par le corps et ses humeurs, sociable mais très indépendant, narcissique mais pas imbu de sa personne – et finalement assez semblable à moi pour que je lise en lui et évite à notre amour de se crasher au décollage.

Quand je rentre de Budapest, Sophie est à deux mois de son terme, et je décide de faire un break avec Sélim jusqu'à la naissance de Farah – que j'appelle Farah depuis sa conception. Une nouvelle échographie a eu lieu pendant mon séjour en Hongrie, mais Lenny et Sophie se sont bien gardés de demander confirmation du sexe du bébé, craignant de s'attirer mes foudres.

De ce bébé, Sélim n'a toujours pas la moindre idée, et je m'enfonce toujours plus avant dans le marigot de mes mensonges, avec lui comme avec Lenny. Sauf que mes mensonges à Lenny sont devenus la substance même de notre vie de couple, tandis que mes mensonges à Sélim ne sont que des alibis occasionnels, comme ce tournage en province que j'invente pour rompre avec lui sans rompre avec lui. Il se peut qu'un mensonge reste un mensonge et qu'il n'y en ait pas de moins graves que d'autres, il n'empêche que j'ai toujours su que les miens tueraient Lenny mais laisseraient Sélim indemne – même le plus gros de tous, celui qui consiste à lui cacher que je vais être mère.

Quelques semaines durant, Lenny a donc la primeur de mes seins tout neufs, et le plaisir de me retrouver en tête-à-tête – tandis que j'envoie à Sélim des SMS laconiques mais tendres, histoire d'entretenir la flamme jusqu'à ce que ma décision soit prise. En réalité, mes seins ont pris la décision pour moi et ils brûlent de faire la connaissance de leur propriétaire, ce qui fait que je me retrouve un jour à courir dans la rue pour le rejoindre, avec Sardou à fond dans mes écouteurs : « Je vais t'aimer ». J'ai toujours adoré cette chanson, et toujours attendu secrètement qu'on me la chante avec cette conviction virile, celle de me donner du plaisir, celle de faire rougir les putains de la rade, celle de faire flamber des enfers dans mes yeux, et celle, surtout, de faire dresser mes seins et tous les saints.

J'ai envoyé valdinguer le délai que je m'étais fixé, mon serment imbécile de tenir sans Sélim jusqu'à la naissance de Farah, mais c'est précisément ce jour-là qu'elle choisit pour venir au monde, histoire de me mettre en accord avec moi-même et de m'éviter le parjure.

Woman in Love

Arrivée devant chez Sélim, je remise soigneusement mon iPod, m'arrachant à la guitare flamenca et à la voix puissante de Sardou – mais j'en frémis encore, et il ne m'a pas plutôt ouvert sa porte que je tombe dans ses bras. Tandis que nous mêlons nos souffles, nos langues, et nos exclamations émues, je sens ses mains se glisser dans l'ouverture de mon haut et venir épouser la rondeur de mes seins :

– Waouh ! Attends un peu, je veux voir ça !

Sous mon cache-cœur de maille écarlate, je porte un soutien-gorge d'un rose légèrement poudré, que j'ai mis des heures à choisir pour l'occasion, mais qui ne retient pas trois secondes l'attention de Sélim.

– Je peux ?

– Euh, oui…

Le voilà qui se lance dans la succion passionnée de mon mamelon droit, puis dans celle du gauche :

– Tu sens quelque chose ?

– C'est exactement comme avant, en fait. Et toi, tu sens que c'est un implant ?

– Difficile à dire. C'est peut-être un peu plus dur que chez les autres filles. Et encore, non, même pas...

– Tu aimes ?

– J'adore !

Il me fait mettre debout, m'inspecte sous toutes les coutures, puis m'attire au lit :

– Tu m'as tellement manqué, Hind !

– Toi aussi.

– Ne fais plus jamais ça.

– Faire quoi ?

– M'abandonner.

Il va m'aimer. À moins que ce ne soit le contraire. Car Sélim a beau jouer les mâles dominants, je me retrouve souvent le nez ou les doigts entre ses fesses tandis qu'il mord l'oreiller, quand je ne suis pas en train de le branler furieusement – à faire flamber des enfers dans ses yeux, à faire voler son âme aux septièmes cieux.

– Putain, c'est bon ce que tu me fais, Hind, tu le sais ?

Oui, je le sais, je le sens – je sens l'orgasme arriver dans son cul et je le retourne juste à temps pour prendre sa giclée de sperme entre mes seins tout neufs. Mon plaisir attendra, mais c'est souvent comme ça avec Sélim. À partir du moment où il prend son pied, il est persuadé que j'ai pris le mien. C'est exactement l'inverse avec Lenny, mais comme la vie est injuste, ça m'exaspère qu'il guette mon orgasme et qu'il attende que j'aie joui avant de jouir lui-même.

Nous n'avons pas plus tôt fini que j'entends sonner mon portable.

– C'est le tien ?

– Oui.

– Ne décroche pas. Ça fait deux mois qu'on s'est pas vus, tu peux bien me consacrer une petite soirée…

Je veux bien, mais ça recommence cinq minutes plus tard, puis de nouveau, jusqu'à ce que je me décide à sortir du lit. Lenny m'a appelée dix fois et m'a laissé autant de SMS pressants : Sophie est en train d'accoucher.

– Faut que j'y aille.

– C'est ton mec ?

– Oui.

– Il te sonne et tu accours ?

– Non, c'est pas ça.

– C'est quoi, alors ?

– Une urgence.

– J'en peux plus de te partager, Hind. Soit t'es avec moi pour de bon, soit tu te casses. Une femme, ça se partage pas.

– C'est une urgence, je te dis : il est à l'hôpital.

– Qu'est-ce qu'il a ?

– J'en sais rien. C'est pour ça qu'il faut que j'y aille.

– J'ai besoin que tu restes.

– Ça doit être grave : il a laissé au moins dix messages.

– Si c'était grave il serait pas en état de t'appeler ou de t'envoyer des SMS.

– Je dois y aller. Mais je reviens dès que possible, je te jure.

– Y'a pas moyen : cette fois-ci, si tu pars, te donne pas la peine de revenir, Hind !

J'entreprends de me rhabiller aussi posément que possible, la jupe en faille de soie noire, le collant fumé, le soutien-gorge rose poudré, le cache-cœur en maille légère, tous ces vêtements que j'ai choisis un à un pour qu'il me trouve irrésistible et qui me font me sentir encore plus misérable tandis qu'il m'agonit d'injures :

– T'es là à prendre tes grands airs, mais t'es qu'une pute, t'es pire qu'une pute, même, parce que tu fais ça gratos, pour le plaisir d'être une grosse pute ! Ce qui te plaît, en fait, c'est de me faire souffrir, c'est ça ta came, Hind, c'est à ça que tu marches. Je plains ton mec.

Il s'est rué hors de la chambre, pour faire je ne sais pas quoi, peut-être chercher des clopes ou aller s'ouvrir une bière, histoire de se calmer les nerfs, ce qui serait une bonne chose pour nous deux. Les mains tremblantes, je récupère ma pochette de velours à chaîne en strass, elle aussi amoureusement choisie pour compléter le tableau, pour aller avec mon image de femme fatale et légèrement rétro. Mais au moment où je m'apprête moi aussi à sortir de la chambre, Sélim est de retour, et bam, il tire la porte vers lui, comme pour m'enfermer – sauf qu'emportée par mon élan, je viens donner du genou contre le bois dur et me prends en pleine face l'applique portemanteau. Il n'a pas voulu ça, mais je suis à terre, sonnée par le choc, sentant déjà enfler ma pommette et saigner mon genou par la déchirure du collant fumé.

– Hind, pardon, je voulais pas te faire mal ! J'ai juste… Tu me crois, que je voulais pas te faire mal ?

Oui, je le crois, mais il m'en a fait quand même et il m'en fera toujours, pour la simple raison qu'il ne m'aime pas. Pour le dire autrement, il m'aime comme j'aime Lenny, superficiellement et égoïstement. Je passerai toujours après la satisfaction de ses désirs. Nous sommes le 16 avril 2006, ma fille est sur le point de naître, et au lieu de me précipiter à l'hôpital pour partager ce moment avec son père, je laisse un autre homme pleurer dans mes bras, tout juste si je ne le console pas de m'avoir explosé la tronche.

– Sélim, je vais à l'hosto voir ce qui se passe, mais je reviens très vite, O.K. ?

Et c'est ce que j'ai fait… J'espère qu'il existe quelque part un dieu qui pardonne, un dieu qui comprend que l'on soit faible et aveugle, lâche et cruel, parce que le 16 avril 2006, je me pointe comme une fleur à l'hôpital, et j'essaie de faire bonne figure en dépit de la tuméfaction de mon visage et du tumulte de mon cœur, mais j'ai déjà pris ma décision. Ça ne m'empêche pas de faire valoir mes droits sur le bébé et de l'arracher à une Sophie qui m'exaspère avec ses airs dolents. Je n'ai jamais compris cette façon qu'ont les femmes de considérer grossesse et accouchement comme des exploits, voire comme des batailles dont elles seraient sorties victorieuses. Et qu'on ne vienne pas me dire que mes propos sont dictés par le dépit de ne pas avoir d'utérus : j'ai assez de doigts pour compter les minutes de ma vie que j'ai consacrées à penser à l'utérus. Franchement, j'avais d'autres lacunes anatomiques à déplorer pour ne pas m'attarder sur celle-là.

De cette première rencontre avec ma fille, je garde un souvenir confus. J'ai conscience de l'importance du moment et je m'efforce de le vivre avec la solennité qu'il réclame, mais je suis définitivement ailleurs, torturée par le souvenir du visage implorant de Sélim :

– Hind, ne me quitte pas, je suis rien sans toi.

Il y a une chanson pour ça, une chanson de clébard que j'ai longtemps trouvée insupportable avec ses perles de pluie et son meilleur avril. D'ailleurs, il n'y a pas une mais mille chansons pour ça, mille chansons pour dire la peur d'être abandonné et l'espoir inepte d'une résurrection des sentiments d'avant. Aujourd'hui, c'est Sélim qui est dans la peau du clébard, à supplier pour que je reste, à jurer qu'il me fera reine, mais les gars comme Sélim ne peuvent pas tenir ce genre de promesses, ils y croient sur le moment, mais il ne faut surtout pas les prendre au mot.

Tandis que je donne à Farah son premier biberon, je sens quelque chose frémir dans ma fausse poitrine et j'ai presque envie de la mettre au sein, mais ce serait probablement mal vu et mal compris, surtout par Lenny, qui considère mes implants mammaires comme une monstruosité, même s'il est trop gentil pour me le dire. Je berce Farah, je fredonne, je l'amène devant la fenêtre, pour l'observer à la lumière du jour, notant au passage qu'elle est couverte d'un duvet sombre qui s'ajoute à ses autres disgrâces : ses bajoues, son nez busqué, ses yeux bigles, son teint jaunâtre.

Farah est loin d'être un beau bébé, mais les nourrissons sont rarement beaux, et sa laideur ne m'inquiète pas plus qu'elle ne me rebute. Je m'inquiéterai davantage le lendemain, en découvrant ce que les médecins appellent son « ambiguïté anatomique ». Je suis bien placée pour savoir que les anatomies univoques sont les plus sujettes à caution, mais ça n'empêche pas l'inquiétude – il faut croire qu'en dépit de mon projet d'abandon, je suis quand même la mère de cet enfant.

Le diagnostic tombe une semaine plus tard. Une semaine que je passe à courir entre l'hôpital et l'appart de Sélim, faisant croire à Lenny que j'ai plus de travail que jamais, alors que je me suis mise en arrêt maladie. Ma vie est un mensonge, et paradoxalement, les seuls moments où je me sens vraie sont ceux que je passe avec Farah, en dépit des regards scrutateurs du personnel médical – sans compter le regard de Sophie, qui me surveille comme le lait sur le feu, espérant sans doute me prendre en flagrant délit d'indignité parentale. Je suis indigne, bien sûr, et je l'ai toujours été, mais quand je tiens mon bébé dans les bras, ce sentiment d'indignité s'estompe, laissant place à un élan d'amour face à tant d'innocence et de fragilité.

Je t'ai aimée, Farah. Je ne sais pas quelle histoire ton père a pu bricoler pour justifier mon départ, mais tu dois savoir que ce n'est pas faute d'amour que je t'ai quittée. Bien sûr, j'ai pris un coup sur la casquette quand le médecin m'a assené que tu étais un garçon, mais ça n'a pas duré : si les formules chromosomiques étaient un destin, je ne serais pas ta mère. Or je le suis. Je prétends même que mon absence a fait de moi la mère idéale, un creux que tu as comblé à ta façon, qui était sûrement la bonne.

Je suis partie et tu n'y es pour rien. Aucune ambiguïté génitale, aucun désordre anatomique, aucune anomalie clinique, n'a joué dans ma décision. Au contraire, j'aurais pu rester rien que pour t'apprendre à faire fi des diagnostics et des catégorisations. Je suis partie parce que mon amour pour toi ne pouvait pas lutter contre un autre amour, moins pur mais plus impérieux, moins facile mais plus exaltant. Je suis partie, parce qu'à tout prendre je pouvais me passer de toi, mais que Sélim m'était indispensable.

Je suis dure, Farah, ton père a dû te le dire, même s'il est très fort pour embellir la réalité. Je suis dure, mais ta naissance a entamé un peu de cette dureté. Une semaine de plus et je n'aurais peut-être pas réussi à m'arracher à ta douceur duveteuse, à la fronce de ta petite bouche, à ta bonne odeur de bébé dans les grenouillères que j'avais choisies une à une pour accompagner tes premiers mois. Je t'aurais appris à t'habiller, Farah, si j'étais restée. Lenny a du goût, mais aucune fantaisie – et surtout, il considère qu'il faut consacrer à l'habillement le moins de temps et d'argent possible. Il ne s'est intéressé aux fringues que par amour pour moi, et je suis sûre qu'il a tué dans l'œuf toutes tes velléités de frivolité. J'arrive tard dans ta vie, Farah, mais peut-être pas trop tard pour t'enseigner que la frivolité est un sujet sérieux.

Le jour où je m'en vais, tu portes un pyjama rayé de rose et de vert. Tu sens bon l'eau de toilette à la fleur d'oranger, et j'ai lissé tes mèches noires sur ton crâne bosselé. Même s'il ne peut s'agir que d'un geste réflexe, ta petite main agrippe la mienne tandis que je te dépose précautionneusement dans ton lit, et les larmes me montent aux yeux. La dernière fois que j'ai pleuré, Farah, j'avais douze ans, alors ne va pas t'imaginer que ça ne m'a rien fait de te laisser pour toujours.

Indéniablement dictée par la passion, ma décision n'en résulte pas moins de considérations que je crois rationnelles – précisément parce que j'ai cessé de l'être. Je me dis d'abord que j'ai trop menti – et il m'en vient comme un écœurement. Pour repartir d'un bon pied avec Lenny, il faudrait avouer tous ces mensonges, tous ces mois de tromperie, et je ne suis pas sûre qu'il s'en remettrait ni qu'il pourrait de nouveau me regarder en face. Il mérite la vérité mais il ne la supporterait pas. Autant partir.

Bien sûr, j'ai aussi menti à Sélim, mais pas tant que ça, et essentiellement par omission. On pourrait m'objecter que l'omission était de taille, mais ce serait une erreur d'appréciation. Qu'est-ce que je cache à Sélim, au fond ? Que je viens d'avoir un enfant ? C'est Sophie qui l'a eu – elle me le fait suffisamment sentir. Ma paternité tient à une goutte de sperme, autant dire rien ; quant à ma maternité, elle est pure invention de ma part, une fable que Lenny a acceptée par amour, mais qui n'a aucune réalité officielle : je ne figure même pas sur le livret de famille. Autant partir.

Bien sûr, je pourrais partir autrement, expliquer, prévenir, prévoir des retrouvailles – et pourquoi pas une garde partagée… Mais non, tu vois : je choisis l'escamotage, je me raconte que je te ferai moins de mal en me volatilisant qu'en étant une mère de pacotille, à la présence intermittente et aux absences perturbantes. À Lenny, je laisse un mot très bref : « Pardonne-moi si tu peux et ne me cherche surtout pas. » Rien à ton sujet, Farah. Pas de « Prends soin de notre fille, occupe-toi d'elle, je te la confie ». Je ne peux pas te laisser en de meilleures mains ni à un meilleur père, et ça aussi, je me le répète en boucle alors que je file rejoindre Sélim – déjà si loin de toi et si pleine de lui.

Je suis dure, Farah, mais je suis bête aussi, et la bêtise forme un mélange instable et explosif avec la dureté. Dans ma bêtise, au lieu de prendre un moment de recueillement, au lieu d'avoir une pensée pour ce que je laisse derrière moi, j'insère illico des écouteurs dans mes oreilles et je descends dans le métro. Car il y a une chanson pour l'émerveillement naïf et l'absence de scrupule de la femme amoureuse, et elle s'appelle précisément « Woman in Love ».

Aujourd'hui j'ai honte, Farah, d'avoir choisi Barbra Streisand pour être la bande originale de ma défection, mais ce jour-là, je n'ai honte de rien, tout juste si je ne chante pas à tue-tête : I'm a woman in love, and I do anything to get you into my world and hold you within, it's a right I defend over and over again, what do I do?

Quel que soit ton niveau d'anglais, mon enfant, tu en sais bien assez pour juger de l'ineptie de ces paroles, car c'est au nom de ce droit à l'amour orgueilleusement proclamé par Streisand que j'ai saccagé quelques vies, à commencer par la tienne. What do I do ? Loin de me poser la question, j'appuie ma tempe contre la vitre, je ferme les yeux, et je me laisse pénétrer par le bonheur d'être en route pour le bonheur. Sélim m'attend ; j'ai déjà déposé chez lui deux valises de vêtements et mon geai empaillé. Je laisse le reste à Lenny, à charge pour lui de t'expliquer que j'avais une passion pour les lustres à pampilles et les boutis provençaux.

Je lui laisse aussi l'épaisse liasse de mes mensonges. Je ne veux plus rien avoir à faire avec le mensonge. No truth is ever a lie, chante Barbra Streisand, et je la crois dur comme fer, sans comprendre que je viens de troquer un mensonge contre un autre. Oui, une vérité peut être un mensonge, en dépit des chansons qui disent le contraire. Car il y a des vérités qui sont des promesses en l'air, des vérités qui ne sont vraies que dans l'effusion du moment, ne me quitte pas, je vais t'aimer, je ferai un domaine où l'amour sera loi, où tu seras reine…

Tandis que la rame émerge à l'air libre, et que chaque cahot me rapproche du domaine de l'amour, je regarde tous ces gens qui ne vivent pas sous sa loi, et qui ignorent encore ma royauté secrète. C'est un mois d'avril pluvieux, agité, avec de brusques averses et des éclaircies radieuses, comme celle qui nimbe les visages à ce moment précis, en écho à mon sacre du printemps – le sacre du printemps, si j'avais su…

Mais bien sûr, en ce beau jour d'avril, Sélim est aussi radieux qu'une éclaircie printanière et aussi fou d'amour que je le suis. Il m'enlace, il tombe à mes genoux, il mouille ma robe de ses larmes de joie, il gobe ma chatte avec un enthousiasme très éloigné de ses réticences habituelles, et il me fait jouir en moins de deux – à faire crier grâce à tous les échos, à faire trembler les murs de Jéricho.

Le droit à l'erreur

J'ai raté ton enfance, Farah, je n'y étais pas. Mais j'ai aussi raté la mienne car je n'y étais pas davantage. J'étais trop occupée à méditer des plans d'évasion pour avoir une enfance – si on entend par là une forme d'innocence. Mais je peux compter sur Lenny pour avoir préservé la tienne et pour t'avoir empêchée de grandir trop vite.

Tu as seize ans, presque dix-sept, et je ne sais pas s'il y a des chansons pour ça, mais il y a au moins un poème et je suis sûre que ton père te l'a récité, comme il le faisait au temps de notre amour, quand il essayait follement d'infuser en moi tout le poème humain :

– En ce temps-là, j'étais en mon adolescence

J'avais à peine seize ans et je ne me souvenais déjà plus de mon enfance

J'étais à 16 000 lieues du lieu de ma naissance…

Car mon adolescence était si ardente et si folle…

« Ardeur » est le mot préféré de ton père. Et j'espère qu'il t'a communiqué la sienne, parce que je n'ai rien de tel à te transmettre – ni incandescence, ni effervescence, ni feu sacré, ni chaleur humaine. Je suis froide, Farah. Refroidie serait peut-être un mot plus juste, sauf que le résultat est le même. Mais à seize ans, je brûlais, bien sûr, mon cœur brûlait comme le temple d'Éphèse et comme la place Rouge dans le poème de Cendrars. Je brûlais de quitter l'Essonne, ma vie de banlieusarde et mes années lycée ; je brûlais de tout brûler et de laisser derrière moi le petit tas de cendres de mon adolescence, avec ses aspirations confuses et l'idée fixe de ma féminité ; je brûlais d'être une femme accomplie au lieu d'une fille dégingandée, trop maigre et trop brune ; je brûlais de découvrir Paris, de me fondre dans l'anonymat des rues, de danser jusqu'à six heures du sbah et d'émerger dans le petit matin rose pour aller marcher sur les quais.

Tu ne ressembles pas à la fille que j'ai été. Physiquement, déjà. Tu es plus massive et tu fais moins arabe. Hamdoulilah, tu n'as pas hérité de la pâleur cireuse de Sophie ni de ses petits cheveux plats. Les tiens sont magnifiques, même si tu n'en tires pas parti – mais ça aussi, ça s'apprend. Note que je ne sais pas encore si tu me laisseras t'apprendre quoi que ce soit, vu que mon retour dans ta vie a l'air de contrarier tout le monde – à commencer par ton père, qui me laisse fréquenter son Église pour freaks, mais c'est tout juste.

J'ai décidé de commencer par là, assister aux offices sans me la ramener – et encore moins revendiquer ma maternité. C'est Kenny qui m'a parlé de la Treizième Heure, comme d'un endroit où je pourrais trouver du réconfort. C'était il y a deux ou trois ans, et à ce moment-là, c'est surtout lui qui avait besoin de réconfort. Je me suis contentée de noter l'information, comme j'ai engrangé toutes celles qu'il m'a données depuis mon départ. Je n'ai jamais vraiment aimé Kenny, mais je lui suis reconnaissante de ne pas m'avoir traitée en paria – alors même que j'avais presque tué son frère. À vrai dire, Kenny étant ce qu'il est, je suis sûre que ma trahison l'a d'abord réjoui. Il a toujours trouvé et clamé haut et fort que j'étais trop bien pour Lenny – et il a toujours essayé de me baiser.

Avec le temps, il a fini par admettre l'inadmissible vérité, à savoir qu'il ne me plaisait pas, et notre relation conflictuelle s'est muée en vieille affection de copains de bordée – car j'ai beaucoup fait la fête dans les établissements qu'il a successivement ouverts et fermés, à Paris ou en proche banlieue. Comme moi, Kenny est une créature de la nuit, alors que son frère se couche tous les soirs à vingt-deux heures, pour émerger à l'aube frais comme un gardon, prêt à faire sa gym et sa prière

– ou à aider la vieille du dessus, l'insupportable Madame Goudge.

Kenny m'a appris sa mort, paix à son âme, mais c'était une garce de première sous ses dehors bon chic bon genre. Et bien sûr, elle me détestait, mais c'est compliqué pour les femmes de ne pas me détester. Et qu'on ne vienne pas me parler de sororité : il y a quelque chose chez moi qui décourage la sororité, quelque chose qui fait que les autres femmes restent à distance, vaguement fascinées ou clairement hostiles. À moins qu'elles ne passent de la fascination à l'hostilité, comme l'a fait Sophie. Avec Nelly, ça a été l'hostilité d'emblée, et ça tombait bien vu que je n'ai jamais été dupe de ses manigances ni de sa façon d'acheter Lenny.

À tout prendre, je n'ai été proche que de mes amants – mais d'une proximité toute relative, et qui prenait fin avec notre relation sexuelle, incapable que j'étais de transformer en amitié des sentiments qui avaient de toute façon viré à l'aigre. Sans parler de toutes les fois où j'ai rompu pour sauver ma peau, parce que l'autre s'était transformé en petit macho transphobe, une fois son désir et sa curiosité assouvis.

Clem a été une amie, mais Clem a suivi l'amour jusqu'à Montréal, où elle habite désormais, et d'où elle m'envoie ses salutations de plus en plus militantes et de moins en moins amicales. Même si elle ne m'en dit rien, je sais que mon absence de conscience politique la déconcerte et la désole, et que d'ici un an ou deux, nous cesserons tout contact. Cela dit, j'aime autant être seule, plutôt que de faire semblant d'aimer les gens et de me soucier d'eux. Avoir des potes avec qui sortir, ça me suffit amplement comme vie sociale. Et s'il faut à tout prix nouer des relations, je pense avoir plus d'affinités avec les hommes trans qu'avec les femmes biologiques. Celles-là ne comprendront jamais qui je suis ni par quoi je suis passée pour l'être. Les mecs trans savent : ils ont fait le chemin à l'envers mais c'est le même chemin.

Parfois, je croise des frères et des sœurs trans, dans la rue ou dans le métro. Mon cœur bondit vers eux, mais je prends des airs de sphinge, histoire de dissuader toute tentative d'approche – au cas improbable où ils me reconnaîtraient comme une des leurs. J'ai plus de mal à rester impassible devant les petits non-binaires, avec leurs cheveux roses et leurs piercings, avec leurs tatouages et leurs colliers, avec ces voix qui les trahissent, comme la mienne le ferait si je ne la gardais pas sous contrôle. J'ai envie de leur dire de ne pas exposer tant de candeur au grand jour, j'ai envie de leur dire qu'il se trouvera toujours des cons sûrs de leur fait pour se sentir violés par leur indétermination, comme il s'est toujours trouvé des cons biologiques pour me reprocher d'être une erreur de la nature, un affront fait à leur chatte ou à leur zboub 100 % cis et hétéro.

La Treizième Heure est évidemment une Église inclusive. Lenny n'a pas attendu de me rencontrer pour penser que les premières communautés chrétiennes devaient être gay friendly voire franchement queer – à commencer par la communauté originelle, Jésus himself avec sa bande de hobos, d'invalides et de filles faciles.

Fidèle à mon programme de discrétion, je ne me suis pas signalée auprès de Sylvestre, Zoé ou Leslie, mais je les ai parfaitement identifiés. Kenny m'avait d'ailleurs briefée à ce sujet, ironisant sur le tropisme LGBTQIA+ de son frère sans percevoir du tout mon ironie à moi tandis que je l'écoutais déblatérer. Eh oui, Farah, ton oncle m'a toujours prise pour une femme biologique. Lenny aurait voulu lui dire la vérité, mais j'ai imposé la fable de mon utérus en lambeaux pour justifier notre recours à la GPA. Kenny n'était pas mon ami, il n'était même pas vraiment proche de son frère : je n'avais aucune raison de lui montrer mes papiers d'identité.

J'ai raté tes dix-sept premières années, et je ne sais pas ce que tu sais de moi. À notre première rencontre au *Cthulhu,* tu m'as semblé tomber un peu des nues et je n'étais prête à rien : ni à revenir dans ta vie, ni même à préciser la nature de notre lien parental. Il a fallu que je monte encore d'un cran dans le chagrin et le dégoût de moi-même pour me résoudre à jouer la fille prodigue – ou la mère repentante, comme on voudra. Sauf que je ne joue pas, je n'ai même jamais été aussi sérieuse et aussi sincère qu'aujourd'hui, crois-moi, même si je ne mérite pas d'être crue.

Il y a une chanson pour ça, bien sûr, une chanson pour ce que je revendique aujourd'hui, tout en ayant bien conscience que je n'ai droit à rien. J'ai décidé d'attendre le prochain karaoké pour la chanter devant tous les treiziémistes, en espérant que ton père et toi comprendrez que je la chante pour vous. En attendant, je suis là tous les jours, je m'assieds sur le banc du fond, j'essaie de me fondre dans la masse, même si je m'attire à chaque fois des regards curieux, vu que je ne passe inaperçue nulle part. Tu me regardes aussi, bien sûr, et tu viens même me saluer, mais tu le fais comme si j'étais n'importe laquelle de tes connaissances, une paroissienne comme une autre. Et Lenny fait exactement pareil. Autant au *Cthulhu* je l'ai senti bouleversé, presque hors de lui, autant il me parle désormais avec une courtoisie impersonnelle.

Quand arrive le premier vendredi du mois, jour dévolu aux chansons, je suis archi-prête. J'ai déposé mon titre dans l'urne prévue à cet effet, et me suis assurée qu'il figurerait bien au programme de la soirée. C'est une certaine Marsiella qui gère le truc, une quinquagénaire accorte qui me semble très proche de toi et de Lenny. Elle a d'abord essayé de me vendre une bougie en forme de vagin, mais j'ai décliné poliment : si je n'ai pas voulu de vaginoplastie, ce n'est pas pour me faire refourguer une bougie qui fond en dégageant une odeur d'iode et de levure fraîche, une odeur pas désagréable, mais non merci.

Le karaoké commence avec du Julien Clerc et du Céline Dion. J'adore Céline, mais ce soir je suis incapable de vibrer à sa voix magnifique, vu que j'attends mon tour de monter sur l'estrade, le cœur dans la gorge face à l'énormité de ce que je vais tenter. J'ai beaucoup hésité sur la tenue à porter, avant d'opter pour une minijupe en lamé rouge et une chemise satinée ton sur ton. Discrètement aidés par un soutien-gorge push-up, mes seins jaillissent de leur corolle vermillon. Autant je n'ai jamais voulu d'un vagin, autant je me félicite tous les jours de m'être fait poser des nichons hongrois. J'aime la façon dont ils saillent sans ostentation, et je bénis le docteur Farkas d'avoir refréné mes envies de bonnets C ou D : naturels ou siliconés, les gros seins ça encombre et ça vieillit mal.

Ça y est, c'est à moi, et je me hisse sur l'estrade prévue pour les chanteurs tandis que le piano prélude et que les paroles de la chanson s'affichent sur l'écran géant. De l'index et du majeur, je vérifie que mon chignon est bien en place, un chignon banane d'un blond presque platine que j'ai figé d'un nuage de laque, en un geste qui m'a longtemps semblé le comble de la féminité, mais qui s'avère être surtout un truc de mémé. Tant pis. J'assume d'autant mieux d'avoir des goûts de vieille que je les avais déjà à ton âge : à seize ans, j'aimais déjà les blouses lavallières, les jupes en tweed et les parfums poudrés. Le blond platine, en revanche, ça date d'hier, et c'est peut-être pour ça que tu me dévisages avec des yeux ronds, comme si tu ne me reconnaissais pas ou comme si je te rappelais quelqu'un.

Tu vas découvrir que ta mère est une chanteuse hors pair, ma chérie. Il faut dire que j'ai quarante ans d'entraînement. Dès que j'ai su parler, j'ai chanté devant ma télé, mimant la gestuelle d'Elton John ou de Mylène Farmer. C'est aussi comme ça que j'ai appris à danser, mais la chanson que j'ai choisi de chanter ce soir ne se prête pas à la chorégraphie, et je me contente d'un léger balancement accompagné de regards suggestifs qui semblent t'amener au bord du malaise. Attends un peu, mon bébé, je n'ai même pas commencé. Marsiella me tend un micro, mais ma voix n'a pas besoin d'amplification. Naturellement rauque et puissante, elle m'a complexée jusqu'à ce que je parvienne à la mater, toute seule, sans l'aide d'aucun orthophoniste. J'ai juste pris le pli de parler très doucement, mais sans chuchoter pour autant, en veillant au contraire à rester très audible. Au début c'était un effort, une vigilance de tous les instants, et puis je n'ai plus eu à y penser – sauf dans les moments de grande colère, où précisément je n'étais plus capable de penser à quoi que ce soit. Cela dit, ma voix de chanteuse est très différente de ma voix ordinaire. Elle reste légèrement éraillée, mais elle est plus suave et surtout très difficile à genrer.

Allez, c'est le moment, je prends mon souffle et je lève les yeux que je tenais baissés jusque-là. Contrairement à la plupart des nanas, je maîtrise parfaitement l'usage des faux cils et les miens font un effet bœuf tout en étant parfaitement insoupçonnables.

– Je ne marche plus droit
Je fais n'importe quoi
J'ai devant moi un mur qui m'empêche d'avancer
Le réveil est brutal
Les nuits baignées de larmes
Et je suis la coupable à condamner.

À ce mot de « coupable », je m'efforce de croiser ton regard, histoire que tu commences à comprendre où je veux en venir. La chanson s'appelle « Le droit à l'erreur », et c'est très exactement ce que je suis venu vous réclamer, à ton père et à toi. Le premier couplet n'est pas terrible, mais attends le refrain, et surtout la fin de la chanson : je n'ai pas la voix d'Amel Bent mais je vais envoyer du lourd.

– Je croyais tout savoir de nous
Être arrivée jusqu'au bout
Et tenir si bien le coup
Je croyais tout savoir de moi
Mais y'a tellement de choses qu'on n'sait pas…

Dans l'assemblée, on reprend avec moi : les gens connaissent la chanson, ou l'ont apprise pour l'occasion. Ceux qui ne chantent pas sourient, oscillent d'avant en arrière ou hochent vaguement la tête en signe d'approbation de ma performance – parce que ce n'est pas pour me vanter, mais ce soir, je chante mieux que jamais. Seul ton père semble ailleurs, immobile, le regard perdu. Il doit penser à Nerval ou à Mallarmé, et juger qu'en comparaison les rimes d'Amel Bent sont pauvres et sa syntaxe peu inventive. Peut-être, mais existe-t-il un seul poème qui parle aussi honnêtement des erreurs et de l'aveuglement passés ? Des poèmes pour l'amour ardent ou le chagrin torturant, il en existe des milliers, et des poèmes pour le regret lancinant ça doit se trouver aussi, mais qu'on m'en cite un seul qui dise la volonté d'annulation – puisque c'est très exactement ce que j'espère, annuler ces dernières années, revenir et reprendre les choses là où je les ai stupidement et cruellement laissées :

– Est-ce que mes regrets peuvent suffire
Effacer le mal des mots qu'on peut dire
Et me redonner des couleurs ? Est-ce que mon amour peut suffire
Et qu'un jour enfin tu pourras m'offrir
Le droit à l'erreur ?

Joignant les mains, je m'efforce de mettre dans ma voix toute ma force de conviction – et de croiser le regard que Lenny persiste à me refuser. Comme je suis bien incapable de terminer sur les mêmes vocalises puissantes qu'Amel, je me contente de laisser les violons s'éteindre, et d'accueillir modestement les applaudissements nourris, auxquels je constate que tu ne te joins pas – quant à ton père, il s'affaire au fond de la salle en me tournant le dos. Pas de chance, le premier à venir me féliciter est aussi le dernier avec qui j'ai envie de discuter, ce bon Kenny, qui semble avoir parfaitement saisi mes intentions cachées :

– Pauvre fille ! Tu crois vraiment que mon frère est prêt à te pardonner et à te reprendre comme si de rien n'était ? Tu lui as brisé le cœur, Hind ! C'est irréparable, un cœur brisé. Sans compter que tu es partie en lui laissant un bébé sur les bras. Un bébé avec plein de problèmes, je te rappelle.

– Mêle-toi de tes affaires.

Lui tournant le dos avec toute la dignité possible, je fends la foule des treiziémistes pour te rejoindre, toi l'enfant que j'ai si lâchement abandonnée à ses problèmes, voici presque dix-sept ans. Sache que je suis à ta disposition si besoin est, vu que je m'y connais en problèmes identitaires, en flottements et en contradictions internes. Si tant est que tu flottes, d'ailleurs. Après tout tu as peut-être déjà fait la paix avec tes organes génitaux et ta formule chromosomique, et de toute façon, ce n'est pas ce dont je veux te parler aujourd'hui.

– Farah ?

– Oui ?

Tu n'as pas l'air spécialement ravie de me voir. On dirait même que tu me fais la gueule. Je ne sais pas ce qui a changé depuis notre première rencontre au *Cthulhu* : si ça se trouve ton père t'a dit tout le mal qu'il pensait de moi, mais ça m'étonnerait. Connaissant Lenny comme je le connais, je suis sûre qu'il a fait en sorte de ne pas écorner mon image.

– Tu as aimé ?

– Quoi ?

– Ce que j'ai chanté…

– Amel Bent ? Non, j'ai pas aimé, c'est la honte, tu t'es affichée.

– Mais attends, Ragnar a chanté la chanson de *La Reine des neiges* ! Ça c'est pas la honte ?

– C'est Ragnar : il fait toujours n'importe quoi, personne l'écoute de toute façon. La dernière fois il a chanté « La Marseillaise ».

– Bon, on s'en fout de Ragnar, moi je te demande ce que t'as pensé de ma chanson.

– Je te l'ai dit : elle est nulle, cette chanson.

Tu me parles sans me regarder, avec un air buté qui me met instantanément dans la peau d'une mère d'ado, ce qui n'est pas pour me déplaire. J'arrive tard dans ta vie, mais j'arrive au bon moment, pile pour t'aider à passer ce cap ingrat sans trop de dommages.

– Tu as compris ce qu'elle disait, au moins ?

– Tu as vu *Talons aiguilles* ?

– Pardon ?

– Le film d'Almodóvar.

– Euh, peut-être, je me rappelle plus.

Tu me regardes enfin, mais c'est pire, parce que je lis dans tes yeux que tu m'en veux à mort :

– Pourquoi tu t'habilles comme Miguel Bosé ?

– Pardon ?

– Tu ressembles à un trav', ça fait pitié.

Ta remarque me déstabilise. Je ne sais pas ce qui m'a pris quand j'ai enfilé cette minijupe en lamé et ce top en satin rouge. J'aime le rouge, c'est entendu, mais je ne suis pas sûre d'être à mon avantage dans cette tenue années quatre-vingt. J'avais envie d'être flamboyante, mais si ça se trouve, je suis juste moche. Il n'y a malheureusement aucun miroir ici pour vérifier. Les miroirs sont proscrits dans la congrégation, ce qui me perturbe, vu que j'ai l'habitude de me regarder cent fois par jour. C'est presque un TOC et je ferais mieux d'arrêter, mais ça me rassure, ça me permet de vérifier que rien ne m'a échappé, une mèche folle, une coulure de mascara, ou pire, un brin de salade entre les incisives.

Je ne sais pas que te répondre, Farah. Je n'ai jamais ressemblé à un trav'. Parce que pour ressembler à un trav', il faut d'abord ressembler à un mec, et j'ai eu la chance insigne de présenter très peu de caractères sexuels secondaires masculins. Je suis de taille moyenne, mon ossature est frêle, ma pilosité n'a rien d'exubérant, je n'ai pas de pomme d'Adam et je ne perds pas mes cheveux. Je ne sais pas qui est ce Miguel Bosé, mais à mon avis, je n'ai rien à voir avec lui. Je me promets quand même de le googler dès que possible, dès que j'en aurai fini avec cette conversation éprouvante. Sans compter que quelque chose me dérange dans l'amertume de tes propos et dans leur virulence : me reprocherais-tu de ressembler à un trav' si tu savais que j'étais trans ? Tandis que tu tritures nerveusement la manche de ton sweat, je décide d'en avoir le cœur net :

– Qu'est-ce que Lenny t'a dit à mon sujet ?

Tes yeux s'exorbitent comme si j'avais appuyé sur un bouton, et tu me réponds précipitamment, en un flot confus, mais d'où il ressort que ton père a fait n'importe quoi, oscillant entre rétention d'informations et mensonges éhontés. Tu as eu beaucoup de mal à obtenir ne serait-ce qu'un prénom, sans parler d'une histoire un peu cohérente autour de ta naissance.

– Tu connais Jewel ?

– Non.

– C'est Sophie, en fait : Sophie Leroy.

Je ne vois pas qui est Jewel, mais la présence de Sophie à la Treizième Heure ne m'a pas échappé. D'autant qu'elle me fusille du regard à chaque fois que j'y mets les pieds, comme si j'empiétais sur son territoire. Si ça se trouve, elle continue à avoir des vues sur ton père – ce qui signifie qu'elle le connaît très mal et qu'elle le comprend encore moins, car elle n'est pas, mais pas du tout son genre. Le genre de ton père, c'est la beauté insaisissable, le soleil noir et l'éclair violent : comment Sophie pourrait-elle s'aligner, avec son teint cireux, ses cheveux pauvres, ses vilaines dents, sa voix nasillarde, et surtout son absence totale de personnalité ?

Il s'avère que tu viens d'apprendre que Sophie était ta mère porteuse et que tu ne t'en remets pas, parce que comme moi, tu la trouves abominable. Le mot peut paraître excessif s'appliquant à cette petite chose incolore, mais je crois que toi et moi nous comprenons et nous retrouvons sur ce diagnostic : la mollesse de Sophie, son conformisme systématique, sa propension à geindre, sont autant de symptômes d'une pathologie lourde et probablement génétique, parce qu'Edwin, ton demi-frère, est exactement pareil.

– Erwan.

– Quoi ?

– Le fils de Sophie.

Edwin ou Erwan, le fait est qu'il compte au nombre des congrégationnistes, et qu'il flanque généralement sa mère, à laquelle il ressemble comme deux gouttes d'eau, sauf qu'il est grand. Trop grand, même : au-delà d'un mètre quatre-vingt-dix, les mecs ont tendance à être flasques, à s'avachir par le milieu tout en restant secs et osseux au-dessus et au-dessous – et c'est évidemment le cas d'Erwin, à qui tu ne ressembles absolument pas, je tiens à te le dire.

– En même temps, pourquoi je lui ressemblerais ?

– Bah, quand même, les gènes, l'ADN...

– T'as pas filé tes ovocytes ?

Tu as une façon très bizarre de me regarder sans me regarder, avec sans cesse des coups d'œil rapides à la ronde, comme si tu surveillais tes arrières. Ce n'est pas la première fois que je le remarque, mais ce soir c'est pire que d'habitude, à croire que tu as tes TOC toi aussi. Mais qu'est-ce que Lenny a bien pu te raconter pour que tu me parles de mes ovocytes ? Tu poursuis, tout en restant visiblement aux aguets – peut-être attends-tu quelqu'un ?

– Je tiens plutôt de toi, non ? Même si tu es cent fois plus belle.

Pour la beauté, n'y revenons pas, je ne vais pas jouer les coquettes et nier ce qui saute aux yeux : je suis effectivement beaucoup plus belle que toi. J'ai les traits plus fins, la bouche plus pulpeuse et mieux dessinée, les jambes plus longues, les seins...

– Tu as de la poitrine ?

Tu me décroches un nouveau regard traqué :

– Oui. Pas autant que toi, mais j'en ai un peu.

– Tu as tes règles ?

– Non, toujours pas. Tu les as eues à quel âge, toi ? Il paraît que c'est de famille.

Mais qu'est-ce qui a bien pu se passer dans la tête de ton père pour qu'il ne te dise rien de nos petites bizarreries à toutes les deux ? Je balaye rapidement la salle du regard, mais Lenny persiste à me tourner le dos, s'affairant au buffet qui clôt traditionnellement les soirées karaoké. Je l'ai moi-même approvisionné en pâtisseries rebeu bourrées de sucre raffiné et de gluten, histoire de faire chier les intégristes colopathes, qui sont légion dans la congrégation.

– Lenny ?

Comme il me retourne un regard impassible, je l'attrape par le bras et l'attire dans un coin :

– Farah croit que j'ai filé mes ovocytes à Sophie ! Et elle m'a demandé quand j'avais eu mes règles ! Non, mais qu'est-ce que t'as branlé ?

Ton père déteste les gros mots. Même dans les moments de colère intense, nos disputes les plus carabinées, alors que je lui hurlais dessus, il n'a jamais été capable de proférer le moindre juron : « merde » ou « putain » lui arracheraient les lèvres.

– T'as quand même eu dix-sept ans pour lui dire la vérité ! La vérité, c'est ton grand truc, non ?

Il abandonne son air d'indifférence et ses regards distraits pour me dévisager avec une expression que je ne lui ai jamais vue, un mélange de pitié, de mépris et de dégoût :

– C'était mon truc, Hind, jusqu'à ce que tu m'entraînes dans ton mensonge à toi.

– De quel mensonge tu parles ?

– De toi, de ta vie.

Venant de lui, c'est un coup bas. J'ai toujours cru qu'il comprenait que dans mon cas, le mensonge aurait consisté à prétendre être un homme.

– Tu veux dire que je mens sur mon identité ? Que je ne suis pas une vraie femme ?

– Non, Hind, ce n'est pas ce que je dis.

– Tu veux dire qu'au nom de la vérité, il faudrait que je me trimbale avec une pancarte : attention, femme trans ?

– Mais pas du tout ! Je te rappelle juste que c'est toi qui as voulu un enfant. Je te rappelle aussi que tu as voulu être la mère de cet enfant, pas son père. Le père, dans ton petit plan bien ficelé, c'était moi. Je n'ai fait que suivre tes directives.

– Donc Farah croit que tu es son père biologique ?

– Elle n'a aucune raison de penser le contraire. C'est bien ce que tu voulais, non ?

– Dans mon petit plan bien ficelé, comme tu dis, je n'ai jamais imaginé qu'on mentirait à Farah. Si j'étais restée, on lui aurait dit les choses, petit à petit, quand elle aurait été en âge de comprendre.

– Sauf que tu n'es pas restée, justement, alors j'ai fait comme j'ai pu.

– Et son caryotype, tu comptais lui en parler quand ? C'est à quel âge selon toi qu'on peut comprendre une formule chromosomique ?

– Farah est XY, comme toi. Qu'est-ce que ça fait d'elle, à ton avis ?

Notre regard à tous les deux se tourne vers le coin de la salle où tu sembles en pleine conversation avec des treiziémistes. Contrairement à moi, tu n'as fait aucun effort de toilette ce soir, et tu portes ton éternel survêt, un blanc à bandes dorées, cette fois. Question coiffure, ce n'est pas mieux et tu arbores toujours ton affreuse coupe mulet, avec des mèches mauves qui bouclent sur ton front.

– Tu ne crois pas qu'on devrait avoir une discussion tous les trois, une sorte de conseil de famille ?

– On n'est pas une famille, Hind. J'aurais bien aimé et j'y ai cru très fort, mais tu es partie, tu te rappelles ? Ma famille, maintenant, ce sont les gens que tu vois ici.

– Farah va avoir besoin d'une mère. Dix-sept ans, c'est un âge critique, le début de la vie sexuelle, tout ça…

– Farah a plus de mères qu'il ne lui en faut.

– Jewel ?

– Jewel, Marsiella, Marie-Ciboire, Théodora… T'inquiète : pendant que tu t'envoyais en l'air, elles étaient là, et elles ont veillé sur elle.

Pour le droit à l'erreur, je repasserai. Ton père et toi n'êtes pas plus disposés à me l'accorder que vous n'êtes prêts à me faire une place dans votre vie. Oui, c'est vrai, je suis partie : me suis-je envoyée en l'air pour autant ? Je te laisse en juger, Farah.

Des yeux qui font baisser les miens

J'ai toujours adoré Édith Piaf. Non seulement ses chansons me plaisaient, mais je lui trouvais une ressemblance avec Bouchra – comme un air d'Arabe en dépit de son répertoire franchouillard. J'aimais Piaf, je fredonnais volontiers « La vie en rose » et « L'hymne à l'amour », mais je n'avais absolument aucune idée de ce dont elle parlait. Jusqu'à ma rencontre avec Sélim, j'ai sincèrement cru que l'amour résultait d'une addition de sentiments comme l'estime, l'affection, la gratitude, l'admiration. On y rajoutait une pointe de désir, et le tour était joué.

C'est ainsi que j'ai aimé ton père, Farah. Car il aura beau dire le contraire, je l'ai aimé dans la mesure de mes moyens, c'est-à-dire très mal, certes, mais quand même. Ce que je découvre avec Sélim, c'est que l'amour n'a rien à voir avec l'amour. D'autres l'ont dit avant moi, et sûrement bien mieux que moi, mais tant pis si je réinvente l'eau chaude, j'ai besoin que tu comprennes pourquoi tu n'as pas eu de mère – mais là encore, ton père aura beau dire, je suis quand même beaucoup plus ta mère que Jewel, Marsiella et compagnie. Pourquoi ? Parce que je t'ai voulue. Parce que sans moi tu n'existerais pas. Le reste, c'est du blabla d'illuminé – ce qu'est ton père, ne nous voilons pas la face. Il faut tout un village pour élever un enfant, O.K., mais je constate que dans tout ce village, il ne s'est trouvé personne pour te parler de ton intersexuation. C'est bien la peine de créer une Église inclusive et queer si on n'est pas capable ensuite de dire à sa propre fille qu'elle est une exception à la norme. Et ne viens pas me parler de droit à l'erreur : si je n'y ai pas droit, ton père non plus.

Mais j'en reviens à Sélim, et à ces premiers mois de ton existence qui ont été les premiers mois de mon existence à moi aussi. Je ne me cherche pas d'excuses, Farah – si tu me connaissais mieux tu saurais que ce n'est pas mon genre, et que je ne me suis jamais excusée de rien. Je dois dire aussi qu'il m'en faut beaucoup pour me sentir coupable : tu es mon seul remords, avec Lenny, bien sûr.

Bref, tu viens de naître, et je m'éveille à la vie, moi aussi – la vie en rose, la vie dans les bras de l'homme auquel j'appartiens. Car elle est là, la nouveauté : moi qui ai toujours voulu être libre, j'abdique ma liberté, j'accepte d'appartenir, et, mieux, je redemande de cette dépendance et de cette sujétion. C'est lui pour moi, moi pour lui dans la vie. Mais ce que je ne sais pas encore, c'est que dans cette phrase, seule la deuxième proposition est vraie : Sélim n'abdiquera jamais rien, n'aura jamais l'intention de me vouer sa vie, et la reprendra une fois sa tocade passée – sa vie intacte, inchangée, dans laquelle je n'aurai fait qu'un passage mouvementé.

Mais en cet été 2006, je peux encore croire que je n'ai pas lâché la proie pour l'ombre, ni l'amour vrai pour une chimère qui y ressemble. J'y crois d'autant plus que Sélim met le même enthousiasme à m'accueillir que moi à emménager chez lui. Il ne se contente pas de faire une place à mes affaires dans ses placards, il me présente à ses amis, à sa famille, il m'inclut dans ses projets de voyages, se projette dans un avenir où l'amour sera roi, où l'amour sera loi, où je serai reine. Le problème, Farah, c'est que ton père m'a habituée à la vénération, ce qui fait que je prends pour argent comptant les hommages que me rend Sélim et que je n'imagine pas une seconde être détrônée.

La pudeur étant de mise entre mères et filles, je ne vais pas te raconter ma vie en rose par le menu. Sache simplement qu'elle a très vite pris d'autres couleurs, beaucoup plus sombres – sans que je puisse faire de Sélim le seul responsable de ce virage. Après tout, je l'ai laissé entrer dans mon cœur, je l'ai laissé me dire des mots d'amour, je l'ai laissé me rendre heureuse à en mourir. Mais si je suis honnête, je dois reconnaître que les choses se sont mal engagées dès le début.

La rencontre avec ses parents, par exemple. Dieu sait que Delphine et Hugues Montgrand étaient – et sont probablement encore – des gens charmants, mais à leur façon de m'accueillir, je comprends tout de suite que Sélim leur a dit que j'étais trans – alors même que je lui ai expressément interdit d'en parler à qui que ce soit.

– T'as compris, Sél ? C'est important pour moi de choisir à qui je le dis et quand.

– Mais mes parents sont trop cool ! T'as pas à t'inquiéter de leur réaction.

– Je ne m'inquiète pas de leur réaction : je sais juste, par expérience, que c'est le genre de truc qui peut prendre toute la place, surtout à une première rencontre. Quand je les connaîtrai mieux, tu pourras leur en parler si tu veux. Et encore, c'est pas une obligation.

– T'es sûre ? Ils sont hypertolérants, tu sais.

– Tant mieux pour eux. Parce que moi je suis hyperintolérante. Même avec de bonnes intentions, les gens ont tendance à avoir des réactions qui m'énervent.

– Bon, O.K., je dirai rien.

Menteur, menteur, menteur. Pour des raisons qui m'échappent mais ne sont pas à son honneur,

Sélim m'a balancée avant même notre premier week-end dans l'Oise, dans la belle résidence secondaire de la famille Montgrand. Nous sommes encore sur le perron que je sais déjà qu'ils savent.

– Bonjour, Hind, c'est un grand plaisir de faire votre connaissance. Sélim nous a tellement parlé de vous !

Ils m'introduisent dans leur salon avec des salamalecs un peu affectés, mais que je sens dictés par la volonté sincère de me mettre à l'aise. Sélim m'avait prévenue que la maison était « géniale », mais pas qu'il s'agissait d'une sorte de manoir à colombages, dans un grand parc arboré et fleuri, une sorte de rêve impressionniste auquel ne manque pas un nymphéa.

– Mais il y a un lac !

– Un étang, plutôt. Et puis nous avons la Thève, qui passe dans la propriété, un affluent de l'Oise. Nous vous montrerons tout à l'heure.

– Et toutes ces fleurs !

– Oui, c'est beaucoup de travail, mais le résultat en vaut la peine. Il y a aussi un potager et un verger. Il faudra que vous goûtiez nos abricots : ils sont délicieux.

Delphine me donne toutes ces précisions avec un petit rire gêné, comme si elle s'excusait de tant d'opulence, comme si elle s'excusait par la même occasion d'être une caricature de grande bourgeoise friquée, face à moi, dont elle doit bien savoir que je suis née dans une cité drouaise, sans compter que je suis arabe et qu'elle ne doit pas en fréquenter beaucoup. Ah non, pardon, j'oubliais le fameux Sélim, le parrain virtuel de leur fils, dont elle s'empresse de me parler, comme s'il s'agissait d'emblée d'écarter tout soupçon : les Montgrand ont beau être blancs et nantis, ils ne sont pas racistes. Et ils ne sont pas transphobes non plus, sauf qu'ils ne peuvent pas me le dire, puisqu'ils ne sont pas censés être au courant. Il s'avère que le fameux Sélim est mort un mois avant la naissance de leur dernier fils.

– Nous avions prévu de l'appeler François ou Jean-Baptiste, et puis...

– La vie en a décidé autrement.

– Sélim était le meilleur ami de mon mari, vous voyez. Ils se sont connus à la caserne, en Algérie, pendant... les événements.

Sélim senior m'a tout l'air d'avoir été un harki, mais il ne m'intéresse absolument pas. Ce qui m'intéresse, en revanche, c'est l'effroi, léger mais palpable, que je lis dans le regard de Delphine et dans le beau visage crispé d'Hugues. C'est de lui que mon Sélim tient sa beauté, ses boucles, ses fossettes, ses yeux pailletés – ces yeux qui font baisser les miens. Delphine est jolie, mais plus ordinaire, une blonde fanée dans son ensemble en lin. J'ai évidemment réfléchi à ma tenue pour cette journée particulière, et je porte une petite jupe noire à pois blancs avec un top en dentelle anglaise. C'est presque trop preppy, je sais, mais il fallait contrebalancer l'effet immanquablement produit par mes tatouages et mes piercings – sans parler du reste, ce dont il ne peut être question, mes origines et mon genre. Non, j'exagère, il peut être question de mes origines, mais pas de façon frontale.

– Vous buvez du vin, Hind ?

– Oui.

Je ne leur dis pas que je n'aime pas le vin, ils prendraient ça pour une pirouette musulmane, mais le fait est que je préférerais du champagne, et Sélim, qui me connaît assez pour le savoir, réclame des bulles à cor et à cri. Ça tombe bien, ils ont une caisse de Pol Roger, cadeau d'un patient – car les époux Montgrand sont chirurgiens. Ils sont également propriétaires d'une petite clinique dévolue aux interventions esthétiques – si je l'avais su avant, j'aurais pu me faire poser des implants mammaires par beau-papa ou belle-maman. J'ai l'air d'ironiser sur ce couple de Blancs archiprivilégiés, mais ce n'est pas le cas. Car non seulement les époux Montgrand se montreront toujours d'une gentillesse irréprochable envers moi, mais au moment où je les rencontre, ils sont extrêmement malheureux en dépit de leur manoir, de leur parc domanial et de leur clinique hyperlucrative. Tu n'es pas là pour écouter leur histoire, mais ça n'empêche pas ladite histoire d'illustrer à merveille l'adage selon lequel l'argent ne fait pas le bonheur.

Champagne aidant, je me détends, mais je continue à fulminer intérieurement d'avoir été trahie par mon bien-aimé, ce fourbe qui fait la conversation à ses parents comme si de rien n'était. Rien que pour en avoir le cœur net, je m'enfonce dans le cuir craquelé du fauteuil golf, faisant en sorte de retrousser la petite jupe à pois sur mes cuisses nues. Si elle se retrousse un peu plus, la famille Montgrand jouira d'une vue imprenable sur ma culotte, un string mordoré qui moule à merveille mes parties génitales. Mais bien sûr, je bavarde avec désinvolture, comme si je n'étais pas du tout consciente de ce que je m'apprête à dévoiler – façon Sharon Stone dans ce qui est quand même l'une des scènes les plus hot jamais tournées. Gloups. J'entends distinctement tout ce beau monde avaler sa salive et je retourne à Sélim un regard innocent. Le sien me fusille, mais je m'en fous complètement car j'ai perçu chez ses parents un désarroi qui ne s'explique que par sa trahison. Dans le cas contraire, ils ne seraient pas dans tous leurs états – un bout de culotte n'ayant jamais tué personne. Hugues se lève, me ressert en Pol Roger, Delphine fonce à la cuisine chercher des poivrons farcis à la ricotta, et Sélim articule silencieusement quelque chose concernant ma jupe.

– Oui, merci, délicieux.

– On les rapporte d'Italie. Sélim vous a dit que nous allions tous les étés en Toscane ?

Je gobe le poivron, avale une gorgée de champagne, et hop, je croise et décroise les jambes, comme s'il s'agissait simplement de trouver une position plus confortable dans le fauteuil golf. Voilà, c'est fait, tout le monde a pu voir l'objet du délit, du scandale, du désir. Et quand je dis tout le monde, ça englobe aussi le fils aîné, arrivé juste à temps dans son fauteuil roulant. Je ne sais pas si Sélim l'avait mis lui aussi dans la confidence, mais désormais il sait que je suis une femme à zeb. Et pour que le doute ne soit pas permis, que les Montgrand ne croient pas à une hallucination collective, je refais le même geste en sens inverse, plus lentement, clic, clac.

Le reste de la journée se passe sans anicroche, même si Sélim me fait la gueule. Il faut bien le connaître pour le savoir, car il continue à parler et à sourire, mais dès que nous ne sommes plus sous le regard des autres, son visage se ferme et c'est comme si je n'existais plus. Durant le déjeuner, qui a lieu sur la terrasse, il enquille verre sur verre du chablis que les Montgrand nous ont servi avec le loup au fenouil – le poisson a dû leur sembler moins risqué que la viande pas hallal.

Il fait un temps de rêve, les convives sont charmants, y compris le frère IMC, qui me questionne sur mon métier avec une politesse exquise, et me ressert en tarte aux abricots du verger. Sur ma droite, Sélim est en train d'atteindre le degré d'ivresse qui le rend dangereux, et soudain j'ai honte de mon petit numéro de tout à l'heure, honte d'avoir probablement gâché ce moment de bonheur familial dans lequel ils essayaient gentiment de m'inclure, avec leur apéro au champagne, leurs poivrons toscans, leur joli salon avec sa table basse en pierre de lave et le fauteuil golf qu'ils ne pourront plus jamais regarder de la même façon.

Qu'est-ce qui m'a pris ? Le repas touche à sa fin, et les Montgrand s'inquiètent de savoir si j'ai assez mangé, assez bu, le poisson, le vin, la tarte ; si je veux faire un tour dans le parc ou si j'aime autant attendre que la chaleur retombe, parce qu'il fait quand même très chaud à cette heure-ci ; il faut que je sache qu'on peut se baigner dans la Thève, ils n'ont jamais voulu faire construire de piscine, préférant aménager leur petite berge personnelle, je vais voir ça, ça va sûrement me plaire, Sélim m'a bien dit d'apporter mon maillot, au moins ? Et là, silence. Tous les trois viennent sûrement de repenser au string mordoré.

Avec une jolie grimace de confusion, Delphine entreprend d'empiler les assiettes de barbotine tandis qu'Adrien manœuvre son fauteuil en direction de la maison. Je reste clouée à ma chaise en face d'Hugues, avec ses bouclettes et ses fossettes – si semblables à celles de l'homme auquel j'appartiens. Lui comme moi cherchons des mots pour dissiper la gêne et faire oublier le mutisme amer dans lequel s'est muré Sélim depuis le dessert, cette tarte aux abricots dont il a fallu commenter chaque ingrédient, depuis la pâte feuilletée maison jusqu'aux brins de lavande qui parsemaient les demi-sphères des fruits, en passant par la crème aux amandes qui garnissait le fond. Pour tout dire, je ne suis pas très dessert, mais j'ai bien senti qu'il fallait que je participe à ce rituel étrange : manger tout en parlant de ce que je mangeais.

– La pâte maison, ça fait toute la différence : vraiment, Delphine, c'est délicieux.

Il me semble avoir répété ce mot toute la journée, mais le fait est que tout est délicieux, le temps, le Pol Roger, le chablis, les poivrons farcis, le loup sur son lit de fenouil, le brie aux truffes, le pecorino au poivre, le pain frotté à l'ail, la salade de jeunes pousses, la tarte aux abricots, et bien sûr la conversation, qui s'efforce de slalomer entre les sujets qui fâchent – mais sans y réussir, puisque Sélim est de plus en plus fâché. De mon côté, j'oscille entre compassion pour l'évident malaise de mes hôtes, et terreur d'assister à l'explosion imminente de mon amoureux. Nous ne sommes ensemble que depuis trois mois, mais il m'a déjà habituée à ces pétages de plombs.

Entendons-nous bien, Farah, je ne déteste pas les crises et je n'ai jamais rien eu contre une bonne dispute conjugale. Ton père était assez décevant sous ce rapport, vu qu'il ne parvenait jamais à sortir de ses gonds et restait désespérément lui-même, c'est-à-dire calme et courtois – alors même que je lui hurlais dessus à m'en casser la voix. Avec Sélim, je suis servie : il aime le drame et grimpe aussi haut que moi dans les tours, ce qui permet évidemment les réconciliations passionnées dont ton père était incapable. Mais là, c'est différent, et plus la journée avance, plus j'éprouve le sentiment d'être allée trop loin – un sentiment qui finit par tout contaminer, me coupant complètement des autres, y compris de l'homme auquel j'appartiens, qui bouillonne de rancœur et de fureur à mes côtés.

Dans ce cadre enchanteur, cette maison qui respire l'opulence et l'harmonie, ce parc idéalement verdoyant ; au milieu de ces gens qui se mettent en quatre pour que je passe un bon moment, se gardant bien de reparler de baignade en rivière, mais proposant au choix une sieste à l'étage ou une balade au village ; entourée par leur bavardage un peu mondain mais foncièrement gentil, je me sens excessive et vulgaire ; je me sens laide, comme à seize ans, sous les regards qui cherchaient à deviner le renflement de mes seins ou la courbe de mes fesses, sous les ricanements qui saluaient mes excentricités vestimentaires, sous les huées qui disaient que j'étais bonne mais qu'on me ferait payer mon arrogance – je me sens comme avant, c'est-à-dire étrangère, c'est-à-dire seule.

Je t'ai peut-être abandonnée pour m'envoyer en l'air, Farah, mais pas cette nuit-là – passée avec

Sélim dans une chambre tendue de chintz, mon corps en chien de fusil sous l'édredon tandis que blotti derrière moi, il chuchote à mes oreilles :

– Putain, mais t'es vraiment une grande malade, tu sais, aller montrer ton zguègue à mes parents, pauvre conne ! Tu sais qu'il y a un nom pour ça, espèce de tordue : ça s'appelle l'exhibitionnisme ! Va te faire soigner ! Va te faire soigner, mais sors de ma vie ! Mes parents ont suffisamment morflé pour que j'aille pas en plus leur infliger tes conneries ! Salope ! Tarée ! Non mais tu t'es crue où ? T'es fière de toi ? Pauvre folle ! Mais qu'est-ce qui m'a pris de t'amener ici ! Tu sais même pas te tenir !

Tout sort en même temps, en un chuchotis aussi terrible que confus, ma folie, ma connerie, ma perversion, mais aussi l'histoire de ses parents. Tu ne connaîtras jamais ces gens, Farah, et moi-même n'ai fait que les croiser, alors peut-être n'est-il pas foncièrement utile que je te la raconte, mais sache qu'en cette nuit d'été, tandis que Sélim bousille méthodiquement la vie en rose, je pense à toi. Je me demande si tu as perdu tes cheveux de naissance, si tu louches toujours ou si ça s'est arrangé, si tu portes déjà les grenouillères taille six mois que je t'ai achetées, si Sophie est revenue mettre ses gros nichons dans ta petite bouche, et crois-le ou pas, je sens les miens se tendre à cette seule idée. Je pense à toi pour opposer quelque chose de tendre, de frais et de pur au tombereau d'insultes que Sélim déverse sur moi. Je pense à toi parce que je t'ai quittée pour que cet homme puisse me prendre dans ses bras et me parler tout bas. Or, c'est très exactement ce qu'il fait, parler tout bas pour ne réveiller personne dans cette maison si belle et si paisible, et c'est bien pire que s'il hurlait :

– J'aurais jamais dû t'amener ici, te présenter mes parents, mon frère. J'aurais dû savoir que t'allais tout gâcher et tout salir. Tu sais faire que ça.

Des nuits d'amour à plus finir, voilà ce que promet la chanson, et c'est vrai qu'elle n'en finit pas, cette belle nuit d'août. Elle en finit d'autant moins que Sélim passe d'un sujet à l'autre et que tout se mêle dans son soliloque alcoolisé, mon ignominie, mes provocations à deux balles, ma mauvaise éducation, l'infirmité de son frère, la mort brutale de Sélim senior, et, cerise sur le gâteau, une autre mort, encore plus brutale, encore plus scandaleuse, et encore plus cruelle, celle d'Aurélia, née deux ans après Adrien et emportée par une méningite à l'âge de huit ans. Que dire ? Les Montgrand n'ont pas été épargnés par la vie, et mon cœur se serre à la pensée de tant d'épreuves, mais quel rapport avec moi ? Je n'aspire qu'à consoler tout le monde, à commencer par Sélim, mais je refuse de croire que mon anatomie puisse être une source de chagrin comparable à tous ces deuils.

Dans mon dos, Sélim s'endort, marmonnant et bavotant sur mon épaule, puisqu'il a persisté à me tenir dans ses bras, en un simulacre d'étreinte amoureuse, je ne sais pas pourquoi, peut-être pour pouvoir me parler, encore et encore, sans être entendu de quiconque. Voilà, c'est bon, il a terminé, il dort profondément. Tel que je le connais, demain matin il aura juste une bonne gueule de bois – en même temps qu'une bonne trique matinale. Il voudra qu'on baise, il voudra que j'aie tout oublié, comme lui aura tout oublié de ses griefs et de son long monologue nocturne.

La fenêtre de la chambre ouvre sur un arbre, un grand arbre dont la ramée bruisse légèrement dans la nuit d'été. J'aime les villes, Farah, mais j'ai toujours rêvé d'avoir un arbre sous mes fenêtres. Un tronc dru, le long duquel me laisser glisser pour fuir, et des feuilles tendres qui auraient été ma première vision au réveil. J'aurais pris mon café en écoutant les oiseaux, en observant l'éclosion des bourgeons, en palpant leur duvet, en humant les odeurs de sève, de fleur, ou de résine. Je ne m'y connais pas assez pour savoir à quelle espèce appartient celui-là, peut-être un tilleul ou un acacia, mais dans cette nuit d'amour à plus finir, il est comme toi, frais, tendre et pur – et la nostalgie commence à poindre, comme une aspiration à retrouver ta bonne odeur de bébé, mais aussi le sourire de ton père et sa lumineuse compréhension de ma part d'ombre.

Il faudra d'autres crises, d'autres portes claquées sous mon nez, d'autres vociférations avinées, d'autres chuchotis amers dans la nuit noire, d'autres regards lourds de reproche, d'autres discours méprisants, d'autres insultes, d'autres accusations sévères, pour que je comprenne enfin que je me suis trompée sur tout. Sur Sélim, qui n'est pas pire qu'un autre, juste un garçon trop gâté par des parents trop tristes ; sur l'amour, qui dure entre six mois et deux ans quand il n'est qu'un état et pas un sentiment ; sur moi, enfin – mais c'est trop tard.

Danse avec les loups (II)

Oui, longtemps il a été trop tard pour les regrets et surtout trop tard pour le retour. Mais aujourd'hui, il est peut-être trop tard pour qu'il soit trop tard. D'ailleurs, je ne reviens pas à proprement parler, je me contente d'être là. Après tout, la Treizième Heure a été créée pour les gens comme moi, les âmes en peine, les déracinées, les persécutées. Qu'on me laisse juste m'asseoir parmi les treiziémistes, réciter du Nerval ou du Rimbaud, brûler des sorts dans des braseros, et vibrer aux fréquences du carillon cosmique. Moi aussi j'ai droit à la guérison.

Je ne suis même pas sûre de vouloir être aimée, Farah. Après tout, je sais désormais ce qu'il faut penser de l'amour. Je voudrais juste jouer un rôle dans ta jeune vie, ce qui rendrait la mienne moins stérile et moins vaine. Et puis j'aimerais soutenir ton père dans son combat contre les forces du mal : pour les avoir subis, je m'y connais en déchaînements de haine, en intolérance crasse et en violence aveugle – ça peut aider. Peut-être qu'à force de me voir assister aux offices et participer aux ateliers, vous allez vous habituer à ma présence et oublier que « je suis la coupable à condamner ». Non, pardon, j'arrête avec les chansons. Les chansons m'ont aidée à vivre, toutes ces années, mais qu'importe.

L'atelier d'aujourd'hui est dirigé par l'infatigable Marsiella, que j'ai très envie de détester compte tenu de la place qu'elle semble occuper dans la communauté en général et dans ton cœur en particulier – mais mon animosité bute sur une telle générosité, une telle gentillesse et une telle absence de vice, que je me résous à l'apprécier en attendant de la prendre en défaut. Rayonnante sous sa brosse de cheveux gris, elle nous expose les grandes lignes de notre activité du jour :

– Nous allons chacun nous trouver une devise. C'est-à-dire une petite formule qui nous définit, ou qui définit notre objectif de vie. Ensuite, nous les graverons sur des médaillons en cuivre, que nous aurons fabriqués ensemble, bien entendu. Qu'en pensez-vous ?

Ragnar lève illico le doigt, comme un bon élève empressé :

– J'ai déjà la mienne !

– Ragnar, il faut que tu prennes le temps de réfléchir. L'atelier est prévu sur deux jours, tu sais, il n'y a pas le feu.

– Justement, c'est ça ma devise : « Je suis le feu ! »

– C'est une devise, ça ?

En dépit du faciès renfrogné des autres treiziémistes, Marsiella est obligée de convenir que, oui, c'en est une.

– Bon, je peux fabriquer le médaillon, alors ?

– Sauf que nous n'en sommes pas là, Ragnar, tu vas devoir attendre que tout le monde ait trouvé la sienne, de devise.

Croisant les bras sur sa poitrine, Ragnar prend un air de profonde satisfaction qui serait profondément insupportable si sa folie n'était pas notoire et surtout complètement inoffensive. Lenny et Marsiella ont le chic pour le neutraliser et j'admire d'autant plus leur patience que j'ai souvent envie de le défoncer. Toujours est-il qu'assis en rond sur le parquet de la salle de danse, nous commençons à réfléchir à la formule qui va nous résumer, nous et nos petits espoirs indistincts.

Quand j'ai quitté ton père, il était locataire d'un modeste F3. Aujourd'hui, grâce aux largesses de Nelly, il possède tout l'immeuble et y a fastueusement installé son Église. Non, j'exagère, Lenny n'a jamais aimé le faste. Même la richesse l'incommode. À en croire Kenny, il aurait dissuadé Nelly de lui léguer toute sa fortune – ce dont Kenny ne s'est toujours pas remis.

– Non, mais tu te rends compte, quel égoïste ! Avec tout ce fric, il aurait pu m'aider à me remettre à flot, mais non, il a préféré en faire profiter je sais pas qui, des migrants, des roms, des trans.

– Il a quand même accepté d'hériter de l'immeuble. Et tu en profites aussi, en tant que membre de la congrégation.

– Tu parles, il a même pas été foutu de filer un appart à son propre frère. Celui de la vieille aurait été parfait, pourtant : 130 m^2, trois chambres dont une suite parentale, un double living…

– Tu vis seul, Kenny, qu'est-ce que tu aurais fait de toutes ces pièces ?

L'ancien appartement de Nelly est précisément celui où sont installés les locaux administratifs de la Treizième Heure. La chapelle est restée à l'entresol, tandis qu'une salle de danse était aménagée sous les combles, et un auditorium au rez-de-chaussée. Les apparts inoccupés servent aux hébergements d'urgence, aux femmes battues, aux ados à la rue, aux familles expulsées, que sais-je. N'en déplaise à Kenny, Lenny et Marsiella gèrent ça de main de maître – mais j'en reviens à l'atelier devise et à notre séance de brainstorming collectif. Sous la direction paisible et enjouée de Marsiella, les propositions fusent :

– Dieu avec moi !

– Toujours plus haut !

– Ça fait un peu J.O. ça, non ?

– Vrai de vrai !

– Alléluia !

– Oh non, moi aussi je voulais « Alléluia » ! On peut être deux à avoir la même devise ?

– Il faudrait éviter.

– Me, myself and I !

– C'est un peu contraire à l'esprit de la confrérie, je trouve.

– Ragnar la star !

– Ragnar, tu as déjà ta devise, non ?

– Je veux changer.

– Comme tu veux.

– Connais-toi toi-même !

– C'est déjà pris, ça, Kinbote.

– Royal !

– Pour le meilleur !

– Plus fort que la mort !

– Ah oui, ça, c'est bien...

Chacun y va de sa suggestion et j'admire la façon dont Marsiella approuve, encourage, et réoriente si nécessaire.

– Dans ton cul.

– Tu es sûr que c'est le fond de ta pensée, Sylvestre ?

– Absolument. Et bien profond, même.

– Dans ton cas, j'aurais plutôt vu quelque chose en rapport avec ton nouveau prénom, la forêt, les arbres, tout ça.

– Mouais, c'est vrai, je vais plutôt chercher par là…

Sylvestre est un homme trans de mon âge, et plutôt pas mal, si je peux me permettre, mais à peu près aussi fou que Ragnar – qui reste la référence en matière de folie, même dans une confrérie vouée aux problèmes de santé mentale.

– Jamais sans mon rêve.

– C'est joli ça, Jewel.

– On dirait du Walt Disney.

J'ai formulé ma remarque sur un ton doucereux, histoire qu'on puisse penser que c'est un compliment, mais Jewel ne s'y trompe pas et fronce un peu plus ses vilaines lèvres grises. « Jamais sans mon rêve », tu parles ! Le seul rêve qu'ait jamais eu Jewel, c'est de se faire ton père. Si elle était honnête, avec elle-même pour commencer, et avec nous ensuite, elle choisirait plutôt « Lenny pour la vie ». Même « Dans ton cul » serait plus adapté que sa formule à deux balles, car les gens comme Jewel n'ont pas de rêves, juste des mouvements intestinaux et des obsessions bornées. Sitôt que j'ai mis les pieds à la Treizième Heure, j'ai compris que Sophie n'avait pas changé d'un iota en dépit de son nouveau prénom clinquant : elle était toujours à fond sur Lenny.

Je sais que tu le sais toi aussi, et que toi aussi ça t'énerve, Farah. Tu vois, ça nous fait au moins un point commun – et plus je te connais, plus je suis convaincue que nous en avons plein, à commencer par notre faculté de percer les gens à jour. Ton père est intelligent, mais sa bonté l'aveugle et il ne sera jamais capable de déceler les intentions noires, surtout quand elles s'avancent sous le masque de la faiblesse et du désarroi.

Tu ne participes pas à cet atelier, et c'est sans doute mieux : ça me laisse les idées claires pour réfléchir à ma propre devise. Quand tu es là, je n'ai d'yeux que pour toi, et je suis constamment en train de me demander comment t'aborder sans te braquer, et que te dire pour que tu abandonnes ton attitude de défiance à mon égard. Cela dit, tu es constamment sur tes gardes – il n'y a pas qu'avec moi. Je ne sais pas si ton père a remarqué la façon nerveuse et territoriale dont tu te comportes, tendant l'oreille, flairant les nouveaux arrivants, et détalant sans bruit plus souvent qu'à ton tour. Sans compter que tu as une espèce de tanière dans la chapelle, un empilement de coussins derrière un paravent, que je reconnais pour l'avoir chiné aux puces de Montreuil. Il faut croire que Lenny n'a pas balancé tout mon bazar. Ou alors il a oublié la provenance de cet objet, une belle pièce en toile et bambou dont j'avais reprisé moi-même l'unique accroc.

Moi aussi, j'aime les tanières, Farah, les endroits où on peut se blottir à l'insu du monde. J'aurais pu être un blaireau dans son dédale souterrain et secret, ou encore une tortue, s'enfouissant aux premiers froids. Sauf que je suis un loup, un loup sans semblables et sans désir de meute. Un loup, plutôt qu'une louve, ne me demande pas pourquoi. Toutes les fois où j'y pense, et c'est plutôt une rêverie qu'une pensée, je me vois errer sur des lignes de crêtes, pister des proies invisibles et haleter dans le vent ; je me vois me pelotonner dans ma fourrure pour dormir la nuit ; je me vois surgir devant mes congénères, leur apparaître puis les fuir à l'oblique, rampant presque dans les taillis, pour éviter leurs coups de dent, leurs coups de griffes et leurs hurlements ; je me vois danser dans la steppe et il me semble que je tiens ma devise :

– Danse avec les loups !

Tandis que Marsiella hoche la tête avec bienveillance, Sophie-Jewel s'étrangle presque et cherche les autres du regard, sans doute pour les prendre à témoin. Témoin de quoi ? Je ne sais pas exactement, mais je décrypte très bien le langage non verbal. Aux coups d'œil entendus que s'échangent Sophie-Jewel, Marie-Ciboire et Kinbote, je sais qu'elle leur a parlé de moi, et que ma devise ne fait que confirmer ses dires, à savoir que je suis sauvage, cruelle, et inhumaine. J'ai été sauvage et cruelle, et par bien des côtés je le suis encore, mais inhumaine, jamais. J'aurais aimé, mais non.

Tout ça m'est bien égal

Pour Sélim comme pour moi, la fin de la vie en rose est un soulagement J'aimerais te raconter une autre histoire, Farah, une histoire qui vaudrait le coup et qui justifierait que j'aie bousillé la tienne, mais tout se termine insidieusement et petitement, dans la lassitude et l'exaspération mutuelle. Et dans l'intervalle, il y aura eu beaucoup de disputes idiotes, beaucoup de mots durs et définitifs – et beaucoup de silences vengeurs qui nous abîment toujours plus.

Il y aura aussi et surtout toutes ces soirées où Sélim me présente comme sa copine trans – ou finit par le faire s'il ne l'a pas fait dès le début. J'ai beau dire, le prévenir avant et l'insulter après, il ne peut pas s'en empêcher. Le problème, c'est que j'ai connu autre chose : je sais ce que c'est que d'être aimée et désirée inconditionnellement – et je sais surtout ce que c'est que de vivre avec quelqu'un qui ne me considère pas comme un trophée.

Mais bien sûr, comme Sélim est beau, joyeux, vivant; comme nous partageons le goût de la fête et celui de la nuit, et comme nous éprouvons beaucoup de désir l'un pour l'autre, la vie en rose tient presque trois ans. Et en dépit du mauvais départ que nous avons pris, je fais presque partie de la famille Montgrand le jour où je décide de jeter l'éponge. J'aime beaucoup Delphine, Hugues et Adrien, je les regretterai, mais je me casse. Je fais comme j'ai fait avec ton père : j'embarque mon geai empaillé, mes fringues, mon make up, et ciao bella!

J'ai presque trente ans, et je me sens détruite, aride. Heureusement que rien n'y paraît : les femmes de trente ans, Farah, sont beaucoup plus belles que celles de vingt, et beaucoup moins que celles de quarante. J'imagine que ça se gâte entre cinquante et soixante, mais je n'y suis pas encore, et pour tout te dire, peu m'importe de vieillir. La beauté, j'en ai bien profité – et d'autant mieux que la mienne n'était pas gagnée, et que je l'ai fabriquée moi-même. J'aurais été aussi quelconque en garçon que j'ai été sensationnelle en fille.

Sélim a si bien saccagé nos derniers mois de vie commune que je ne regrette rien. Et comme il y a une chanson pour tout, il y en a une pour les départs à zéro, les amours qu'on balaye, les souvenirs qu'on jette au feu, et le passé dont on se fout.

Mais je mentirais, Farah, en reprenant absolument cette chanson à mon compte. Car j'ai beau faire, je ne parviens pas à tout oublier. Parfois, tandis que je maquille machinalement un comédien dans une loge de théâtre, je pense à toi et je me laisse gagner par la conviction d'avoir tout gâché. Je pense à ton père, aussi. Je ne regrette rien, c'est entendu, mais vous me manquez.

De la décennie qui suit, j'ai peu à raconter. Je travaille beaucoup et j'aime ça, être attachée à des théâtres plutôt qu'à une chaîne de télévision, partir en tournée, nouer des liens légers avec les membres de la troupe, coucher à droite et à gauche, jamais plus d'une fois avec le même, et tout juste si je livre mon prénom – sans parler du reste, battements de cœur, frissons voluptueux, abandon languide : c'est fini tout ça. Je couche par hygiène, comme j'irais au hammam, et je passe parfois un bon moment. J'ai appris à sélectionner mes partenaires pour m'éviter les surprises sordides, le mépris, la brutalité ou la surexcitation malsaine. J'ai développé un sixième sens pour repérer les mecs dangereux, mais aussi les baltringues et les siphonnés. Ce repérage, je l'ai toujours fait à l'ancienne, Farah, sans appli de rencontre, sans Tinder, Fruitz ou AdopteUnMec. Les loups ont besoin de humer, de lire les signaux corporels, de capter les tensions, histoire de détaler s'ils détectent un danger. Je n'ai jamais su le faire avec des photos lisses et des profils léchés. Tu vois, ma chérie, j'aurais beaucoup à t'apprendre finalement, si seulement tu daignais me faire une petite place dans ta jeune vie – mais ça n'en prend pas le chemin, malheureusement. J'ai beau être la plus zélée des treiziémistes, me pointer à l'Église dès que j'ai du temps libre, ton père et toi persistez à me tenir sur la touche. Votre inclusivité ne va pas jusqu'à moi.

J'ai pourtant besoin de direction spirituelle, Farah, au même titre que ce fou de Ragnar et cette oie de Sophie – alias Jewel. Sans compter que je suis sûrement plus à même de tirer profit de l'enseignement de ton père que tous vos pâles paroissiens, qui me semblent privés de moelle épinière comme de connexions neuronales. Il y a ne serait-ce que quelques mois, je ne t'aurais pas tenu ce discours implorant, mais il m'est arrivé ce que je croyais réservé aux autres : une sorte d'effondrement central. Tu vois, j'ai toujours ironisé sur la dépression et toujours pensé qu'elle ne pouvait toucher que les faibles ; j'ai toujours pensé qu'elle servait d'alibi et de paravent sanitaire à tous ceux qui n'avaient pas le courage d'affronter l'existence, et puis je me suis réveillée un matin, précisément privée de ce courage, ou plus exactement privée de ce qui m'avait toujours tenu lieu de raison de vivre. Sauf que ma raison n'en était pas une : il s'agissait plutôt d'une sorte de disposition organique, un élan de mes entrailles dont il n'y avait pas lieu d'être fière.

Je l'ai été pourtant. J'ai été fière de cette énergie obtuse, du sursaut viscéral qui m'a toujours jetée dans le tourbillon de la vie, même aux heures les plus noires, même quand j'ai dû admettre que j'avais gâché trois ans avec Sélim – le gâchis tenant moins à la présence de Sélim qu'à ton absence. Trois ans, c'était aussi ton âge, et j'aurais pu me dire qu'il n'était pas trop tard pour que tu aies une mère – mais j'en avais trente et j'ai cru que le destin me donnerait une autre chance d'être heureuse ; j'ai cru que ces trente premières années n'avaient été qu'une sorte de répétition générale avant les choses sérieuses et définitives ; j'ai cru qu'un autre amour surviendrait tôt ou tard, et qu'il aurait à la fois la fougue irrésistible de Sélim et la loyauté indéfectible de Lenny. Comme quoi on peut avoir le cœur sec et être naïve ; se croire revenue de tout et conserver un fond de romantisme. Il y a une chanson pour ça, et elle s'appelle « La vie ne m'apprend rien ». Je ne suis pas sûre qu'elle parle vraiment de moi et de mon incapacité à tirer des leçons du fiasco, et pour tout dire je n'en ai jamais vraiment compris les paroles, mais peu importe, je l'aime quand même et je la chante, ne serait-ce que pour son titre.

Ce que la vie a fini par m'apprendre, c'est que je n'ai rien compris à la vie, et que la mienne témoigne de cette incompréhension : depuis Lenny, je suis allée de déception en déception et de tristesse en tristesse ; depuis Lenny, j'ai perdu mon temps, même s'il m'a fallu du temps pour l'admettre. Tu vois, Farah, c'est forte de cette lucidité nouvelle, mais totalement dévastée par elle, que je me suis traînée jusqu'à la Treizième Heure. Et si vous étiez ce que vous prétendez être, des chrétiens et des philanthropes, vous me pardonneriez mes fautes et mes errements, vous me feriez une place dans la grande famille des treiziémistes, vous me laisseriez bénéficier de votre sagesse et de votre enseignement, de vos récitations et de vos carillons cosmiques.

Pour être juste, je dois reconnaître que ton père me traite convenablement en dépit de la froideur qui caractérise nos relations. Après tout, il aurait pu me fermer purement et simplement les portes de la communauté – au lieu de quoi je me suis vu proposer le baptême au bout d'un mois d'assiduité à vos messes poétiques. Certes, c'est Marsiella qui m'a tendu le formulaire ad hoc, mais j'imagine qu'elle n'a pu le faire qu'avec l'aval de Lenny.

J'aurais bien besoin d'un baptême, par le feu si possible, histoire de renaître à neuf, comme un phénix, mais j'hésite encore à m'engager définitivement dans vos rangs. Ou plutôt, je ne le ferai qu'une fois que nous aurons purgé nos petits différends. Je suis ouverte à tout : si vous voulez me faire passer en jugement, j'y suis prête. Mais personnellement, je préférerais un conseil de famille – parce que c'est ce que nous sommes, une famille, même si je n'ai eu de cesse que je ne la saborde.

La vie joue souvent à contretemps : j'aurais dû profiter de l'émotion des retrouvailles, au *Cthulhu*, j'aurais dû répondre à ta candeur avec une candeur égale et te dire : « Oui, je suis ta mère, ta mère qui t'a abandonnée à la naissance parce qu'elle était trop avide de sensations fortes, trop grisée d'elle-même, trop bête et trop folle pour mesurer l'étendue de sa bêtise et de sa folie. » Mais voilà, en janvier dernier, je n'avais pas encore reçu le coup qui m'a mise à genoux – un glissement de terrain plutôt qu'un coup, d'ailleurs, mais le résultat est le même : je suis malade.

Comme j'aimerais retrouver ma santé mentale, retrouver mon indifférence à tout, ne rien regretter, ni le bien que ton père m'a fait, ni le mal par lequel je l'en ai récompensé ; comme j'aimerais me foutre du passé, si tu savais... Me foutre du passé a longtemps été ma force. Même après ma calamiteuse vie en rose avec Sélim, j'ai conservé cette capacité à purger ma mémoire pour aller de l'avant, en une fuite animale, une caracolade instinctive et longtemps jouissive – le temps que je sois rattrapée ou usée par l'absence d'amour. Et même une fois rattrapée et usée, j'ai continué sur ma lancée, des années, comme un canard sans tête.

Bizarrement, c'est un événement plutôt heureux qui a précipité ma dégringolade dans la dépression – puisqu'il faut l'appeler par son nom. Trente ans après que ma mère m'a déposée chez Bouchra comme un paquet; trente ans après que j'ai vu mon frère et ma sœur pour la dernière fois, ils refont irruption dans ma vie. Reddouane et Anissa. Un beau jour de février, ils me donnent rendez-vous dans un café. Je fais peut-être partie de leurs bonnes résolutions de début d'année, qui sait. En ce qui me concerne, j'ai retrouvé ma fille sans en être autrement remuée, ce qui fait que je ne m'attends pas à grand-chose sur le plan des émotions. Comme quoi je me connais mal. Ou comme quoi je ne connais rien aux émotions ni à la façon dont elles surviennent.

En dépit du temps qui s'est écoulé, je les reconnais tout de suite. Il faut dire que j'ai quand même vu quelques photos sur le téléphone de Bouchra. Reddouane a pris du muscle : le gamin efflanqué s'est mué en gaillard massif. Anissa, c'est l'inverse : sans atteindre à ma maigreur, elle s'est affinée. Ils sont plutôt pas mal, d'ailleurs, dans un style passe-partout. Eux aussi me reconnaissent tout de suite. Peut-être parce que nous sommes les seuls Arabes dans cette brasserie sans âme du XIIe arrondissement. Ou alors eux aussi ont vu des photos.

Ils me rejoignent, s'installent en face de moi, et puis rien. Ils se murent dans le silence sitôt les formules de salutation échangées. Tout juste s'ils me regardent. Comme s'ils n'avaient pas eux-mêmes pris l'initiative de cette rencontre. C'était bien la peine de venir de Dreux pour se comporter comme deux carpes, bouche ouverte et yeux ronds en face de leur sœur nouvellement retrouvée. Bien sûr, je ne suis pas idiote, je sais que c'est justement là que ça coince en dépit de leurs bonnes résolutions de début d'année. « Shérif » leur brûle les lèvres et « Hind » est incapable de les franchir. Histoire de les dégeler, je commande trois coupes de champagne – sans susciter de réactions outrées. Un bon point pour eux : ils n'ont pas viré intégristes.

– Faut fêter ça, non ?

Nous entrechoquons timidement nos coupes et buvons les premières gorgées sans qu'ils trouvent le courage de se lancer. Ils s'en tiennent aux « ça va, depuis le temps, ça fait drôle, hein », entre deux toussotements et battements de paupières gênés. Il s'avère qu'ils n'habitent plus Dreux – ni l'un ni l'autre. Anissa vit à Chelles, et Reddouane à Villeneuve-Saint-Georges. Elle est secrétaire dans un labo d'analyses médicales, et lui éducateur sportif.

– Vous avez des enfants ?

– J'ai deux garçons. Sami et Adam. Et Anissa a un garçon et une fille : Rayan et Imen.

– Moi aussi j'ai une fille. Elle s'appelle Farah. Elle va sur ses dix-sept ans.

C'est sorti tout seul. Tant pis si ça les méduse encore plus. Dans leurs yeux, je lis la confusion la plus totale. Je crois qu'ils ne comprennent même pas de quoi je parle. Ce frère devenu sœur, devenu mère, ça les dépasse, j'aurais dû y aller par étapes.

– Mais comment…

Hors de question que je leur dise comment – la pipette de Doliprane, Sophie les jambes en l'air dans sa chambrette, son ventre blême, ses seins congestionnés, le bébé noiraud et louchon que j'ai lâchement abandonné. Au lieu de leur livrer mon récit de GPA, j'entreprends de parler de toi :

– C'est une fille brillante – et je dis pas ça parce que je suis sa mère, hein ! Elle est déjà en première. Elle est plutôt scientifique, hein. Je me demande si elle va pas faire médecine ! Elle en aurait tout à fait les capacités, en tout cas. Je sais pas les vôtres, mais moi cette génération me scotche complètement ! Compte tenu de ce qu'ils ont encaissé, le Covid, tout ça, ils sont solides. Et ils ont les pieds sur terre. Farah, en tout cas.

D'une voix plus modulée et plus douce que jamais, je me répands en tendres confidences maternelles. Je parle, je parle, je dis n'importe quoi, enjolivant à partir des informations que Kenny m'a transmises, ta passion pour la lecture, tes choix d'orientation… Sans compter que j'ai encore présent à l'esprit le souvenir de ton regard au *Cthulhu*, ce regard tendre et plein d'espoir auquel j'ai répondu par ma froideur habituelle.

– Bon, là, elle est en pleine crise d'adolescence, évidemment, mais franchement, j'ai de la chance. Parce que quand je vois mes copines qui s'en prennent plein la gueule avec leurs enfants, je m'estime heureuse. On a nos disputes, hein, elle est vive, Farah, mais ça va jamais trop loin, elle sait s'arrêter à temps.

Je ne sais pas ce qui me prend ni à quoi je joue. Ce personnage de mère quadragénaire, un peu dépassée par son ado mais pas trop, discutant de la situation avec d'autres mères, ce serait grotesque si ce n'était pas juste un épisode de mythomanie. Le plus étrange, c'est que plus je pérore, plus j'y crois et plus je me projette dans ce rôle pas fait pour moi, ce rôle que j'ai fui voici dix-sept ans pour entonner mon hymne à l'amour avec Sélim.

Anissa et Reddouane opinent du bonnet, renchérissent en parlant de leurs propres enfants, sans s'apercevoir que je n'en ai rien à foutre. Soudain, dans cette brasserie parisienne où subsistent encore les décorations de Noël, guirlandes déplumées, lumignons rouges et verts, je suis submergée. Par quoi ? Difficile de faire le tri dans toutes ces émotions, le chagrin, le remords, la honte – la joie, aussi, bizarrement : la joie que tu sois vivante et en bonne santé à deux pas d'ici.

En face de ton oncle et de ta tante, je sens les larmes me monter aux yeux – et je t'ai déjà dit que je pleurais rarement. En face de cet homme et de cette femme qui ont partagé mon enfance en terre étrangère, mais qui me regardent comme si j'en étais une moi-même, d'étrangère, je pleure carrément. Ils sont pris au dépourvu, désolés, encore plus gênés que tout à l'heure, quand ils découvraient quelle femme superbe est devenu Shérif – leur gringalet de petit frère.

Pour cette réunion de famille, j'ai évidemment soigné la mise : je porte un tailleur pied-de-poule marine et ocre et je me suis fait coiffer à Château d'Eau – des tresses collées qui s'achèvent en chignon bas, pour un effet chic plutôt qu'ethnique. J'ai enlevé mes piercings industriels, ne gardant qu'une enfilade d'anneaux dans le cartilage auriculaire, et la plupart de mes tatouages sont invisibles, sauf la rose noire que j'ai sur la nuque. Eux sont en jean et pull, quasi la même tenue pour tous les deux, et je leur en veux un peu de n'avoir fait aucun effort pour nos retrouvailles.

Toujours est-il que je suis en larmes et qu'ils échangent des regards de consternation – mais sans trouver les mots pour s'enquérir des motifs de la mienne, sans parler de me réconforter. Je leur demande quand même des nouvelles des parents, histoire qu'on ne se quitte pas sur cette impression désastreuse, ces coulures de mascara sur mes pommettes kabyles, ce mouchoir humide dont je tamponne mon nez rougi.

– Papa est tout le temps au bled.

– Et maman ?

– Elle y va de moins en moins. Elle a ses copines au quartier, elles vont chez les unes, chez les autres, elles se font des petites sorties, avec la mairie, tu sais, les retraités… À El Harrach, elle aurait tout le temps papa sur le dos, là elle est tranquille. Et lui aussi. C'est leur petit arrangement.

– Vous y allez, vous, à Alger ?

– Pas depuis qu'on a les enfants : la maison est trop petite, on est les uns sur les autres. Y'a Omar, tu sais, avec sa famille. Ils sont gentils, hein, mais on sent bien qu'on dérange quand on débarque tous.

– Mais papa, il fait comment ?

– Il est plus souvent à Béjaïa qu'à Alger. De toute façon, il a repris l'appart de Jidi et Jida, à Kouba. Zineb est morte. Et tonton Fouad aussi. Et tonton Abdel…

Ils énumèrent les noms de tous ces morts, oncles, tantes, cousins, cousines, sans s'apercevoir que j'ai décroché. Je pense à toi, Farah. Je t'emmènerai à Alger, un jour. Non que j'y aie beaucoup de bons souvenirs, mais histoire que tu connaisses autre chose que la grisaille d'ici. Après tout, et pour autant que ça veuille dire quelque chose, tu es algérienne.

Je n'ai pas beaucoup de bons souvenirs d'Alger, mais j'en ai quand même un qui mérite d'être rapporté. C'est l'été 1988, soit deux ans avant que ma mère ne me donne, littéralement, à sa sœur. La maison d'El Harrach est une maison de ville, avec une cour bétonnée dans laquelle tout est source de déception : vélos cassés, ballons crevés, chats qui ne se laissent pas approcher… Cet été-là, ma grand-mère maternelle est encore vivante, ma Mani bien-aimée, celle qui est venue en France pour s'occuper de nous, quand ma mère s'est retrouvée avec trois enfants en bas âge et un boulot à plein temps. Elle est rentrée en Algérie quand j'avais six ans, mais elle m'a finalement plus élevée que mes parents, et je suis sûre que sans son décès prématuré, ma mère n'aurait jamais osé se débarrasser de moi.

Mani n'a que soixante-huit ans, mais une affection de l'œil vient de la rendre quasi aveugle, et elle erre en tâtonnant dans la maison, cherchant quand même à se rendre utile, puisqu'elle n'a jamais envisagé l'existence autrement que sous cet angle et dans cette perspective. Elle continue donc à faire la cuisine et le ménage, sans que Bouchra, Omar et Naïma, ses enfants, bougent le petit doigt. La pire étant peut-être Hanane, la femme d'Omar, qui ne branle rien mais trouve quand même à redire sur la propreté des chambres et la cuisson de la kessra. Omar lui ayant fait deux enfants coup sur coup, la pauvre Hanane se trimbale avec un bébé au bras et l'autre accroché à sa cuisse, hébétée, dépassée, larmoyante. Heureusement que Mani est là pour donner les biberons et changer les couches – mais là encore, ça ne va jamais, elle se trompe dans les doses de lait, ou met la couche à l'envers, suscitant la colère de son irascible belle-fille – à qui quelqu'un pourrait peut-être rappeler que Mani n'y voit plus et que ça explique ses erreurs, mais non…

Cet été-là, mes parents ont disparu dès le début. Ils sont partis pour la Kabylie en nous confiant aux bons soins de Mani. Nous allons un peu à la plage avec Omar, mais le reste du temps nous sommes à la fois livrés à nous-mêmes et confinés dans un périmètre trop étriqué pour notre enfance remuante. À Dreux, nous avons le droit de descendre jouer dans la cité, mais ici, la cour donne sur une rue passante, avec des voitures qui roulent à toute allure et menacent de faucher nos jeunes vies.

– Mais les autres enfants, ils peuvent jouer dehors, eux… C'est pas juste.

– Les autres enfants, ils ont de mauvais parents, qui ne s'occupent pas d'eux. Le mois dernier, y'a un petit de trois ans qui s'est fait écraser.

– Mais on n'a pas trois ans ! Et on fera attention !

– Reddouane, si je te prends à jouer dehors, je te mets la treha de ta vie !

Nous sommes en plein mois d'août, il fait atrocement chaud et nous nous traînons dans la pénombre de la maison, cherchant un peu de fraîcheur sous les ventilos. Avachie sur le canapé du salon, je laisse Mani passer les doigts dans ma tignasse emmêlée.

– Ils sont trop longs ! Faut les couper, Shérif. Naïma aurait dû t'emmener chez le coiffeur avant de partir.

– J'aime pas le coiffeur.

– Va chercher le peigne !

– Non, tu vas me faire mal !

– Bon, je vais faire sans le peigne.

Inlassablement, séparant les mèches une à une, défaisant les nœuds un à un, Mani démêle la touffe afro avec laquelle je me trimbale depuis des semaines. Non seulement je n'ai pas mal, mais je ronronne de volupté au contact de ses doigts sur mon cuir chevelu. Ensuite, presque machinalement, elle entreprend de me tresser, comme elle l'a fait des milliers de fois pour ses sœurs, ses filles, ses copines. Elle n'a pas besoin d'y voir pour ça et je sens le plaisir très vif que lui procure sa dextérité.

– Va te voir dans le miroir.

J'y cours, oubliant la chaleur et l'ennui torpide. Il y a un miroir en pied dans la chambre de ma grand-mère, et je reçois le choc de mon visage aigu, comme effilé par cette nouvelle coiffure. D'habitude, j'ai les cheveux courts, presque tondus, sauf quand on m'oublie, comme cet été, pour me laisser arborer un halo mousseux, terne et pas franchement seyant. Là, pour la première fois, je me trouve belle. Car j'ai beau n'avoir que six ans et garder ma conviction pour moi, je sais déjà que je suis une fille. En ce brûlant été 1988, je suis coiffée à peu près comme aujourd'hui, avec des nattes collées qui épousent le modelé de mon crâne et se rejoignent pour former une petite queue sur la nuque. Tandis que je me pavane devant le miroir, je suis rejointe par Hanane, qui pousse une exclamation de plaisir :

– T'es trop beau Shérif, comme ça ! Tu ressembles à Anissa !

L'intéressée a beau grommeler, tout le monde est d'accord pour juger que je ferais une très jolie fille. Tout le monde, ce jour-là, ça signifie essentiellement les jeunes sœurs de Hanane, qui sont venues partager notre désœuvrement à défaut d'y mettre fin. Monia et Sonia, parfaitement interchangeables à mes yeux, passent leur temps à chuchoter devant la télé, quand elles ne se disputent pas dans un arabe incompréhensible pour moi. Ma nouvelle coiffure constitue une diversion bienvenue et leur inspire sur-le-champ des idées de jeu : déshabillée, rhabillée, maquillée, parfumée, je suis leur poupée vivante, elles s'en donnent à cœur joie, et moi aussi – même si je suis assez avisée pour feindre l'indifférence, voire la maussaderie. En réalité je suis aux anges. Peu m'importe de flotter dans les robes d'Anissa, elles me vont mille fois mieux que les shorts et les t-shirts auxquels on me cantonne d'habitude. Quant au maquillage, c'est bien simple, c'est une révélation, d'autant que Sonia, à moins que ce ne soit Monia, a eu la main légère : loin d'avoir l'air peinturlurée, je suis juste beaucoup plus belle. Mon teint a été unifié à l'éponge, mes cils ont l'air plus fournis, ma bouche et mes pommettes sont d'un rose brillant et un trait de khôl prolonge la ligne de mes paupières.

Autour de moi, tout le monde rit, s'agite, pousse des exclamations de joie, y compris Mani, qui n'y voit rien mais qui est heureuse que tout le monde le soit. Tu vois, Farah, même si je devais vivre encore cent ans, je chérirais ce souvenir jusqu'à la fin de mes jours, parce que rien n'est venu en amoindrir l'éclat, la beauté, la gaieté… Si ma mère avait été là, elle aurait peut-être détecté ma satisfaction derrière les airs impassibles que je me donne. Elle se serait surtout souvenue de mes rares confidences enfantines, le souhait naïvement formulé de m'appeler Stéphanie et de m'habiller en fille. Mais elle n'est pas là, et personne ne trouve inconvenantes mes minauderies devant le miroir. Seul Reddouane se moque de moi et m'appelle Shérifa, sans s'apercevoir qu'il met le comble à mon ravissement. Non, pardon, le comble à mon ravissement arrive un peu plus tard, en début de soirée, quand Hanane décide de mettre une cassette de Khaled sur sa petite chaîne, lançant tout le monde dans une sarabande endiablée. En 1988, Khaled n'est pas encore la star de « Didi » et d'« Aïcha », mais il est suffisamment connu pour galvaniser ma tante et mes cousines. Nous dansons dans le salon, femmes et enfants unis dans la même joie pure et le même oubli de tout ce qui n'est pas la musique, la voix magnifique de Khaled sur « Ya taleb », « Ha djedek », et surtout « La camel », que nous connaissons tous et que nous chantons en chœur sans cesser de danser. Même Mani, s'y est mise, si belle dans sa gandoura verte à parements dorés, ses cheveux roux à peine filetés de gris, son sourire immuable, et ses yeux qui n'y verront plus jamais.

Tu vois, Farah, je crois qu'elle est la seule personne que j'aie vraiment aimée ; la seule qui m'ait inspiré une tendresse inconditionnelle et dépourvue d'ambivalence, la seule dont j'aie parfois saisi dévotement la main pour la couvrir de baisers, la seule dont l'absence m'ait fait souffrir, la seule dont la mort m'ait tuée – même si je m'en suis remise, évidemment, d'autant que sa mort coïncidait avec celle de Shérif.

Des années plus tard, alors que j'ai mon premier boulot et mon premier appart ; alors que je découvre les pouvoirs magiques que me confère ma beauté ; alors que je découvre aussi et surtout la nuit parisienne qui sera ma patrie beaucoup plus sûrement que n'importe quel pays, on passe « La camel » dans la boîte où je feins dédaigneusement de danser, sans doute la version longue, avec Safy Boutella, mais peu importe. Instantanément, je suis saisie et transportée dans le passé, cette lointaine soirée algéroise où j'ai été si heureuse. Ce soir-là, non seulement on m'a laissée être une fille, mais j'ai découvert la magie du maquillage et la joie de la danse ; ce soir-là, non seulement on m'a laissée être une fille, mais chaque regard dans le miroir m'a fait entrevoir un avenir possible, une issue, une sortie par le haut ; ce soir-là, non seulement nous avons chanté et dansé, mais j'ai terminé la nuit dans le lit de ma Mani, dans sa bonne odeur de savonnette à la lavande, bien serrée contre le tissu élimé de sa nuisette. J'ai senti ses doigts rêches me caresser le visage, et j'ai entendu sa voix ronchonner à mes oreilles :

– Demain, tu te laves, tu te fais le shampoing et on te coupe les cheveux. On prendra la tondeuse d'Omar.

– Non ! Je veux les cheveux longs, moi !

– C'est pour les filles, les cheveux longs, haboubi.

– Mais peut-être que je suis une fille.

– Mais c'est pas possible, ça, haboubi.

– Peut-être qu'ils se sont trompés.

– Qui ça, « ils » ?

– Les médecins, à l'hôpital.

Elle rit, ma Mani, elle rit comme si je venais de lui raconter l'histoire la plus drôle qu'elle ait jamais entendue. Elle avait ce rire, un rire fou, un rire de très jeune fille, qui quand j'y pense me serre encore le cœur. Je l'ai aimée. Comme je l'ai aimée. Je me dis parfois que j'ai dû épuiser en une fois toutes mes réserves d'amour. Et c'était pour elle, pour cette petite femme rousse qui n'a fait que travailler comme une esclave toute sa vie, pour son mari, pour ses patronnes, pour ses enfants, pour ses petits-enfants. Toute sa vie, elle s'est levée aux aurores pour aller faire le ménage ; toute sa vie elle n'est rentrée chez elle que pour refaire le ménage, la cuisine, la lessive ; toute sa vie elle a bercé et pouponné ses enfants et les enfants des autres ; toute sa vie elle a écouté les gens lui raconter leurs soucis, leurs déboires, leurs ennuis de santé, leurs affaires de famille, sans jamais parler d'elle, sans jamais livrer ce qui sûrement la faisait s'inquiéter et souffrir. Et évidemment, jamais, au grand jamais, elle n'a pensé à se plaindre. Quand elle l'a fait, c'était trop tard : elle n'y voyait plus rien. Et ça a été pareil pour le cancer qui l'a emportée en un an. Quand elle a osé s'ouvrir de ses symptômes, elle était métastasée jusqu'aux os. Ma Mani, comme j'aurais voulu être là et tenir ta petite main dans la nuit impersonnelle de l'hôpital où tu es morte. Tu n'étais pas seule, tes trois enfants étaient là, mais toi et moi avions un lien très spécial.

Toujours est-il qu'autour de moi, les gens ondulent sur « La camel », et que je ne suis plus avec eux, mais avec Mani, Hanane et ses sœurs, Reddouane et Anissa. Nous dansons avec grâce et gravité, et mon cœur explose de bonheur. L'enfance, ça devrait être ça, Farah – la danse, la musique, les rires, la beauté, la tendresse. J'espère que tu n'en as pas manqué, parce que mon enfance à moi, ça a plutôt été l'inverse. Sans Mani, je n'aurais peut-être jamais su qu'on peut être un enfant sans se faire constamment humilier et punir. Sans Mani, je n'aurais peut-être jamais su qu'on peut être un adulte sans être amer, brutal, envieux. Tu vois, Farah, je me fous du passé, mais sans Mani d'abord, et Bouchra ensuite, je n'aurais pas survécu au mien.

Éjac' face

N'ayant trouvé que ça pour me rapprocher de vous, j'ai décidé de me faire baptiser suivant les rites de la Treizième Heure. Il me reste à trouver un prénom, mais aussi une marraine et un parrain. Je suis d'autant plus embêtée que d'une je me suis déjà rebaptisée voici plus de trente ans, et de deux je ne vois personne d'assez sensé pour me servir de guide dans la congrégation. À part ton père et toi, bien sûr – mais puis-je raisonnablement être la filleule de ma fille ? Pour le reste, ça roule, j'ai choisi ma tenue, le texte à réciter et la musique à faire jouer. J'ai même prévu de me faire tatouer en direct à la fin de la cérémonie, réquisitionnant ma pote Anita pour ce faire. Ma rose noire, mes hirondelles, mon loup des steppes, ma naissance de Vénus, c'est elle. On a commencé ensemble avec des choses pas compliquées, des animaux, des fleurs, jusqu'au

Botticelli, qu'elle a mis des semaines à réaliser entre mes omoplates. Mon tatouage de baptême, ce sera ton prénom, Farah, qui est aussi le prénom de ma Mani.

Eh oui, je ne l'ai jamais dit à personne, mais je t'avais vouée à ma petite grand-mère rousse avant même ta conception. Elle t'aurait aimée, Farah. Et elle aurait su remettre ton intersexuation à sa juste place : un enfant est un enfant. Elle t'aurait bercée contre sa poitrine affaissée, elle aurait chantonné en kabyle à ton oreille, elle aurait enfourné de la purée entre tes petites lèvres, elle t'aurait emmenée au parc, elle t'aurait attendue devant l'école, elle t'aurait préparé ton goûter, elle t'aurait donné ton bain, elle aurait surveillé ton sommeil et se serait levée au moindre cauchemar, comme elle l'a fait pour moi, de ma naissance à mes six ans.

Et elle aurait été fière de toi, aussi, comme je le suis – et alors même que je n'y suis pour rien. Je suis fière de ton esprit critique, de ta fermeté d'âme, de ton goût pour les livres, de la rationalité avec laquelle tu déboutes les chimères de ton père, de l'humour avec lequel tu désamorces les fadaises de Ragnar ou les jérémiades de Jewel. Même ton look, j'ai fini par m'y faire et par me dire qu'il manifestait une salutaire indifférence aux modes comme aux regards des autres. Tu ne t'habilles pas, mais tu ne portes ni polyester ni élasthanne. Tu ne t'habilles pas, mais tu as toujours le cheveu brillant et la peau nette. Tu ne t'habilles pas, mais tu sens bon, comme ta grand-mère : tu sens le savon, le shampoing et la crème hydratante. Et puis il y a ces mèches roses ou vertes, dans lesquelles je lis comme un désir de réinvention, ou encore un signal timide que tu adresses à mes excentricités : mon blond platine, mon goût pour le fuchsia, le vert émeraude, les sequins, les paillettes. Je les rêve peut-être, Farah, ces connivences et ces correspondances secrètes entre toi, ta grand-mère et moi, mais après tout, tu es née d'un rêve, voire d'une succession de rêves qui mêlaient iris, pâte de verre et frai de grenouille.

Un mois avant la date prévue pour la cérémonie, je soumets à Lenny mon projet de baptême, auquel je viens de mettre la dernière main. Bien qu'il s'efforce de le lire sans sourciller, je note le léger tremblement de la feuille dans ses mains.

– Kenny comme parrain, et Roma comme marraine ?

– Oui, après tout c'est par Kenny que j'ai connu la Treizième Heure. Et Roma, ben…

J'ai choisi Roma parce que c'est une femme trans, et que nous nous sommes paisiblement identifiées comme telles sans jamais en parler. Elle a juste avisé mes seins, lors d'un atelier ciromancie, alors que je cherchais à interpréter des coulées de cire durcie dans l'eau froide.

– Ce sont des vrais ?

– Prothèses hongroises.

– Très joli. Très réussi. Je ne peux pas en dire autant des miens, malheureusement.

Chemisier boutonné jusqu'au col, elle m'a retourné un clin d'œil malicieux :

– Je ne les montre jamais. Ils sont trop écartés, trop ronds, trop gros, ils font archifaux. Bon, en même temps, je préfère ça à pas de poitrine du tout. À mon avis, tu vas rencontrer l'amour.

Interloquée par son coq-à-l'âne, j'ai mis quelques secondes à comprendre qu'elle parlait du chapelet de perles de cire qui flottait dans la vasque et dont la forme était vaguement cardioïde.

Plus le temps passe, plus j'ai envie que ma relation avec Roma prenne un tour amical, et je me surprends à la chercher du regard ou à lui sourire de loin. Et c'est pareil avec Kenny, même si Kenny est un connard : je suis heureuse de constater sa présence à tel ou tel atelier, ou d'échanger quelques mots avec lui après la messe poétique. Même chose avec Ragnar, en dépit de sa folie : j'aime bien qu'il se jette sur moi pour me raconter sa dernière transe ou me parler de son animal totémique. Il faut juste que je l'empêche de me parler de trop près ou d'agripper mon bras avec trop d'enthousiasme. Même Sylvestre m'émeut, en dépit de son visage fermé et de son agressivité déconcertante :

– Mais enfin, Sylvestre, qu'est-ce qu'on t'a fait ?

– Ta gueule.

– Eh oh, tu baisses d'un ton, d'accord : personne ne parle comme ça, ici.

– C'est toi qui vas baisser d'un ton, pétasse.

Comme tout est formulé d'un ton uni et sans un regard, j'ai fini par me convaincre qu'il s'agissait d'une maladie, et qu'il n'irait jamais plus loin que ces insultes machinales. J'ai tout de même noté qu'il se tenait bien devant ton père. À croire qu'il en est amoureux, lui aussi, comme la moitié de la congrégation. En tout cas, il s'apaise toujours en sa présence, parle d'une voix enjouée, se montre subitement coopératif et partant pour tout – alors qu'il grommelait et ricanait amèrement l'instant d'avant.

Ton père fait de l'effet aux gens, Farah. C'était déjà le cas quand on était ensemble, mais dans des proportions moindres. Bien sûr, il y avait toujours des mâles alpha comme Sélim pour le trouver insignifiant, mais ceux qui passaient un peu de temps en sa compagnie finissaient toujours par être saisis par sa douceur et son intensité. Aujourd'hui, il lui suffit de monter en chaire pour suspendre tout le monde à ses lèvres – mais tout le monde, en l'occurrence, ça ne veut pas dire grand-chose puisque les gens sont là pour lui, et qu'il les a lui-même démarchés à domicile ou harangués sur les marchés. N'empêche, je suis toujours estomaquée de voir la magie opérer, les visages se détendre et les regards fondre d'adoration, tandis qu'il leur parle des desseins temporels de Dieu, du triomphe des pauvres, de la fin du servage, et des métamorphoses dont nous sommes tous capables.

Sur le chapitre des métamorphoses, je pourrais en remontrer à tous les treiziémistes, mais je vais d'autant moins faire ma maligne que Sophie-Jewel n'est pas la seule à me regarder d'un sale œil. Les grenouilles de bénitier ont dû détecter le lien occulte qui existe entre moi et leur directeur de conscience, parce qu'elles me snobent ostensiblement – quand elles ne font pas barrage entre moi et Lenny. J'ai envie de leur dire, eh les filles, eh les gars, j'ai couché avec votre gourou, j'ai vu ses yeux se révulser dans leurs orbites, j'ai pris ses giclées de sperme dans la figure – et il a essuyé les miennes, sur ses lèvres ou sur ses paupières.

Non que nous ayons passé notre temps à nous éjaculer mutuellement au visage, hein, loin de là. Tu n'as sans doute pas envie d'en savoir plus sur la sexualité de tes parents, mais dans la vie, on n'a pas toujours ce qu'on veut – ou alors on se trompe sur ce qu'on veut, et je parle en connaissance de cause. Le désir, Farah, c'est tout sauf simple, surtout quand on en éprouve très peu pour soi-même, ce qui a longtemps été mon cas. Je désirais ton père, je le désirais même très fort, mais d'un désir qui restait souvent coincé entre mon cerveau et ma chatte. À moins qu'il ne soit parasité par des flashs intempestifs, la main de Lenny sur mon torse plat, mon gland mauve sur ses cuisses pâles, mes couilles ballottantes, ce corps dont je n'avais jamais vraiment voulu et que je ne supportais que drapé dans des volutes de soie, moulé dans du cuir crissant, lové dans le cashmere, l'angora ou la fourrure – je sais que ton père est contre, et toi aussi sans doute, alors je vais taire ma passion pour le renard et l'astrakan. Bon, l'astrakan, c'est de la fourrure fœtale, et c'est mal, encore pire que le vison ou la loutre, mais j'ai juste une toque, achetée aux puces de Berlin il y a dix ans : ce devait être un très vieux fœtus, et il y a prescription. Et puis j'ai arrêté de manger de la viande, il me semble que ça compense, mais je planque quand même mon bracelet en ivoire quand je vais à la Treizième Heure – sans parler de ma broche en écaille et strass, immettable chez vous, par considération pour les tortues.

J'en reviens au désir, qui est finalement notre grande affaire à tous, comme tu ne vas pas tarder à l'apprendre si tu ne le sais pas déjà – même l'absence de désir peut nous occuper à plein temps. J'aimerais t'apprendre à écouter le tien, mais il se peut que tu n'aies besoin d'aucun conseil en la matière : comment savoir, puisque tu refuses d'être ma fille et d'avoir avec moi les conversations que les filles ont avec leur mère – mais là encore, comment savoir, puisque je n'ai jamais été la fille de ma mère ? Et je ne te parle pas de mon père, qui n'a été le père de personne, tout juste s'il s'est intéressé à Reddouane, parce que c'était son fils aîné. Si tu veux des grands-parents, tourne-toi plutôt du côté des époux Maurier. Je ne les ai jamais rencontrés, cela dit, et Lenny en parlait très peu, mais ils feront sûrement mieux l'affaire que mes parents fantomatiques.

Ma vie sexuelle s'est arrangée du jour où j'ai eu des seins – ton père a donc très peu profité de cette amélioration. Quant à mes seins eux-mêmes, c'est tout juste s'il les a eus en main, vu qu'il a surtout géré mes soins postopératoires, avec l'abnégation qu'on lui connaît. Une fois cicatrisée, je l'ai quitté pour Sélim, qui a eu la primeur de mon 90 B, mais aussi de ma désinhibition érotique. Je ne sais pas où tu en es question poitrine, il me semble qu'avec une insensibilité aux androgènes, le développement mammaire reste possible, mais comme tu portes toujours des hauts informes et lâches, c'est difficile de se faire une idée. Toujours est-il que mes seins m'ont rendue heureuse. Non seulement ils compensaient la maigreur anguleuse de mon buste, mais ils rééquilibraient l'ensemble : à l'excroissance de mon appareil génital, ils offraient une forme de répondant symétrique qui me permettait d'accepter enfin ma verge et mes testicules.

C'est avec Sélim que j'ai appris à me laisser aller – avec Lenny, j'éteignais les lumières, je bloquais sa main entre mes cuisses, et je pleurais de frustration après l'amour, tandis qu'il me couvrait de baisers, me répétait que j'étais la plus belle et qu'il m'aimait comme un fou. C'est moi qui étais folle, folle de ne pas répondre à son élan, folle de ne pas le suivre dans l'oubli de tout – à commencer par nos anatomies respectives, car le désir, Farah, n'a jamais tenu à l'anatomie. Je ne sais pas ce que ton père aimait en moi, mais cet amour aurait certainement survécu à ma défiguration. Tu vas me dire que l'amour est une chose et le désir une autre, mais chez ton père, certainement pas : c'était le même feu, le même flux, la même source intarissable.

Bon, je m'emmêle les pinceaux dans ma leçon d'éducation sexuelle, mais ce que tu dois retenir c'est qu'à vingt-quatre ans, je n'étais pas encore prête à faire l'amour. Sans être frigide, j'étais engourdie, tétanisée, freinée par la conscience aiguë que j'avais d'être moi. Au lieu de me perdre, au lieu de chercher l'échange fusionnel, l'absorption, je restais extérieure. Contrairement à Lenny, que rien ne rebutait jamais, j'avais toujours peur d'être sale, d'être vue sous un angle peu flatteur, d'émettre des sons gênants, ou d'émerger de nos étreintes complètement décoiffée, ou barbouillée de rouge à lèvres et de coulures de mascara.

J'ai mis presque trente ans à m'en foutre. Et aujourd'hui, si tu savais... Les mecs peuvent se retrouver avec de la merde sur le présa ou sous les ongles, ça me laisse aussi froide qu'un concombre. Je ne cherche pas particulièrement à ce que ce soit crade, mais si je suis prise au dépourvu, advienne que pourra. Ça m'est arrivé, il y a quelques semaines. Un mec, dans un café, mignon, bien foutu. On s'était matés un petit moment, avant de finir dans un hall d'immeuble. Il avait à peine tiqué sur ma chatte, juste un petit sursaut. À mon avis, il en avait vu d'autres, et de toute façon, il avait déjà atteint un point de non-retour dans son excitation. Comme j'avais des doutes sur la propreté de mon cul, je me serais contentée d'une branlette mutuelle, mais trop tard, il me travaillait déjà l'œillet, et c'était suffisamment efficace pour que je cède. De toute façon, les mecs qui aiment vraiment le cul, rien ne les dérange. Vous pouvez leur gerber sur le zguègue après une gorge profonde, ça leur va – il y en a même qui prévoient la bassine. Tout ce qui les intéresse, c'est de vous la mettre très loin, le plus loin possible, passant outre vos renvois et vos haut-le-cœur. C'est drôle, ça m'arrive de me faire sucer, bien sûr, mais je fais gaffe. D'une, je suis émétophobe, et de deux, mon kiff ne tient pas au nombre de centimètres que j'arrive à enfourner : j'aime les fellations quand je sens que ça excite l'autre d'enduire ma verge de salive, de titiller mon gland de sa langue, de prendre le contrôle sur mon plaisir, d'imprimer son rythme à notre échange, jusqu'à ce que je crache contre le voile vibrant de son palais. Pour en revenir au mec du hall d'immeuble, il s'est retiré dans une odeur assez pestilentielle, mais au lieu de m'en sentir mortifiée, je lui ai pris le préservatif des mains et l'ai jeté moi-même dans la première poubelle venue. Avant de partir, il a eu un gentil geste de la main pour me caresser la joue et m'a glissé :

– T'es ma première femme à bite.

À la lumière crue du réverbère, j'ai vu qu'il était beaucoup plus jeune que ce qu'il m'avait semblé, et j'ai eu une sorte de révélation : être une femme à bite, ça n'a rien de problématique quand personne ne s'en étonne ou ne s'en insurge ; quand personne ne vous l'envoie à la figure comme s'il s'agissait de la pire des insultes. Et peut-être que ce coup d'un soir en préfigurait d'autres, d'autres rencontres dans lesquelles mes partenaires accueilleraient ma bizarrerie comme une bonne surprise parmi toutes celles que réservent les corps – car si les corps n'en réservent pas, à quoi bon ?

J'ai prié pour que la jeunesse de ce garçon, dont je savais juste qu'il s'appelait Léo, soit une explication à sa simplicité et à son naturel ; j'ai prié pour que sa génération et toutes celles à venir se sortent de l'ornière dans laquelle patauge encore la mienne, et qui conduit à établir des distinctions douteuses et des classifications douloureuses pour tout le monde. En la matière, ton père avait un temps d'avance – et moi un temps de retard, ce qui fait que je n'ai su ni reconnaître ni apprécier sa simplicité à lui, pourtant aussi lumineuse que celle de Léo.

De toute façon, j'ai fini par l'admettre, et ça ne t'aura pas échappé : je suis lente. Il m'aura toujours fallu beaucoup de temps pour comprendre, pour réagir, pour changer. Dix-sept ans pour devenir ta mère, par exemple, c'est beaucoup, j'en conviens. Mais que faire ? Renoncer à tout sous prétexte que la prise de conscience intervient trop tard ? Pas question : je suis lente, c'est vrai, mais je suis aussi extrêmement déterminée, et une fois que j'ai une idée en tête, je n'en démords pas.

Dans un mois jour pour jour, je deviendrai une sœur de la Treizième Heure : ni toi ni ton père ne pourrez continuer à faire comme si je n'existais pas. Passant outre aux objections de Lenny, j'ai choisi le baptême par immersion.

– On n'immerge pas, dans notre Église : on couronne.

– Dans ce cas, ne demandez pas aux gens de décider des modalités de la cérémonie.

– On n'a pas de baptistère.

– Trouvez-en un. À défaut, une baignoire sur pieds suffira. Il y en a des très bien chez Leroy Merlin.

– Et pour le prénom : Myrtho ?

– Voilà.

Oui, Myrtho – histoire qu'il se souvienne, mon front inondé des clartés d'orient, la coupe où il buvait l'ivresse, les raisins noirs, l'or de ma tresse… Et ça marche, je vois qu'il se rappelle, qu'il y pense tandis qu'il se tient devant moi, un peu raide dans son pantalon à pinces et sa chemise bien repassée.

– Je pense à toi, Myrtho, divine enchanteresse...

Il le dit à mi-voix, rêveusement, sans que je puisse prendre pour moi les mots qu'il m'a si souvent dédiés. Myrtho, c'est pour Nerval, bien sûr, et pour le souvenir de nos chimères, mais c'est aussi pour les fleurs de myrte qu'Anita a consciencieusement gravées sur la peau fine de mon dos, fidèle à l'inspiration botaniste de Botticelli. J'aime les fleurs – pas toutes, hein, je déteste les roses rouges et je ne suis fan ni des glaïeuls ni des chrysanthèmes, mais les pavots, les anémones, les pois de senteur ou les hortensias me rendent très heureuse par leur seule existence.

Il y aura des bouquets de myrte à mon baptême, enfin, si j'arrive à en trouver. Et de la musique, bien sûr – je vous réserve une surprise. Et tu sais quoi ? Je veux que l'officiant, ton père en l'occurrence, me mette la tête sous l'eau. Qu'il soit obligé de me toucher, et surtout, qu'il me voie émerger comme une Vénus anadyomène, épanouie, ravie, ruisselante ; qu'il voie la chemise trempée adhérer à mes seins hongrois et mouler étroitement ma petite chatte. Je vais faire en sorte qu'il se rappelle ce que c'était de me baiser, ce que c'était de me sucer, de me lécher, d'être dans mon souffle, dans mon odeur, dans mon cul.

Si tout se passe bien, mon baptême sera grandiose. Prépare-toi à un triomphe de l'amour sur l'abandon, le regret, le gâchis, la rancœur ; prépare-toi à un embrasement des cœurs, un flamboiement du ciel, un rejaillissement du feu, comme dans la chanson que j'ai mis dix-sept ans à comprendre, parce que pour ça aussi, je suis lente. Certes, c'est moi qui ai quitté ton père, mais « Ne me quitte pas » est à tout le monde.

Si tout se passe bien, Farah, mon baptême sera le temps retrouvé, après toutes ces années de temps perdu.

Libertango

Le loup chasse en vain neuf fois sur dix, alors autant se préparer à la déception. J'ai beau vouloir ardemment la reformation de la Sainte Famille, j'ai bien peur d'être seule à porter ce projet. Il me semble toutefois noter comme un léger dégel de nos relations. Ton père m'a ainsi proposé de participer à l'atelier tango qu'anime Spiridon, un vieux Grec tellement décrépit que j'ai des doutes sur sa capacité à faire danser qui que ce soit, mais bon, j'ai décidé d'être la plus zélée des treiziémistes : en avant pour le tango, la méditation et la fabrication de carillons cosmiques. Et bonne surprise, tu participes à l'atelier tango toi aussi. Quand je pense que j'ai commencé l'année en dansant avec toi sans mesurer ma chance ni saisir l'occasion… J'étais folle, mais je ne le suis plus, et les danses de salon sont très propices aux rapprochements.

Bien qu'il soit un membre historique de la congrégation, je connais mal Spiridon. J'ai quand même envie de lui dire qu'il pèche par ambition en nous lançant d'emblée sur Astor Piazzola. Très vite et de façon prévisible, le cours tourne au fiasco, avec des gens agrippés les uns aux autres, le regard fou, les dents serrées, les jambes s'embronchant continuellement. Ragnar t'ayant choisie pour cavalière, vous êtes les seuls à évoluer gracieusement – mais peut-être suis-je aveuglée par la fierté maternelle.

S'avisant que je reste sur la touche, Spiridon s'offre à me faire danser, et bien lui en prend, vu que je danse le tango comme je danse tout le reste, c'est-à-dire à merveille – au diable la fausse modestie : je sais ce que je vaux comme danseuse. Très vite, les autres s'arrêtent pour nous regarder, même toi, en dépit des protestations de Ragnar, qui supporte très mal de ne pas être le clou du spectacle. Spiridon est aux anges, et il profite de mes compétences pour faire un peu de pédagogie :

– Voilà, regardez : il faut que les seins de Farah restent en face de la poitrine de Ragnar.

Un rapide coup d'œil dans ta direction me permet de constater que pour une fois tu n'es pas sur la défensive. Au contraire, tu souris largement, d'un sourire qui transfigure ton petit visage ingrat, un sourire que je reconnais parce que c'est le mien et celui de Mani – qui a conservé des dents éblouissantes jusqu'à la fin.

Spiridon me lâche et le cours reprend, avec lui qui va d'un couple à l'autre pour prodiguer ses conseils. D'une main ferme, je te sépare de Ragnar, suscitant un glapissement d'indignation qui me laisse complètement froide. C'est moi qui guide, évidemment, mais tu es aussi douée que moi pour la danse, et très vite tu es capable d'enchaîner figure sur figure.

– Il faut qu'on parle, Farah.

Ton épaule frémit sous mes doigts, mais tu acquiesces imperceptiblement et je finis par te rendre à Ragnar pour aller seconder Spiridon – après t'avoir arraché la promesse d'un rendez-vous :

– Tu connais le *Nouveau Brazza* ?

– Le café où papa travaillait ?

– Voilà. On peut s'y retrouver demain, si tu veux. Vers dix-neuf heures, ça te va ?

Tes joues s'empourprent, ton regard fuit le mien, mais je sais que tu viendras, et empoignant Marie-Ciboire, j'entreprends de lui faire comprendre que ses seins doivent rester alignés sur les miens.

Le lendemain, je suis sur des charbons ardents toute la journée. Pour la tenue, j'ai fait simple, une robe d'un rose virginal et des sandales rouges à talons compensés. Je porte un chignon haut, et si je n'avais pas deux centimètres de racines noires sous mon chou platine, je serais totalement satisfaite de l'image que je vais offrir à ma fille. Tu arrives parfaitement à l'heure, moins apprêtée que moi, mais je m'y attendais et je décide de commencer par là :

– Tu devrais porter autre chose que des survêts.

– Pourquoi ?

– Pour ne pas cacher ton corps.

– Tu voudrais que je mette quoi ? Des shorts ? Des crop tops ?

– Des robes, des jupes.

– J'aime pas ce qui fait fille.

– Ben tu vois, moi c'était exactement l'inverse : je voulais faire fille, mais mes parents m'obligeaient à m'habiller en garçon.

Tu ouvres de grands yeux, me confirmant dans l'idée que tu continues à me prendre pour une femme biologique.

– T'es au courant que je suis trans, quand même ?

– Mais non !

– Putain, j'y crois pas ! Mais il t'a raconté quoi, ton père ?

Ton regard s'assombrit au-dessus de ton verre de Perrier.

– Tout et son contraire. J'ai renoncé à avoir une version cohérente de l'histoire. Dès qu'il s'agit de toi, il pète un câble.

Tandis que tu écrases ta rondelle de citron au fond du verre, avec des coups de cuiller qui trahissent ta fureur, je laisse l'information de ma transidentité parvenir à ton cerveau.

– Donc c'est Jewel ma mère.

– D'un point de vue biologique, oui.

– Et mon père ?

– Farah, ton père, c'est Lenny. Mais c'est moi qui ai inséminé Sophie, enfin Jewel.

– Super.

Tu baisses rapidement les yeux, mais j'ai eu le temps de les voir se remplir de larmes enfantines. Mon bébé… Si je pouvais seulement te prendre dans mes bras, te dire que j'ai fait n'importe quoi sans imaginer qu'un jour je me retrouverais en face d'une ado bousillée par mes frasques, perturbée par les mensonges de son père, mais déterminée à faire bonne figure. Parce que je vois bien que tu t'es déjà reprise et que tu ne me laisseras pas te consoler du mal que je t'ai fait.

– Farah, écoute, je sais que j'ai merdé, mais essayons de repartir d'un bon pied. J'ai vraiment envie de jouer un rôle dans ta vie.

Je m'attendais à ce que tu te braques, à ce que tu ricanes et railles mes bonnes résolutions, mais pas du tout. Tu te tiens en face de moi, le cou légèrement rentré dans les épaules, mais le regard alerte, vif, pénétrant : comme ton père, tu sais écouter, donner à l'autre toute ton attention. Je note une fois de plus la façon dont tu humes l'air autour de toi, et les sursauts instinctifs et nerveux que tu sembles avoir à chaque fois qu'un client entre dans le *Nouveau Brazza*. Le bar n'a pas changé, au fait, même si je n'y reconnais personne, ni client ni membre du personnel. J'ai presque envie d'aller aux toilettes, en pèlerinage. À défaut, je pourrais peut-être te raconter comment ton père et moi y avons fait l'amour pour la première fois, sans un mot ou presque, en riant à la fois de joie et de gêne, riant de notre précipitation et de notre maladresse, riant de cette première fois si ratée et si réussie. J'hésite, et puis finalement, je décide de commencer par là, par le récit de ce moment de bonheur. J'embraye ensuite sur le reste, tout ce que je t'ai déjà raconté tant de fois en pensée, ma relation avec ton père, ta conception, la grossesse de Sophie, mon coup de foudre pour Sélim, et puis toutes ces années d'errance, toutes ces désillusions cumulées, tous ces lendemains de fête où je n'arrivais même plus à me regarder dans le miroir tellement j'étais dégoûtée et fatiguée de moi ; toutes ces années où j'ai tenu parce que j'étais jeune, belle, désirée – et que ça m'a suffi longtemps.

Je vais te faire une autre confidence, au risque que tu me prennes pour une bimbo décérébrée : certains jours, ce qui me sortait du lit, c'était la perspective de me maquiller. Je ne te parle pas du maquillage de tous les jours, auquel j'accordais évidemment beaucoup de temps et de soin, non, je te parle de toutes les fois où je sortais de chez moi complètement métamorphosée en créature vibrante et insoumise. Évidemment, c'était pour aller en soirée, mais l'existence même de ces soirées me rendait heureuse. Je passais des heures à choisir mon look, mais rien ne me passionnait autant que de lui apporter la touche finale par un jeu de pigments et de paillettes.

Je regarde ton visage nu, en me félicitant de l'éclat de ta peau. Si tu es comme moi, tu seras épargnée par l'acné et tu n'auras pas de rides avant ta centième année. Mani était pareille, tout juste quelques pattes-d'oie qui ne faisaient que rendre son visage plus expressif et plus chaleureux. Plus je regarde la petite frange mauve de tes cheveux bouclés, l'anneau d'or à ton sourcil gauche, le clou dans ta lèvre inférieure, plus je me dis que tout n'est pas perdu et que tu es sur le point de comprendre que s'occuper de soi peut être une fête. Même ton père, cet amish, avait fini par en convenir et par aimer le soin méticuleux que je mettais à m'habiller, à me coiffer, à choisir le bon rouge à lèvres, le bon eye-liner, le bon parfum. Mieux, il dégottait pour moi des bijoux, des robes vintage, des sacs à main, des chapeaux. Il savait avant moi ce que j'allais aimer et se faisait une joie de me l'offrir. Oui, c'est une fête de se faire belle. N'écoute pas ceux qui te diront que c'est une occupation égoïste et vaine : il n'y a rien de plus généreux que de faire don de son corps et de son visage aux regards des autres. D'autant que ce faisant, on s'expose évidemment à la moquerie. Je ne compte plus les fois où je me suis attiré des huées, des insultes, des rires sans joie, ou des conseils hostiles :

– Va te débarbouiller, espèce de taspé ! Rentre chez toi, t'es trop moche ! Qui t'a laissée sortir comme ça ? C'est pas Carnaval !

J'imagine que tu le sais déjà, mais les gens sont méchants, et je préfère ne pas imaginer ce que j'aurais entendu si mon petit secret avait été notoire. Je n'ai pas besoin de l'imaginer, d'ailleurs, puisque j'ai eu mon lot d'agressions transphobes en dépit de mon passing et de mes précautions – et je t'en parlerai le moment venu, vu que tu risques toi aussi de t'en prendre plein la gueule.

Tandis que je te raconte qui est ta mère, déversant tout pêle-mêle, Dreux, Alger, Mani, l'Essonne, Bouchra, mes études, mon arrivée à Paris, tu finis sagement ton Coca. Le *Nouveau Brazza* s'est rempli et je me demande de quoi nous avons l'air et quelle signification les gens peuvent bien donner à notre couple étrange.

– Je peux prendre un demi ?

– Ton père te laisse boire de l'alcool ?

– J'en bois pas devant lui.

Ça me fait un bien fou de te laisser commander ta Stella. J'ai l'impression d'être une mère, une mère laxiste, mais une mère quand même. Du coup, je passe à l'alcool moi aussi, un Glenfiddich, en souvenir du bon vieux temps. Et comme j'ai beaucoup parlé, je t'interroge à mon tour :

– Raconte-moi un peu ta vie.

– Qu'est-ce que tu veux savoir ?

– Tout.

– Bah, y'a pas grand-chose à raconter.

– Le lycée ?

– C'est pas intéressant.

– Tu as des amis ?

– Oui.

– Qu'est-ce que tu fais avec eux ?

– Qu'est-ce que tu fais avec les tiens ?

– Je n'ai pas d'amis. Juste quelques potes.

– Ils sont trans, eux aussi ?

– Certains.

– Tu sais que je suis intersexuée ?

– Oui. On nous l'a dit à l'hôpital, quand tu venais de naître.

– C'est pour ça que tu m'as laissée ?

– Mais non, quelle idée !

– C'est quoi, à ton avis, la probabilité d'être intersexué quand un de tes parents est trans ?

– C'est pas de ma faute, en tout cas : c'est Sophie qui avait un gène chelou.

– Tu prenais des hormones ?

– Pas au moment de ta conception.

– J'en ai rien à foutre, de toute façon.

– Rien à foutre de quoi ?

– De tout.

Si tu savais comme je jubile d'avoir avec toi cette conversation, d'observer tes airs butés et d'enregistrer tes formules blasées. Rien que pour ça, je reprends un whisky et te fais servir d'office une nouvelle Stella. C'est tellement de ton âge de prétendre se foutre de tout, de hausser les épaules et d'en livrer le moins possible sur ta petite vie. J'aurais fait pareil avec mes parents si j'en avais eu. Je balance quand même une dernière question, une question qui risque de te foutre en rogne, mais tant pis :

– Tu te sens plutôt fille, ou plutôt garçon ?

Loin de t'offusquer, tu sembles réfléchir très sérieusement à ta réponse avant de lâcher :

– Je ne me suis jamais sentie garçon.

Je suis secrètement soulagée, ce qui est au moins aussi bête que ma question – et je cache ma joie en lampant une dernière gorgée de Glenfiddich. Comme tu as toi aussi fini ta bière, je décide que nous allons boire un troisième et dernier verre : s'il n'est pas question que nous prenions une mine, une légère ivresse est la bienvenue.

– Papa m'a rien dit pour mon IPA.

– Ton quoi ?

– Mon insensibilité aux androgènes. Enfin, il a fini par cracher le morceau parce que je l'ai harcelé. Mais autrement, il voyait pas de raisons d'en parler. Donc, tu vois, j'ai pensé que j'étais une fille jusqu'à l'année dernière. Et aujourd'hui, ben aujourd'hui je pense plus rien. Je suis rien, en fait.

– Tu es non binaire ?

– Même pas.

– Gender fluid ?

– Je sais pas trop.

– Et sexuellement ?

– Tu veux savoir avec qui je couche ? Personne pour l'instant.

– Mais tu es plutôt attirée par les filles ou par les garçons ?

– J'ai jamais été amoureuse. Mais j'ai quand même l'impression que je préfère les filles. À voir. De toute façon, ça va être compliqué pour moi, non ?

– Tu te demandes si ça l'a été pour moi ?

– Je te demande rien.

– Je te le dis quand même : oui, c'est compliqué d'être une femme à bite.

Ton regard s'éclaire et tu t'agites d'excitation sur ta banquette :

– Tu savais que le clito et le pénis ont la même origine embryonnaire ?

– Oui, je savais.

Nous communions ensemble dans la satisfaction que nous procure cette information scientifique.

– Et tu savais que nos glandes salivaires ont la même structure que celles des vipères et que nous aussi on pourrait fabriquer du venin ?

Je ne vois pas trop le rapport, et peut-être qu'il n'y en a pas, mais je te laisse venir et me faire tout un exposé sur les serpents, sujet qui a l'air de te passionner bien davantage que le récit de ma vie. Je ne t'ai jamais vu cette expression animée et presque joyeuse.

– Dis donc, tu sais plein de choses !

– J'aimerais être herpétologiste. Faire des recherches sur les animaux, en tout cas. Soit les serpents, soit les canidés. Ou les félins. Je sais pas encore.

C'est peut-être l'alcool qui accélère ton débit et fait briller tes yeux, mais je ne crois pas. Plus je t'écoute, plus je comprends que tu es en train de me livrer ta vision d'un monde où ce qui nous sépare ne tient à rien. Ce que je comprends aussi, c'est que ta jeunesse ne va pas s'encombrer de ce rien – ces bifurcations, ces mutations, ces variations.

– Alors, tu vois, je sais pas si ça répond à tes questions, mais au final, si je devais être quelque chose, ne rigole pas, hein, c'est soit un python, soit un jaguar, soit un loup

Tandis que tu me détailles les beautés spectaculaires du boa émeraude, je cesse d'écouter pour méditer sur les mécanismes étranges qui font que nous avons partagé les mêmes fantasmes sans nous en être jamais parlé. Je ne t'ai pas élevée, mais je t'ai donné mieux qu'une éducation puisque je t'ai transmis mon rêve d'une vie instinctive et libre. La liberté se paye généralement par la solitude, mais ça, c'est une autre histoire, et avec un peu de chance, ce ne sera pas la tienne.

Rejaillir le feu

Autant spoiler d'emblée, mon baptême n'a pas été la cérémonie fastueuse dont j'avais rêvé. Le jour J, j'arrive pourtant en longue robe fluide, avec un lissage brésilien – et un maquillage printanier qui m'a coûté des heures de réflexion et de travail. Anita n'étant pas libre, j'ai renoncé au tatouage en direct, mais ce n'est que partie remise, crois-moi. Kenny s'est débiné lui aussi, et j'ai dû me rabattre sur Ragnar, l'un des rares treiziémistes qui aient le sens de la fête – sans compter que la perspective d'être mon parrain le rend fou de bonheur et que ça fait plaisir à voir. On peut être un loup solitaire et avoir des bouffées d'altruisme.

Peu importent les défections : l'essentiel pour moi, c'est que ton père me baptise lui-même, et que tu assistes à la reformation du couple parental, fût-ce pour un bref instant, celui de mon immersion dans la baignoire à pieds que Lenny a dénichée sur Leboncoin.

Aux côtés de Ragnar, se tient Roma, ravissante dans le tailleur que je lui ai imposé en lieu et place du look gipsy qu'elle affectionne. À toi aussi, j'ai dicté mon dress code : tu portes un pantalon noir et un top lilas assorti à ta frange, ce qui constitue un premier pas vers l'élégance. Ragnar est en cosplay, mais il compense sa faute de goût par une mine si rayonnante que je lui pardonne. La chapelle est pleine à craquer de treiziémistes endimanchés que je salue de bonne grâce, telle une lady Di dans sa calèche.

Tout devrait donc marcher comme sur des roulettes, sauf qu'il fait 40 degrés. C'était prévu, je crois, mais j'avais oublié, et mon maquillage dégouline dans mon décolleté en rigoles ocre et coulées noires. Quant à mon lissage brésilien, je le sens crépiter sur mon crâne – quand je pense que j'ai payé 200 euros pour avoir des cheveux de fée et que je me retrouve avec une toison vaporeuse et ingouvernable…

Que faire ? J'ai prévu de chanter « Ne me quitte pas » avant d'être noyée et ressuscitée par ton père – eh oui, j'ai complètement changé d'avis et ne suis pas loin de penser que c'est la plus belle chanson du monde. Le problème, c'est que je comptais sur un moment de gloire et de beauté, un moment où tous les regards se porteraient sur moi pour rendre justice à mes charmes ensorceleurs. Je comptais sur une illumination qui amènerait ton père à réviser son jugement, à reconnaître ses torts et à oublier les miens pour m'aimer comme avant – rien que de me voir dans ma robe blanche, cheveux dénoués, regard innocent, seins pigeonnant en transparence. Au lieu de ça, je sue à grosses gouttes, mon teint est une soupe orangée, mes cheveux frisottent, et je ne suis pas sûre d'avoir assez de souffle pour aller au-delà des perles de pluie – venues de pays où il ne pleut pas.

Ragnar transpire aussi sous sa perruque mordorée, mais je puise dans son sourire confiant le courage de me hisser sur l'estrade, en dépit de mon appréhension. Je ne me rappelle plus quel but ton père assigne à cette sudation, mais elle me semble incompatible avec mon tour de chant, et je décide de zapper « Ne me quitte pas » pour plonger au plus vite dans les eaux du Jourdain. Contrairement à mes attentes, Lenny n'esquisse aucun geste pour m'aider, si bien que je finis par m'agenouiller dans cinquante centimètres d'eau tiède, sans trop savoir que faire ensuite.

Dans la salle, ils ont commencé à psalmodier leur poème habituel, et ton père envoie deux doigts mouillés en direction de mon front tandis que Roma et Ragnar me couronnent solennellement d'un entrelacs de fils de cuivre qui se prennent illico dans ma chevelure galvanisée :

– Cercle ardent, sacerdoce infamant du malheur !

Oui, « malheur » est le mot juste et je laisse une larme de déception se mêler discrètement aux gouttes de sueur qui continuent à me dégouliner sur le visage.

– Je te baptise Myrtho.

Bon, ça, c'est fait, et c'est une bonne chose, ce nouveau prénom qui succède aux deux que je n'ai pas choisis. Shérif est mort il y a bien longtemps, si tant est qu'il ait jamais existé, et Hind vient de fondre comme neige au soleil, avec son maquillage sophistiqué et son lissage brésilien. Vive Myrtho, la belle enchanteresse qui n'a de belle que le nom : ça m'apprendra à trop tabler sur la beauté.

Au premier rang, tu ne sembles pas incommodée par la chaleur et tu m'adresses une moue indéchiffrable, que je choisis de prendre comme un encouragement – après tout, autant que tu me voies au naturel. Même mes faux cils se sont décrochés et flottent dans l'eau tiède quand je me décide à émerger de la baignoire, mes seins hongrois visibles en transparence, comme prévu, mais sans que je puisse en tirer quelque satisfaction que ce soit. Quant à ma chatte, j'ai pris le parti de la dissimuler, histoire de ne pas brouiller le message. Mon coming out attendra que je sois un membre confirmé de la congrégation.

À peine suis-je sortie des eaux, de façon moins triomphale qu'escompté mais tant pis, que la température chute brutalement. Alors que je crevais de chaud il y a cinq minutes, je claque désormais des dents dans ma robe trempée. Heureusement que Ragnar est là pour m'envelopper de sa cape satinée tandis que l'assistance éclate en vivats enthousiastes. Tout le monde semble habitué à ces variations thermiques, et tandis que je me morfonds sur mon banc, flanqué de ma marraine et mon parrain, ton père monte en chaire.

– Mes amis, notre Église compte un nouveau membre et je vous demande de faire bon accueil à notre sueur Myrtho.

« Sueur » est le mot juste et je comprends tout à fait que sa langue ait fourché. J'ai encore sur les lèvres le goût salé de la mienne, sans compter l'odeur discrète, mais aigrelette, que je sens monter de mes aisselles. Dans la mesure où je ne peux compter ni sur mon enlumineur de teint, ni sur mon eye-liner pailleté, ni sur le soyeux de mes mèches brésiliennes, ce baptême est un fiasco complet. Alors certes, je suis belle au naturel, ton père me l'a assez souvent répété, et c'est l'un des credo de notre Église que de pourfendre les artifices, mais il faudra encore un peu de temps pour que j'accepte d'aller visage nu et tête rasée comme Jaquette ou Marie-Ciboire ; il faudra encore un peu de temps pour que j'accepte de me priver de la joie innocente de composer mon look du jour. J'étais comme ça à huit ans, tu sais, même si je ne pouvais le dire à personne : rien ne me rendait plus heureuse que de croiser une femme apprêtée, maquillée, parfumée. Ma mère me désolait avec ses jupes ternes et ses hauts mal coupés, et j'aspirais au moment où je pourrais souscrire tranquillement à l'idée que je me faisais de l'élégance.

Retourne le truc comme tu veux dans ton cerveau, parle-moi de Simone de Beauvoir, de construction sociale et d'expression de genre, très bien, je suis archi d'accord, mais ça ne marche pas pour moi. Ma féminité était là dès le départ, et elle ne tenait ni aux hormones ni aux organes. Ne va pas croire pour autant que je sois devenue femme par amour des bijoux, des tissus et des couleurs vives : je suis née femme, Farah, je n'ai pas eu à le devenir. Qu'est-ce que ça veut dire ? Je n'en sais rien et je m'en fous. Laissons aux théoriciens le soin de théoriser. Peut-on être une femme sans porter de robe ni de rouge à lèvres ? Oui, la preuve : Sophie, Jaquette, Marie-Ciboire – et les trois quarts des sœurs de la Treizième Heure. Mon idée de la féminité n'est pas la leur, c'est tout. La mienne était une fleur qui attendait juste d'être déployée, une fleur flamboyante et entêtante – une fleur d'une espèce inconnue, ma chérie, comme toi.

Parce que je vois bien que toi aussi tu feras à ton idée, et que tu ne ressembleras pas plus que moi à tous ces gens fatigués d'être, et effrayés par l'exubérance. Je suis fatiguée, moi aussi, parce que ça fait trop longtemps que je déploie ma fleur dans l'indifférence générale, mais il suffirait d'un rien pour que je retrouve mon allant et ma vitalité. Sans compter que l'indifférence est un moindre mal au regard de l'hostilité que suscite mon identité queer, quand elle vient à être connue par les haters – qui sont légion, mon enfant. J'espère que ton père a un projet, parce qu'autrement je vois mal comment nous allons faire pour survivre dans un monde aussi contaminé.

L'épidémie est mondiale, et elle n'a rien à voir avec les virus : elle a à voir avec la facilité qu'il y a à céder à la haine, à y répondre et à la répandre. La haine est un réflexe machinal là où l'amour demande de l'engagement et de la réflexion. Je suis d'autant mieux placée pour en parler que je déteste la plupart des gens, en tout cas au premier abord – ensuite, je me reprends, et je leur laisse une chance. Ton père est différent : lui, il aime d'emblée – mais ton père est un saint, et les saints ne courent pas les rues.

Ton père, justement... J'ai décroché un instant de son sermon, mais je reviens à lui et je lui trouve petite mine. Selon toi, il traverse une mauvaise passe, une crise qui le fait douter de tout, à commencer par l'œuvre de sa vie, cette Église inclusive, ce bercail pour les moutons noirs et les brebis égarées, cet endroit hors du commun, où il fait bon venir écouter « Le bateau ivre » ou « La chanson du mal-aimé ». Selon toi toujours, il estime avoir échoué dans son projet de mobilisation des âmes, puisque, à part lui, tout le monde semble se satisfaire de l'ordre des choses et de la marche du monde.

Je pourrais dire à ton père que ce qu'il considère comme un échec est une vraie réussite. Certes nous sommes une petite congrégation, mais Jésus n'a pas commencé autrement. Car ne nous voilons pas la face : les premiers disciples étaient des crevards, un ramassis de pêcheurs au chômage et de filles en rupture de ban. Je n'ai pas lu la Bible, hein, mais je me suis fait mon idée en écoutant Lenny, au temps où il me parlait encore. Je pourrais le rassurer en lui disant que je me sens chez moi au sein de son Église – sachant que je compte sur les doigts d'une main les endroits où je me suis sentie accueillie, acceptée et aimée. Et ce qui vaut pour moi vaut pour Ragnar, pour Marie-Ciboire, pour Sylvestre, pour Aymon, pour Théodora, tous ces esprits libres, tous ces corps invalides ou disgraciés...

Non seulement je pourrais, mais j'aimerais rassurer ton père – sauf que je ne suis pas sûre qu'il ait envie d'entendre de ma bouche un bilan positif de son action, vu qu'il continue à me traiter comme n'importe quel membre de la communauté, avec cette douceur détachée qui me rend folle. Heureusement que tu as tourné casaque, et que tu me manifestes désormais une forme d'affection, acceptant les rendez-vous que je te fixe, au café, au parc, au hammam.

Un hammam mère et fille, c'était mon rêve et il s'est réalisé dans la vapeur balsamique des *Bains d'Arcadie*, établissement où j'ai mes habitudes. Mon bas de maillot étant une jupette volantée, j'étais finalement moins ambiguë que toi, avec ton boxer-short et ta brassière. Inutile de préciser que j'ai bien profité de ce moment pour t'inspecter sous toutes les coutures, me délectant de la rondeur de tes épaules et de tes abdos nettement dessinés. Tu pourrais avoir un peu plus de hanches et de seins, mais tu n'en es pas complètement dépourvue, et à mon sens tu as le corps parfait, celui qui se prête à toutes les métamorphoses.

Je n'ai rien dit, mais je jubilais en t'enseignant les rites du hammam et ses bienfaits à court comme à long terme.

– Tu vas voir ta peau, en sortant : ça vaut tous les soins en institut. Franchement, ne claque pas ton fric dans un nettoyage de peau ou un hydrafacial.

– Je n'en avais pas l'intention.

– J'oublie parfois que tu as été élevée dans une secte qui proscrit les soins esthétiques.

– On n'est pas une secte.

– Je sais : n'empêche que les treiziémistes ne sont pas très portés sur la cosmétologie.

Tu ris. J'aime te faire rire. Je suis prête à toutes les pitreries pour amener sur ton visage cette expression ravie qui te rend presque belle. Parce que, pardon, ma chérie, mais personne ne se retournera sur ton passage comme on se retourne encore sur le mien.

Cela dit, pour ce que ça m'a apporté d'être la plus jolie, de plaire, de séduire et de briser les cœurs… Car il y a eu d'autres cœurs brisés que ton père dans mon sillage. Des hommes que j'avais prévenus de ne pas s'attacher, pourtant – mais on sait bien que cet avertissement arrive toujours trop tard. Ne gaspille pas ta salive, ma chérie : certain·e·s s'attacheront quoi que tu dises ou fasses.

Le hammam, c'était avant que je ne devienne une sœur de la Treizième Heure, et tandis que ton père prêche sans me regarder, je me console de sa froideur en repensant à notre merveilleux moment mère et fille et au tour nouveau pris par notre relation. Tu as même accepté de m'accompagner dans une friperie où je t'ai déniché de quoi être présentable – rien de fou, mais autre chose que tes sweats à capuche et tes bas de survêt.

Je trouve quand même que Lenny pourrait parler un peu plus de moi : après tout, je suis l'héroïne du jour – la reine, même, à en croire la couronne qui me cisaille le front. Dans cinq minutes, je vais saigner, de grosses gouttes qui l'obligeront à s'occuper de moi – sans compter qu'elles me donneront un air christique irrésistible. J'appuie discrètement sur les fils de cuivre, histoire d'activer le processus, mais rien ne vient, et j'en suis réduite à vibrer aux accents passionnés de ton père, qui est aussi mon ex même s'il a choisi de l'oublier.

Tout peut s'oublier, c'est entendu, mais dans ce cas, pourquoi ressasser les manquements, les erreurs, les parjures, au lieu de chérir le souvenir des bons moments ? Ton père serait beaucoup plus heureux s'il se rappelait toutes les fois où nous l'avons été ensemble. Ma robe sèche, la main de Ragnar a trouvé ma cuisse qu'elle pétrit tendrement, et ton père tape du poing sur son pupitre :

– Mes amis, j'ai fait un rêve !

Ragnar accentue la pression de sa main sur ma cuisse et me souffle à l'oreille : « Nelson Mandela ! » – ce qui signifie sans doute qu'il confond ce dernier avec Martin Luther King, mais je le laisse dire parce qu'il est noir lui-même, et que c'est la moindre de ses confusions. Je ne sais pas quelle mouche pique ton père, mais après un quart d'heure passé à discourir sur le sens du baptême, voici qu'il embraye sur autre chose, avec un air extasié qui n'augure rien de bon. Selon toi, il lui arrive de plus en plus souvent de terminer ses sermons à genoux et en larmes – c'était d'ailleurs le cas le jour où j'ai mis les pieds ici pour la première fois, avec tous ces gens qui chantaient du Serge Lama tandis que ton père se griffait le thorax.

– Dans ce rêve, je nous voyais cheminer dans le désert, en direction d'une oasis. Quand je me suis réveillé, tout était clair pour moi. Nous devons partir, mes amis, nous devons quitter la ville. Êtes-vous prêts à tout abandonner, maison, conjoint, enfants, pour me suivre dans le désert ?

Dans l'assistance, rares sont ceux qui ont conjoint et enfants, sans parler de maison – ou s'ils en ont, rien ne s'est passé comme prévu et ils se retrouvent aujourd'hui encore plus seuls et démunis qu'avant. Du coup, la plupart opinent mélancoliquement : oui, ils sont prêts à suivre Lenny où qu'il aille. N'oublions pas que depuis des années il leur tient lieu de tout – de père, de mère, de coach, de confesseur, de gourou, de cerveau.

– Rappelez-vous ce que le Seigneur a demandé à Abraham ! Rappelez-vous ce que le Christ a demandé à ses apôtres : êtes-vous prêts à faire comme eux ?

Je n'ai jamais vu ton père dans cet état : le cheveu fou, l'œil brillant, la chemise déboutonnée, le poing levé. D'habitude, tout est sous contrôle, depuis ses pantalons à pinces jusqu'à ses inflexions de voix. Une tempête a dû se lever sous son crâne, un typhon qui a emporté ses bonnes manières, son calme, sa douceur, ses codes vestimentaires. Cela dit, ça le rend extrêmement sexy, et je sens ma chatte frémir – bien dissimulée sous ma gaine en spandex.

Je file discrètement aux toilettes, seule pièce de nos locaux qui ne soit pas mirror free. Hélas, et comme prévu, je suis affreuse – avec des mèches plaquées contre mes joues et d'autres qui rebiquent, le teint brouillé, les lèvres nues. Je me fais une tresse à la va-vite, et frotte mes joues pour les débarrasser des restes de fond de teint tout en les avivant un peu. Idem pour la bouche, cette bouche qui a toujours été mon meilleur atout. Hop, je rejoins prestement mon siège, espérant être un peu plus agréable à regarder – au cas où ton père sortirait de sa transe pour m'accorder enfin un peu d'attention.

Peine perdue : son exaltation vient de passer un nouveau palier et je ne suis même pas sûre qu'il voie quoi que ce soit, si j'en juge par son regard, qui se perd dans le vague, au-dessus de nos têtes. Mais vraiment, il est trop beau, je craque, et mon exaltation à moi aussi franchit un cap – que la gaine va avoir du mal à contenir. Autour de moi, les treiziémistes se lèvent, gémissent, applaudissent, et je me retrouve à suivre le mouvement et à pousser des youyous venus du fin fond de l'Algérie. Si Lenny veut du désert et des oasis, je vais lui en donner.

Tout peut s'oublier, mais certains souvenirs ne demandent qu'à faire rejaillir le feu. Je ne parle pas de la passion que j'espère voir de nouveau flamber dans les yeux de ton père, non, je parle du dernier été de mon enfance, cet été où Mani a dû sentir que le temps lui était compté, et où elle a décidé de rassembler tous ses petits-enfants autour d'elle pour entreprendre un ultime voyage.

Bien sûr, rien de tel n'est dit, et je prête peut-être à ma grand-mère des intentions qu'elle n'a jamais eues. Toujours est-il qu'en dépit de sa semi-cécité, et probablement des premières atteintes de la maladie qui l'emportera bientôt, elle affrète une 504 break, se dégotte un cousin pour servir de chauffeur, et nous voici partis dans la chaude nuit algérienne. Les sièges arrière ayant été rabattus, nous sommes couchés sur un amoncellement de couvertures et de coussins – nous, c'est-à-dire mon frère, ma sœur, et les enfants d'Omar, des bébés de deux ou trois ans. Est-ce que je sais où nous allons ? Oui, il me semble – mais cette destination n'a aucun sens pour moi, et je passe mon temps à somnoler ou à me chamailler avec mon frère.

Je termine le périple sur les genoux de Mani, heureuse et fière d'être devant tandis que les autres geignent à l'arrière : ils ont chaud, ils ont soif, ils en ont marre. Car nous avons beau rouler toutes vitres ouvertes, la chaleur est difficilement supportable. Autour de nous, le désert s'étend à perte de vue, et Reddouane joue à nous faire peur :

– On est dans le Sahara ! On est perdus ! On va mourir de soif !

Je ne sais pas si nous sommes perdus, mais c'est l'aventure, avec la 504 qui ne cesse de s'ensabler – à charge pour nous de creuser sous les pneus et de sortir les tapis de sol pour leur offrir une prise. Les adultes n'ayant pas l'air inquiets, je jouis intensément de chaque péripétie, depuis les ensablements successifs jusqu'à l'embrasement soudain du moteur.

Mais là encore, ayant maîtrisé ce départ de feu, ma grand-mère et son cousin se contentent de soupirer avec philosophie et d'échanger en arabe sur le parti à prendre. À l'arrière du break, les bébés d'Omar mâchonnent un coin de couverture, ensommeillés, grognons. Ne les ayant jamais revus par la suite, je conserve un doute sur leurs prénoms : Mansour et Mehdi ? Malek et Nabil ? Ils sont plutôt de bonne composition, en tout cas, se contentant de grogner là où d'autres enfants nous auraient gâché le voyage par leurs hurlements.

Tu sais quoi, Farah ? Je crois que ces douze heures de voiture à travers le désert comptent parmi les plus beaux souvenirs de ma vie, sans parler de notre séjour à Ghardaïa, puisque telle est notre destination. Tandis que le cousin s'affaire à réparer la 504, ma grand-mère improvise un campement, tendant les couvertures pour nous abriter du soleil et sortant les provisions dont elle s'est évidemment munie. Elle n'y voit toujours pas, et ne recouvrera jamais la vue, mais ça ne l'empêche pas de donner la becquée aux bébés, cherchant à tâtons les œufs durs, les dattes, les biscuits et les briquettes de lait aromatisé. Quant à moi, je profite du prolongement de la halte pour gambader aux alentours. Bizarrement, la chaleur n'est pas plus accablante qu'à Alger : il me semble même sentir sur ma peau comme une brise, un vent qui vient des dunes en charriant une odeur minérale et grisante. Au moment même où je me fais cette réflexion, le vent forcit, soulevant des nuées de sable et m'isolant instantanément des autres. Je hurle et tombe à quatre pattes, paniquée de ne plus rien voir et de ne plus rien entendre. Surgie de ce rien, une main m'attrape et me rapatrie dans la 504 où nous attendrons la fin des bourrasques, blottis les uns contre les autres.

J'ai vécu ça, Farah, une tempête de sable dans le Sahara, une petite tempête à en croire ma grand-mère, mais comme j'étais petite moi-même, j'ai eu l'impression de passer à côté d'un très grand danger et j'ai trouvé héroïque le calme gardé par Mani et son cousin.

– Nous allons lutter contre la désertification de la planète par l'oasification de la planète ! Il y a des techniques, mes amis, pour récolter l'eau et la conserver, des techniques pour reboiser et restaurer la végétation – des techniques ancestrales, mais aussi des solutions issues du numérique !

J'écoute d'une oreille distraite, mais si je comprends bien, Lenny a décidé qu'il fallait désormais voir plus grand : fonder une Église, c'est bien, mais fonder un État serait mieux encore. Je t'avoue que je n'ai pas saisi comment il était passé du constat désabusé de son échec à l'idée de délocaliser ses ouailles au milieu de nulle part pour y créer un microcosme autogéré et écoresponsable, un microcosme voué à être dupliqué à l'infini, puisque le projet semble être d'essaimer dans le désert, jusqu'à ce qu'il n'y ait plus de désert, mais une constellation d'oasis, autant de petits jardins d'Éden, clos sur eux-mêmes mais accueillants aux étrangers et promis à la métamorphose.

Nous serons heureux dans le désert, Farah, et plus encore dans l'oasis que nous ferons jaillir de ces terres brûlées où il ne pleut pas : il faut que je le dise à ton père, il faut que je lui parle de ma propre vision du jardin d'Éden, une vision qui est un souvenir, un ciel qui flamboie dans ma mémoire, aujourd'hui encore. En cet été 1988, l'Algérie s'apprête à connaître une vague d'émeutes sanglantes, puis dix ans de plomb, de braise et de larmes. Sillonner le désert comme nous le faisons deviendra impossible, mais bien sûr je n'en sais rien, pas plus que je ne sais que je ne remettrai jamais les pieds au pays de Mani, ce pays qui lui ressemble, avec ses casbahs, ses médinas, ses criques d'eau claire, son maquis, ses dunes, ses palmeraies – et le resurgissement de sa gaieté dans les intervalles que laissent la guerre ou la maladie.

Nous arrivons à Ghardaïa au crépuscule. Bien que n'étant pas mozabite, ma grand-mère y est née et y a vécu quinze ans – jusqu'à ce que sa famille revienne s'installer à Alger. Je pense aujourd'hui que, talonnée par la mort, elle a voulu revoir son paradis originel, et surtout le faire connaître à ses petits-enfants, à nous qui allons lui survivre et prolonger son souvenir ténu, cette petite flamme rousse qui m'éclaire encore aujourd'hui.

Nous entrons dans la ville presque en catimini, pénétrons dans un cube de terre chaulée où nous attendent Mahmoud et Basma, des cousins éloignés, mais visiblement très chers au cœur de ma grand-mère, qui pleure dans leurs bras comme je ne l'ai jamais vue pleurer. Ma Mani, comme je regrette de n'avoir rien compris à ton chagrin et comme je regrette de n'avoir pas su le partager. Je t'ai tellement aimée. Je n'aimerai plus jamais comme ça, avec cette tendresse éperdue, cette adoration inconditionnelle de tout ce qui touchait à toi, depuis ton sourire radieux jusqu'à la torsade de tes cheveux cuivrés ; depuis tes petites mains sèches jusqu'au tatouage kabyle sur ton menton. Et ta cuisine, les plats que tu nous préparais infatigablement, tes osbans, ton tilitli, ta loubia ! Après toi, plus personne ne m'a nourrie comme tu le faisais, cuiller après cuiller, roucoulant de satisfaction à mon oreille :

– Mange, haboubi, mange, si tu veux devenir un beau garçon, là, comme ça, c'est bien.

Je ne voulais pas devenir un garçon, mais je voulais grandir et être belle, alors j'ouvrais la bouche pour avaler mes boulettes ou ma compote.

Cette nuit-là, loin de m'imaginer que tu es en train de mourir, je vais d'émerveillement en émerveillement : la maison de Mahmoud et Basma, les chants d'oiseaux, le toit-terrasse où nous allons dormir, l'odeur citronnée de la spirale anti-moustiques, tout me ravit. Tandis que tu converses avec tes cousins, dans un arabe trop rapide pour que je le comprenne, les fils d'Omar s'endorment à même le sol, et c'est toi qui leur confectionnes un lit de fortune, toi qui les bordes avec une tendresse infinie, alors que tu n'y vois presque plus, comme si tu ne voulais laisser à personne le soin de s'occuper de la chair de ta chair.

Cette fois encore, j'ai le droit de dormir avec toi, sous un ciel étoilé au point d'en être effrayant pour la petite citadine que je suis. Tu ne connais le nom d'aucune constellation, mais tu me montres l'alignement de trois étoiles, comme un bâton clignotant dans un coin du ciel :

– Mahmoud, Basma, Farah : c'était nous, tu vois. On avait chacun son étoile.

– Quand vous étiez petits ? Vous étiez déjà amis ?

– Oui. Mahmoud, c'est le fils de ma cousine Khlamsa. Tu l'as jamais vue : elle vit à El Goléa. On ira la voir demain. Et Basma, on allait à l'école ensemble. Mahmoud et Basma, ils étaient déjà amoureux, même quand ils étaient tout petits, et ils savaient qu'ils se marieraient un jour.

– Et toi, t'avais un amoureux ? C'était Jidi ?

– Non, j'avais pas d'amoureux. Et Jidi, je l'ai rencontré à Alger, pas à Ghardaïa.

Elle n'en dit pas plus. Mon grand-père était déjà très âgé à ma naissance, et je l'ai peu connu – mais ce peu a suffi pour m'inspirer de l'aversion.

Opéré d'un cancer de la gorge, il ne parlait plus mais roulait des yeux furieux en me regardant, comme s'il avait saisi que je ne ferais jamais honneur à la lignée. Quant à ma grand-mère, elle était entièrement à son service, et je doute que cet esclavage ait laissé beaucoup de place à des sentiments amoureux.

Reddouane et Anissa dorment depuis longtemps, indifférents à nos chuchotis. Bien qu'elle n'en ait jamais rien dit, je sais que je suis l'enfant qu'elle préfère, celui avec lequel elle retrouve sa propre enfance, gloussant de joie dans la chaude nuit mozabite, tandis qu'elle me raconte son éblouissement d'être au monde, à sept, neuf, quatorze ans. Ça s'est gâté après, avec le retour en ville et le mariage arrangé. On ne m'empêchera pas de penser que ma liberté est fille de sa domestication forcée, et que mon désir de féminité procède de son horreur de ce corps d'homme vieillissant qu'on fourre dans son lit alors qu'elle a dix-huit ans. Elle me parle de ça, aussi, de son dégoût face aux rides, aux poils, à la bedaine, à l'odeur de tabac de son haleine.

J'ai toujours pensé que Mani aurait préféré coucher avec des femmes, si on lui en avait laissé la possibilité. Comme Bouchra, sa fille aînée, celle qui m'a donné le prénom de son premier amour. Bouchra qui s'est évité les affres du coming out en mettant de la distance entre elle et sa famille, histoire de mener tranquillement sa vie sentimentale dans une ville-dortoir où l'anonymat était la règle.

J'aurais dû être lesbienne, moi aussi. Mais le désir souffle où il veut, et je n'ai jamais compris pourquoi le mien me menait là où j'éprouvais tant de méfiance et tant de répulsion – celle-ci n'empêchant pas l'excitation. Tu aimeras qui tu voudras, Farah, et j'espère être là pour t'éviter le pire : la déformation de ton être et la résignation à la norme. À vrai dire, je ne m'en fais pas trop pour toi. Je pense même que mon inquiétude maternelle t'encombrerait plus qu'autre chose, comme le font toutes les inquiétudes. Tu as peut-être été élevée dans une secte, et bercée de sornettes par des adultes illuminés ; tu as peut-être vécu sous la règle inflexible de Lenny Maurier, avec ses messes poétiques, ses ablutions rituelles, tout le décorum désuet de sa petite vie mystique, mais tu me sembles complètement imperméable aux influences et tranquillement sûre de toi.

À Ghardaïa, sur la terrasse de Mahmoud et Basma, ma grand-mère plaque mon petit corps contre le sien, que je sens se raidir par intermittence, comme si elle avait mal, et je réalise aujourd'hui que c'était sans doute le cas. Elle est morte six mois plus tard, sans avoir rien tenté pour se guérir. Elle s'est laissé envahir, peut-être parce qu'on ne lui avait jamais dit qu'on pouvait refuser l'invasion, l'agression, la possession, la colonisation. J'espère au moins que cette nuit-là, elle a tiré du réconfort de ma présence, de ma surexcitation enfantine, de ma jubilation d'être si loin d'Alger – sans parler de Dreux, son béton, sa froideur, sa grisaille.

J'ai tout oublié d'El Goléa et de la cousine Lkhamsa ; tout oublié aussi du voyage de retour, qui a dû pourtant être tout aussi long et tout aussi mouvementé que l'aller. En revanche, je me rappelle Mani se voilant devant moi pour la première et dernière fois. Elle se contente d'éteindre la torchère de ses cheveux roux, sans faire de zèle, y nouant hâtivement un foulard élimé, mais elle suscite aussitôt chez moi le désir fou d'en faire autant.

– Moi aussi ! Je veux un foulard !

Mani s'agenouille à ma hauteur, plisse les yeux pour distinguer mon visage, sans doute juste une petite tache de clarté dans sa nuit personnelle. Son sourire se fait plus tendre que jamais :

– Mais, haboubi, le foulard, c'est pour les filles !

Bien que prononcée en arabe, je comprends d'autant mieux cette phrase qu'elle résume le drame de ma jeune vie, et je lui réponds, en arabe aussi et au creux de son oreille, comme un secret pour elle et moi :

– Je suis une fille.

Et j'ajoute, inutilement sans doute, vu la discrétion légendaire de ma grand-mère :

– Tu le dis à personne, hein !

Mon secret fait disparaître son beau sourire et elle me caresse pensivement la joue. Elle ne me gronde pas, elle ne me reproche pas de dire des bêtises, comme l'a fait ma mère. Et elle ne dira rien, ni ce jour-là ni jamais. Mais je suis sûre d'une chose, Farah : elle m'a entendue et elle m'a crue. Peut-être a-t-elle elle-même rêvé d'être un garçon, un garçon qui aurait pu ravir Basma à Mahmoud, un garçon qui aurait pu refuser qu'on lui choisisse un conjoint, un garçon qu'on n'aurait pas mis en esclavage dès l'enfance, un garçon dont les mots auraient eu du poids et dont les maux auraient été pris en compte.

Nous sortons dans les rues de Ghardaïa, et de nouveau je suis saisie par la beauté, après tant d'années passées dans la laideur. Mani a hissé Mehdi (ou Nabil ?) sur une hanche et elle s'agrippe d'une main à mon épaule. Elle se fie à moi pour la diriger dans les rues de sa ville natale, ce qui me remplit de joie et de fierté. Pendant ce temps, Basma lui parle, l'aide à s'orienter, lui décrit les lieux – mais ce n'est pas la peine, parce qu'elle les reconnaît : elle reconnaît le sol inégal sous ses pas, la rumeur qui monte du marché, et elle fronce le nez pour en percevoir les odeurs, la résine brûlée dans les braseros, la menthe, le chèvrefeuille, le suint des moutons, des chameaux ou des chèvres, que sais-je, je ne suis pas d'ici, moi, même si tout parle à mes sens et à mon cœur. Mani a eu raison de vouloir ce retour aux sources avec nous, la petite bande des enfants, fous du bonheur de s'égayer librement et de piailler de joie dans la médina, sans adultes moroses pour les rappeler à l'ordre.

Un autre souvenir, pas le dernier mais presque. Alors que nous arrivons aux abords de la palmeraie, deux femmes émergent d'une venelle, entièrement voilées – contrairement à Mani et Basma qui se sont contentées d'un foulard. Nous sommes en 1988, le voile intégral est rare dans les rues de Dreux, et surtout, il est toujours de couleur sombre, alors que les femmes de Ghardaïa se voilent d'un blanc immaculé, presque bleuté, ce qui fait que je m'immobilise, frappée de stupeur.

– Qu'est-ce qu'il y a, haboubi ?

Basma répond à ma place, en riant – et le rire de Mani fait écho à celui de sa cousine :

– Eh oui, c'est comme ça chez nous. Tu as vu leur œil, haboubi ?

– Oui !

– Un seul, hein ?

– Oui !

– Tu n'en verras pas plus !

Des années plus tard, caressant mon échine et lissant mes boucles emmêlées, Lenny me récitera « Le vierge, le vivace et le bel aujourd'hui », faisant resurgir le souvenir de cette apparition mystérieuse, cygne d'autrefois, oiseau empêché, fantôme qu'à ce lieu son pur éclat assigne... Mais bien sûr, à huit ans, je n'imagine pas un seul instant que le voile puisse être une prison. Au contraire, il me semble y lire comme une façon d'être libre, un coup d'aile ivre qui me rapprocherait de mon idéal de beauté et de féminité sans que personne n'y trouve à redire.

À peine les cygnes se sont-ils engouffrés dans une autre ruelle poudreuse que nous pénétrons sous le couvert des arbres, si dense qu'il nous isole complètement du reste du monde. Basma et Mahmoud nous guident fièrement jusqu'à leur parcelle de jardin, et surtout jusqu'à leur piscine. Bon, ce n'est pas une piscine à proprement parler, plutôt une sorte de citerne à laquelle on accède par une échelle branlante, mais nous sommes si petits qu'elle nous fait l'effet d'un bassin olympique. Tandis que Mahmoud surveille la baignade, Mani et Basma entament une conversation à la fois rieuse et mélancolique.

Dans quelques jours, je serai de retour en France et j'aurai quitté ma grand-mère pour toujours. Je ne reviendrai plus jamais en Algérie, et je ne serai plus jamais heureuse comme ce jour-là, tandis que je barbotais avec Reddouane et Anissa, bercée à la fois par le cri des oiseaux et les voix de Mani et Basma ; ravie par le tressage des palmes au-dessus de nos têtes, cette voûte verte, agitée, odorante. Si les treiziémistes sont capables de récréer dans le désert un paradis comparable à celui-là, alors allons-y, fonçons, quittons la ville, gagnons le Sahara, le Tar, le Mojave, le Namib ; creusons le sol, fabriquons des canalisations, plantons des palmiers-dattiers, des orangers, des bougainvillées ; vivons sous des yourtes ou dans des ksours ; échappons aux particules fines et au glyphosate, mais aussi à la haine en ligne, qui me semble un fléau tout aussi polluant que les pesticides et les perturbateurs endocriniens : retranchons-nous du monde, qui ne veut pas de nous de toute façon. Car il est temps que tu le saches, si tu ne l'as pas déjà compris par toi-même : ce monde ne veut ni des femmes à bite ni des enfants intersexué·es. Note qu'il ne veut pas non plus de ces fous qui mélangent tout – ces Guinéens qui se rêvent en guerriers vikings, ces femmes qui se croient loups, ces mâles sigma qui se muent en prophètes et traînent tous les cœurs derrière eux. Le monde est straight, ma chérie, autant que tu t'y fasses, ou plutôt non, ne t'y fais pas et entre en dissidence, comme ton père.

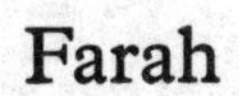

Farah

La treizième revient

Je n'envisage pas de partir dans le désert avec la poignée de treiziémistes que Lenny a convaincus de tout quitter. Je trouve ce projet magnifique, comme Lenny lui-même, mais je le prends aussi pour ce qu'il est, à savoir un suicide, une disparition programmée entre buissons ardents, mirages miroitants et tentations sataniques. Ce serait peut-être l'occasion pour moi d'emprunter la piste animale, de me changer en lion blanc du Namib ou en crotale venimeux du Mojave, mais je préfère me garder la possibilité de rester humaine : il y a tant de façons de l'être et j'en ai essayé si peu.

Quelque temps avant le jour J, mon père décide de nous réunir, Hind et moi, ravivant chez elle l'espoir d'un nouveau départ. Tandis qu'elle s'ouvre à moi de ses projets de recomposition familiale, je me garde bien de la détromper, mais je connais mon père : qu'elle soit Hind ou Myrtho, elle ne lui inspirera plus jamais de désir ni de sentiments romantiques. Je pense même qu'elle lui a ôté toute possibilité de retomber amoureux un jour – sans parler d'éprouver une attirance sexuelle pour quiconque. Selon mes fiches, 1 % de la population mondiale serait asexuelle, et dans cette proportion il y aurait 25,9 % d'aromantiques – dont mon père, que tout prédestinait pourtant au transport, à l'amour fou, à l'amour libre et à l'adoration perpétuelle. Hind peut être fière d'elle – ou au contraire avoir très honte : elle a complètement desséché cet être enthousiaste, elle en a fait un gourou aussi charismatique que dépassionné. Car si je suis la première à saluer le charme de mon père et à reconnaître sa capacité à émouvoir les foules, je ne peux que déplorer l'inhumanité de sa philanthropie.

Au jour prévu pour nos retrouvailles, Hind pénètre pour la première fois depuis dix-sept ans dans l'appartement qu'ils ont occupé tous les deux, et dans lequel ne subsiste aucune trace d'elle. Les murs sont nus, les meubles sont fonctionnels, la déco est inexistante. Sans lui laisser de temps pour un état des lieux et encore moins pour des réminiscences émues, mon père passe méthodiquement à son ordre du jour :

– C'est Marsiella qui va s'occuper de la Treizième Heure en mon absence. Adressez-vous à elle s'il y a le moindre problème.

J'ai cru comprendre que Kenny avait bataillé ferme pour qu'on lui confie la gestion du patrimoine désormais conséquent de notre Église, mais la sainteté de mon père ne le rend aveugle ni à la vénalité ni à l'incompétence : Kenny va devoir filer doux sous la houlette de Marsiella, qu'il méprise et qui le lui rend bien. Quant à moi, je vois mal quel type de problèmes je pourrais rencontrer ni en quoi ils concerneraient la congrégation, mais je le laisse parler et se rassurer tout en parlant. Ce qu'il a envie de croire, c'est qu'il n'abandonne personne et qu'il ne laisse pas ses paroissiens retomber dans l'affreux néant dont il les a tirés – c'était bien la peine de leur promettre le salut pour finalement se volatiliser dans un désert chimérique avec les plus fous d'entre eux.

Marsiella est géniale, et elle saura remplir la plupart des fonctions jusque-là assumées par mon père, mais elle n'est pas Dieu et je ne donne pas un an à notre Église avant de péricliter. Eh oui, il était là le Dieu vivant, juste sous nos yeux, il suffisait de mener l'enquête pour le trouver, et les enquêtes, ça me connaît. À moins que je n'aie fait que remonter la piste, comme un limier sans cervelle, truffe au vent et sens en alerte ? À choisir, je préfère la méthode scientifique aux intuitions animales, mais j'ai appris à me fier aux miennes et au fond peu importe la méthode pourvu qu'on ait des résultats.

J'aurais pu m'ouvrir à mon père de ces résultats, mais j'ai préféré les garder pour moi, comme lui – qui a forcément eu la révélation de sa nature divine à un moment ou à un autre, mais qui s'est tu, par modestie ou par gêne. Peut-être attend-il le désert pour dire à ses disciples : « Je suis celui qui est » ?

Bien sûr, j'aimerais être là, j'aimerais assister à cette épiphanie, mais j'ai comme l'impression qu'elle sera aussitôt suivie d'une dissolution collective, d'un escamotage de Jésus et de ses apôtres entre dunes et oueds asséchés, hop assomption directe à vitesse grand V, miracle, apothéose, on file au ciel sans même franchir les portes du paradis, pas besoin de DMT, et encore moins besoin de mort clinique ; on passe de la vie à la vie mais rien n'y paraît, et les autorités finiront par déclarer que des touristes ont disparu sans laisser de traces dans l'Atacama ou le Sahara. Tandis que Lenny continue de nous délivrer ses dernières volontés, je sens monter en moi l'émotion des adieux, que je jugule pour être à la hauteur de sa dignité :

– Occupez-vous de Ragnar, hein. Ne le laissez pas tomber complètement sous la coupe de mon frère. Vous savez qu'il est fragile.

Contre toute attente, Ragnar a choisi de ne pas faire partie de l'opération Tempête du Désert. Il faut croire qu'en dépit de sa fragilité, il sait repérer une mission suicide, même quand on la lui présente comme un voyage d'agrément en terre promise. Mon père ne part qu'avec Spiridon, Jaquette,

Kinbote, Théodora, Charonne, Blu, Marie-Ciboire, et l'indéfectible Jewel, qui y voit peut-être sa dernière chance de convoler avec l'élu de son cœur. À charge pour moi de veiller aussi sur Erwan, mon demi-frère neuro-atypique. Comme j'ai la manie du diagnostic, je ferais peut-être bien de demander un deuxième avis, mais concernant ce pauvre Erwan mon opinion est faite, et son fonctionnement cognitif risque de lui rendre la vie très difficile. J'ai de l'affection pour Erwan, c'est entendu, mais j'aurais aimé qu'on me consulte avant de me le confier. Avec Ragnar, ça me fait quand même beaucoup de faibles d'esprit à cornaquer, et contrairement à mon père je n'ai pas une vocation de bon berger ni de directeur d'âmes.

– Bon, il ne nous reste plus qu'à procéder à l'échange d'alexandrins.

Il n'arrive décidément pas à se départir de ce ton guindé et cérémonieux, alors que nous sommes sur le point de mettre fin à une relation qui aura quand même duré dix-sept ans. Dix-sept ans d'un bonheur qui aurait été sans nuages si je n'avais pas fini par le prendre en flagrant délit de mensonge et de dérogation à ses propres principes.

L'échange d'alexandrins fait partie des rituels de la Treizième Heure : quand un treiziémiste s'apprête à partir en voyage, voire à quitter définitivement la communauté, il réunit quelques-uns de ses frères et sœurs pour leur remettre un vers de son choix et recevoir le leur – douze syllabes comme un mantra, comme un talisman, ou comme un testament spirituel.

Je sens ma mère un peu désemparée. Même si elle a préparé son alexandrin, je crois qu'elle s'attendait à plus d'effusions. Hop, je glisse dans la main de mon père un petit papier roulotté tandis qu'il me tend une enveloppe. Hind se résout à faire de même, et voilà, c'est fini, au revoir papa.

Nous sommes censés attendre d'être seuls pour découvrir le message que l'autre nous a destiné, mais une fois arrivées en bas de l'immeuble, Hind et moi décidons d'aller noyer notre chagrin dans l'alcool. Il est dix heures du matin, mais peu importe. Le bar le plus proche, c'est le *Nouveau Brazza*, et nous nous y retrouvons une fois de plus, le cœur un peu serré au-dessus de nos verres de chardonnay. J'ai beau juger très sévèrement ma mère, elle me fait de la peine, avec son beau visage convulsé par le chagrin. Que lui dire ? Qu'elle a raté sa vie par bêtise et par égoïsme ? Elle le sait bien. Cela dit, tout n'est pas perdu : vu l'espérance de vie des gens qui pensent avant tout à leur gueule, elle est partie pour vivre au moins cent ans, et franchement, je le lui souhaite. Ayant vidé cul sec son verre de chardonnay, elle se résout à ouvrir l'enveloppe. Tandis qu'elle découvre son alexandrin, un sourire lui monte aux lèvres, et elle fait glisser sur la table un petit carton de vélin recyclé, estampillé du 13 qui nous sert de logo : Et sois la plus heureuse étant la plus jolie. Moi aussi je souris, parce que c'est tout mon père, ça, ce dernier hommage à la beauté de Hind, mais aussi ce vœu de bonheur qui signifie qu'il lui pardonne et qu'il ne lui veut que du bien.

– Et le tien d'alexandrin, Farah ?

– Lequel ? Celui que papa m'a donné ou celui que je lui ai donné ?

– Ben, les deux.

Je pourrais lui dire que ça ne la regarde pas, mais moi aussi je pardonne, moi aussi je décide de ne plus vouloir que du bien à cette mère d'opérette, avec ses piercings, ses tatouages polychromes, ses fausses fourrures et ses glitter nails – et je lui tends mon propre vélin, qu'elle déchiffre à haute voix :

– Où les songes d'enfance à la fin se défont... C'est beau ça, c'est de qui ?

– Aucune idée.

Aucune idée, et je m'en fous. Ce qui m'importe, c'est de comprendre ce que mon père a voulu me signifier par là : ce sont quand même ses dernières volontés, presque son épitaphe, même s'il nous a dit au revoir comme si de rien n'était, comme s'il partait pour quinze jours de vacances.

Les songes se défont, l'enfance aussi, je suis d'autant mieux placée pour en parler que j'arrive au bout de la mienne et que je le regrette. J'aurais dû mieux en profiter au lieu de vouloir grandir à toute force et à toute vitesse – parce que grandir, c'était prendre mes propres décisions au lieu de subir celles d'adultes déraisonnables. Mais qui sait si mon père parle de mon enfance ? Qui sait s'il n'est pas plutôt en train de dire adieu à sa propre immaturité, à ses rêves puérils de nouvelle ère, à ses fantasmes de grand dévoilement et de fondation d'un royaume dans le désert ? Mettant un terme provisoire à mes cogitations, j'interroge Hind :

– Et toi, t'as choisi quoi comme alexandrin ?

– Ne me quitte pas.

– Quoi ?

– Ne me quitte pas.

– Comment ça, « ne me quitte pas » ?

– C'est ce que je lui ai écrit. C'est mon alexandrin.

– Mais enfin, « ne me quitte pas », c'est pas un alexandrin !

– Peut-être, mais c'est quand même de la poésie.

Elle me regarde avec un tel air de défi buté que je renonce à protester contre ce choix intempestif, ce choix qui lui ressemble, car oui ça lui ressemble d'être à sept syllabes des autres, dans son espace de solitude et de singularité ; ça lui ressemble d'être à sept syllabes de la beauté régulière de l'alexandrin. « Ne me quitte pas », c'est très beau, mais c'est aussi très décevant si on espère deux hémistiches, voire deux hémisphères, un monde habitable, une planète que la barbarie n'ait pas dévastée, soit très exactement ce que les treiziémistes appellent de leurs vœux sans rencontrer d'écho ni susciter d'élan ; « ne me quitte pas », c'est magnifique, mais c'est aussi très insultant dans la bouche ou sous la plume de celle qui nous a quittés pour vivre sans temps mort et jouir sans entraves – « ne me quitte pas », c'est bien gentil mais c'est trop tard.

– Parce que toi, tu lui as donné un alexandrin, à ton père ?

– Exactement.

C'est faux, mais moi aussi j'ai droit au mensonge. C'est faux, mais moins faux que « ne me quitte pas », et surtout moins loin des douze syllabes requises par Lenny. Je regarde ma mère qui n'est pas ma mère, je m'efforce de graver ses traits dans mon esprit, ses pommettes hautes, sa bouche sensationnelle, la parfaite petite bosse de son nez ; je m'efforce de mémoriser en vrac tout ce qui a fait le malheur de mon père, cette beauté fatale et surtout complètement inutile, contrairement à celle de l'alexandrin qui réchauffe les cœurs sans les dévaster. Nous nous reverrons peut-être mais pas sûr – j'ai des projets de vie qui n'incluent ma mère.

Au lieu de répondre à ses attentes, au lieu de lui confier ce que j'ai confié à Lenny, ma propre petite dédicace anthume, je verse le contenu de mon verre dans le sien, et je m'en vais. Je m'en vais sans explication et sans esclandre. Je m'en vais légère, orpheline, heureuse de reprendre possession de moi-même. Les sons rentreront dans l'orgue après le service : tel est l'alexandrin que j'avais prévu de remettre à mon père. Ayant lu Michaux avant moi, il aurait forcément décodé le message : un illuminé ne peut durer longtemps. Ça ne l'aurait pas empêché de partir, mais il aurait su que je n'étais pas dupe de ses intentions suicidaires.

À l'heure qu'il est, il doit être en train de méditer sur le vers que j'ai finalement retenu : Ah ! vraiment, c'est triste, ah ! vraiment ça finit trop mal. Je n'ai pas de conseil à lui donner, mais il serait bien inspiré de prendre exemple sur cette syllabe supplémentaire, cette petite irrégularité, cette infime infraction à la règle. Il ferait bien de nous revenir, même claudicant et diminué. Il ferait bien de rentrer avant que ça ne commence à sentir sérieusement le cramé pour l'humanité.

Je comprends tout à fait qu'on soit à bout de souffle, épuisé par des années de prédication inopérante, laminé par trop d'échecs et trop de déceptions. Je peux même admettre qu'on veuille en finir dans un cadre aussi idéalement hostile que le désert, mais si mon père est bien l'homme que je connais, sa mort n'aura qu'un temps. Il émergera de la nuit du tombeau en vainqueur et en justicier ; il reviendra, déterminé à pirater les systèmes et à purger les organismes intoxiqués ; il reviendra, débarrassé de ses songes d'enfant et définitivement dessillé quant au paradis.

Proof of Heaven ? Laissez-moi rire. N'ayant rien rencontré d'autre qu'un néant déconcertant, il reviendra nous insuffler un sentiment d'urgence et nous tirer de notre léthargie psychotique. Il reviendra nous avertir que la seule issue, c'est la vie, la vie sans grigris, sans superstitions, sans autre horizon qu'elle-même, la vie sans espoir de tunnel lumineux ou de pâturages célestes. Il ressuscitera pour lancer l'alerte, et peut-être connaîtra-t-il le sort de tous les lanceurs d'alerte – la prison, le lynchage ou la crucifixion.

À moins qu'il ne revienne mille ans après notre ère, débarquant au milieu des fougères exubérantes et des bêtes innombrables, sous un ciel irisé par les aurores magnétiques et balayé par les vents stellaires. Les baleines croiseront au large sans être déroutées par les cargos, les troupeaux transhumeront sans berger, les neiges tomberont sans témoin, les fleurs refleuriront saison après saison sans personne pour les humer ou les cueillir. Le chant du monde aura perdu ses poètes mais le monde n'en chantera pas moins : il éclatera en rumeurs, feulements, stridulations, cancans, éboulements, fracas, gazouillis éperdus et brames d'excitation.

Qui sera là ? Personne. Le désastre aura eu lieu. Et je ne parle ni des mégafeux, ni des cyclones – ni même des virus qui menacent de nous décimer, vague après vague, variant après variant. Non, je parle du saccage de l'innocence, je parle du programme de destruction massive de la pensée, je parle de la persécution à grande échelle de tout ce qui est beau, sauvage et libre.

Inutile de crier au complot ou à la conjuration des imbéciles. Il s'agit juste d'un délit d'initiés. D'un festin pour super-prédateurs. Proies s'abstenir. Il s'agit d'un banquet où les ventres sont déjà pleins, mais qu'importe. Humiliés, offensés, pauvres gens, passez votre chemin. Au mieux, vous finirez en trophée sur le mur. Au pire, vous mourrez sans avoir été conviés à la bamboche. Elle aura lieu sans vous, chez les heureux du monde, dans un cénacle de nantis qui se partagent depuis toujours la même information confidentielle : ils ne peuvent prospérer que si vous êtes pauvres, ils ne peuvent croître que si vous diminuez – tout le reste est littérature, fable affable, fake news, diversion.

Quand mon père reviendra, ce sera trop tard : les membres du club seront parvenus à leur fin, qui est aussi celle de l'humanité. La résurrection aura lieu pour rien et ne sauvera personne. À moins que dans l'intervalle, je ne me sois moi-même lancée dans une carrière de prophétesse et de redresseuse de torts. Je suis trop la fille de mon père pour assister sans rien dire à la catastrophe. J'ai reçu de lui trop de leçons de joie pour laisser faire les fossoyeurs. J'ai mon idée de la solution finale, et elle ne ressemble pas à la guerre. J'ai mon idée de la vie, et elle ne ressemble pas à la mort.

Outre de nombreuses références bibliques, ce texte contient des citations, parfois légèrement modifiées, de :

Guillaume Apollinaire, Louis Aragon, Antonin Artaud, Théodore Agrippa d'Aubigné, Daniel Balavoine, Georges Bataille, Charles Baudelaire, Samuel Beckett, Amel Bent, Jacques Brel, André Breton, Francis Cabrel, Blaise Cendrars, Aimé Césaire, René Char, Paul Claudel, Pierre Corneille, Olivier Domerg, Fiodor Dostoïevski, Joachim Du Bellay, Paul Éluard, Jean de La Fontaine, Fréhel, Roger Gilbert-Lecomte, Jean Giono, Jean-Jacques Goldman, Jean Hatzfeld, José-Maria de Heredia, Victor Hugo, Aldous Huxley, Billy Idol, Philippe Jaccottet, Mme de La Fayette, Serge Lama, Pierre Louÿs, H.P. Lovecraft, Stéphane Mallarmé, Thomas Mann, Marivaux, Henri Michaux, Molière, Baptiste Morizot, Gérard de Nerval, Anna de Noailles, Marcel Pagnol, Édith Piaf, Sylvia Plath, Jacques Prévert, Marcel Proust, Jean Racine, Serge Rezvani, Arthur Rimbaud, Saint-John Perse, Michel Sardou, Jean-Paul Sartre, William Shakespeare, Barry Gibb, Dylan Thomas, Léon Tolstoï, Paul Verlaine, François Villon, Hawk Wolinski.

Merci à Antonie, Frédéric, Jean-Paul, Lou, Vibeke, Victoire – pour m'avoir donné une région où vivre, quand du stérile hiver a resplendi l'ennui.

Merci aussi à Dimitri, Djamel, Édouard et Héraklès.

Table

Farah

Lenny

Hind

Farah

Achevé d'imprimer en mai 2022
par CPI Firmin-Didot
N° d'éditeur : 2809
N° d'édition : 545761
N° d'imprimeur : 170162
Dépôt légal : août 2022

Imprimé en France